建设行业专业技能培训教材

# CAD 2010 基础教程

何倩玲　冯　强　蔡奕武
杜　涛　贺蜀山　编
中国建设教育协会
广州中望龙腾软件股份有限公司　组织编写

中国建筑工业出版社

**图书在版编目(CIP)数据**

CAD 2010 基础教程/何倩玲等编．—北京：中国建筑工业出版社，2010.11

（建设行业专业技能培训教材）

ISBN 978-7-112-12721-4

Ⅰ. ①C… Ⅱ. ①何… Ⅲ. ①建筑设计：计算机辅助设计-应用软件，AutoCAD 2010-技术培训-教材 Ⅳ. ①TU201.4

中国版本图书馆 CIP 数据核字(2010)第 238051 号

本书为建筑企业岗位人员计算机技能培训教材之一，本书以中望 CAD 2010 中文版为操作对象，由浅入深地介绍中望 CAD 2010 的基本功能、使用方法和绘图技巧。全书共分为 13 章，分别为 CAD 应用基础、CAD 设置、图形绘制、编辑对象、区域填充与面域绘制、绘图工具与图层线型，图形显示，绘制文字，尺寸标注，图块、属性及外部参照，图纸布局与图形输出，数据交换与 Internet 应用，三维绘图基础等基本内容。本书可作为建筑企业岗位从业人员继续教育教材。

* * *

责任编辑：朱首明　李　明

责任设计：董建平

责任校对：赵　颖　关　健

建设行业专业技能培训教材

**CAD 2010 基础教程**

何倩玲　冯　强　蔡奕武　杜　涛　贺蜀山　编

中国建设教育协会　广州中望龙腾软件股份有限公司　组织编写

*

中国建筑工业出版社出版、发行（北京西郊百万庄）

各地新华书店、建筑书店经销

北京天成排版公司制版

北京富生印刷厂印刷

*

开本：787×1092 毫米　1/16　印张：16¾　字数：418 千字

2011 年 2 月第一版　2018 年 11 月第八次印刷

定价：**35.00** 元

ISBN 978-7-112-12721-4

（19966）

# 前　　言

本书以中望 CAD 2010 中文版为操作对象，由浅入深地介绍中望 CAD 的基本功能。

本书将工程设计的需求有机地和中望 CAD 2010 绘图相结合，提出了平面图形与三维图形的绘制理念。在介绍命令的同时，结合实际应用，分析比较其不同点，说明最佳应用场合，真正做到让中望 CAD 为设计思想服务。每章最后均附有大量丰富生动的思考与练习题，以供读者复习巩固之用。

本书结构合理、层次清晰、语言简明通俗、实例丰富，具有很强的针对性及实用性，是中国建设教育协会 CAD 技能初级认证唯一指定培训教材。可作为各类 CAD 培训班及大中专院校相关课程计算机绘图的教材，也可作为需要使用中望 CAD 设计绘图的各类工程设计人员、施工及管理人员的参考资料。

本书由中国建设教育协会及广州中望龙腾软件股份有限公司共同策划，由何倩玲、杜涛、冯强、蔡奕武几位工程师联合编写，并得到了李奇、黄志坤、郭碧茹、杜玉荣、何鹏、单良、董锴、孙小雪林广创及重庆科技学院贺蜀山老师的大力支持，在此一并深表谢意！

由于编者水平有限，时间匆忙，书中肯定有不少疏漏和不妥之处，敬请读者批评指正，并欢迎来信，邮件地址：support@zwcad. com，编者深表感谢！

# 目　　录

# 第 1 章 CAD 2010 应用基础

**本章要点**

■ CAD 2010 安装

■ 软件工作界面

■ 命令执行方式

本章将介绍 CAD 2010 的最基本使用操作方法，包括软件的安装、启动、界面等内容。若读者曾经使用过 CAD 软件，可跳过这章内容。

## 1.1 CAD 2010 的主要功能

CAD 绘图软件基于微软视窗操作系统。被广泛应用于建筑、装饰、电子、机械、模具、汽车、造船等各领域。CAD 的主要功能有：

### 1. 绘图功能

用户可以通过输入命令及参数、单击工具按钮或执行菜单命令等方法来绘制各种图形，CAD 会根据命令的具体情况给出相应的提示和可供选择的选项。

### 2. 编辑功能

CAD 提供各种方式让用户对单一或一组图形进行修改，可进行移动、复制、旋转、镜像等操作。用户还可以改变图形的颜色、线宽等特性。熟练掌握编辑命令的运用，可以成倍地提高绘图的速度。

### 3. 打印输出功能

CAD 具有打印及输出各种格式的图形文件的功能，可以调整打印或输出图形的比例、颜色等特征。CAD 支持大多数的绘图仪和打印机，并具有极好的打印效果。

### 4. 三维功能

软件提供有三维绘图功能，可用多种方法按尺寸精确绘制三维实体，生成三维真实感图形，支持动态观察三维对象。

### 5. 高级扩展功能

CAD 作为一个绘图平台，提供了多种二次开发接口：LISP、VBA、SDS、ZRX，用户可以根据自己的需要定制特有的功能。

## 1.2 CAD 2010 的软硬件要求

在安装和运行 ZWCAD 的时候，软件和硬件必须达到以下要求：

| 硬件与软件 | 要　求 |
|---|---|
| 处理器 | Pentium Ⅲ 800MHz 或更高 |
| 内存 | 512MB(推荐) |
| 显示器 | 1024×768VGA 真彩色(最低要求) |
| 硬盘 | 350MB |
| DVD-ROM | 任意速度(仅用于安装) |
| 定点设备 | 鼠标、轨迹球或其他设备 |
| 操作系统 | Windows 2000、Windows XP、Windows 2003、Windows Vista、Windows 7 |

对于现阶段计算机的配置来说，以上的要求不高。在条件允许的情况下，尽量把计算机的内存容量提高，这样在绘图过程中会更加顺畅。

## 1.3　CAD 2010 工作界面

CAD 的工作界面如图 1-1 所示，主要包括有：标题栏、下拉菜单、绘图区、工具栏、命令栏、状态栏、属性栏等部分。和其他应用程序一样，用户可以根据需要安排工作界面。

图 1-1　CAD 界面

**标题栏**：显示软件名称和当前图形文件名。与 Windows 标准窗口一致，可以利用右上角的按钮将窗口最小化、最大化或关闭。

**下拉菜单**：单击界面上方的菜单，会弹出该菜单对应的下拉菜单，在下拉菜单中几乎包含了 CAD 所具有的所有的命令及功能选项，单击需要执行操作的相应选项，就会执行该项操作。

**工具栏**：工具栏按类别包含了不同功能的图标按钮，用户只需单击某个按钮即可执行相应的操作。在工具栏上点击鼠标右键，可以调整工具栏显示的状态。

**命令栏：** 命令栏位于工作界面的下方，当命令栏中显示“命令:”提示的时候，表明软件等待用户输入命令。当软件处于命令执行过程中，命令栏中显示各种操作提示。用户在绘图的整个过程中，要密切留意命令栏中的提示内容。

**绘图区：** 绘图区位于屏幕中央的空白区域，所有的绘图操作都是在该区域中完成的。在绘图区域的左下角显示了当前坐标系图标，向右方向为 X 轴正方向，向上为 Y 轴正方向。绘图区没有边界，无论多大的图形都可置于其中。鼠标移动到绘图区中，会变为十字光标，执行选择对象的时候，鼠标会变成一个方形的拾取框。

**状态栏：** 状态栏位于界面的最下方，显示了当前十字光标在绘图区所处的绝对坐标位置。同时还显示了常用的控制按钮，如捕捉、栅格、正交等，点击一次，按钮按下表示启用该功能，再点击则关闭。

## 1.4　CAD 命令执行方式

在 CAD 中，命令的执行方式有多种，例如可以通过按工具栏上的命令按钮或下拉菜单等。当用户在绘图的时候，应根据实际情况选择最佳的命令执行方式，提高工作效率。

**以键盘方式执行：** 通过键盘方式执行命令是最常用的一种绘图方法，当用户要使用某个工具进行绘图时，只需在命令行中输入该工具的命令形式，然后根据提示一步一步完成绘图即可。CAD 提供动态输入的功能，在状态栏中按下“动态输入”的按钮后，键盘输入的内容会显示在十字光标附近。

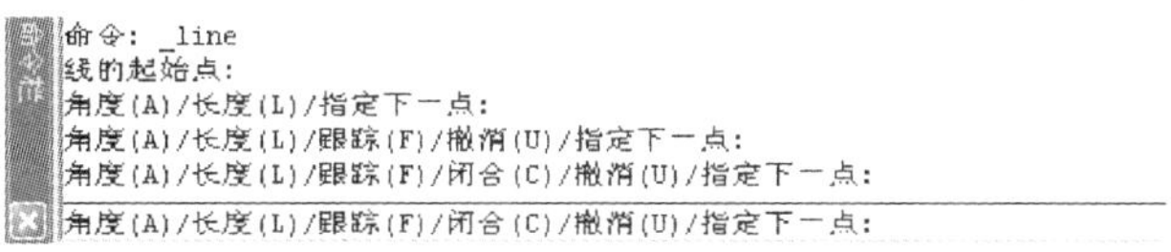


图 1-2　通过键盘方式执行命令

图 1-3　动态输入执行命令

**以命令按钮的方式执行：** 在工具栏上选择要执行命令对应的工具按钮，然后按照提示完成绘图工作。

**以菜单命令的方式执行：** 通过选择下拉菜单中的相应命令来执行命令，执行过程与上面两种方式相同。CAD 同时提供鼠标右键快捷菜单，在快捷菜单中会根据绘图的状态提示一些常用的命令。

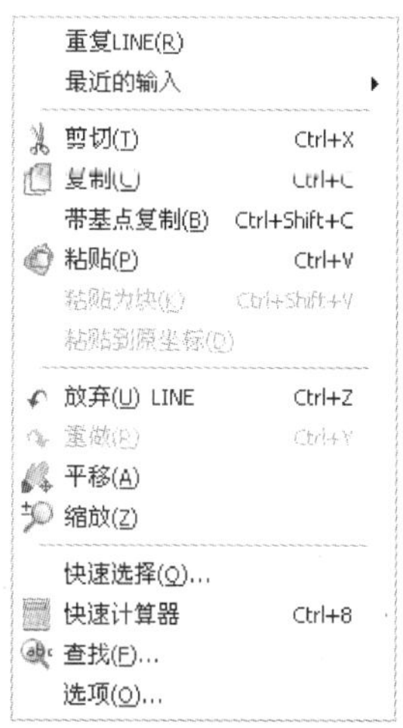


图 1-4　鼠标右键菜单

**退出正在执行的命令：** CAD 可随时退出正在执行的命令。当执行某命令后，可按“Esc”键退出该命令，也可按“Enter”键结束某些操作命令。注意，有的操作要按多次才能退出。

**重复执行上一次操作命令：** 当结束了某个操作命令后，若要再一次执行该命令，可以按“Enter”键或空格键来重复上一次的命令。上下方向键可以翻阅前面执行的数个命令，然后选择执行。

**取消已执行的命令：** 绘图中出现错误，要取消前次的命令，可以使用 Undo 命令，或点击工具栏中的↶按钮，可回到前一步或几步的状态。

**恢复已撤销的命令：**当撤销了命令后，又想恢复已撤销的命令，可以使用 Redo 命令或点击工具栏中的↷按钮来恢复。

**使用透明命令：**CAD 中有些命令可以插入到另一条命令的期间执行，如当前在使用 Line 命令绘制直线的时候，可以同时使用 Zoom 命令放大或缩小视图范围，这样的命令称为透明命令。只有少数命令为透明命令，在使用透明命令时，必须在命令前加一个单引号“'”，CAD 才能识别到。

## 本 章 小 结

本章介绍的是 CAD 的最基础内容，CAD 软件的使用方法和一些主流 Windows 程序是比较相像的，相信读者在熟悉软件上不用花费太多的力气。后面章节将详细介绍具体的绘图方法。

# 第 2 章　CAD　设　置

**本章要点**

■ 启动对话框的使用

■ 文件管理

■ 定制 CAD 2010 绘图环境

■ 设置图形范围、绘图单位

■ CAD 坐标系统

每个人的工作性质、环境，所属专业均不相同，要使 CAD 满足每个人的要求、习惯，就要对 CAD 进行必要的设置。

本章的内容，对于初学者可能有点枯燥，请耐心学下去。当然，也可暂时放一放，先从绘图开始学习。也可以在老师或有经验的同学的帮助下，进行必要的设置。这里相当于学骑自行车，骑车的初学者，上下车较难，而骑上车，往前骑行相对容易掌握，所以往往是初学者由别人扶上车，再往前骑行。

## 2.1　启动对话框的使用

启动 CAD 2010 或建立新图形文件时，系统出现 CAD 2010 屏幕界面，并弹出一个启动对话框，如图 2-1 所示。利用该对话框，用户可以方便地设置绘图环境，让用户以多种方式开始绘图。

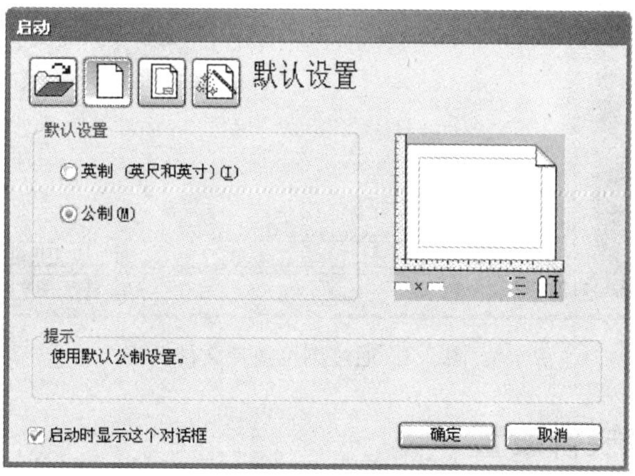


图 2-1　启动对话框

下面分别介绍各个按钮的功能。

## 2.1.1 打开一幅图

当用户单击图 2-1 所示的启动对话框中的按钮时，系统弹出一个如图 2-2 所示的对话框。如果在对话框右边预览中没有图形，要勾选对话框中的“使用预览”。

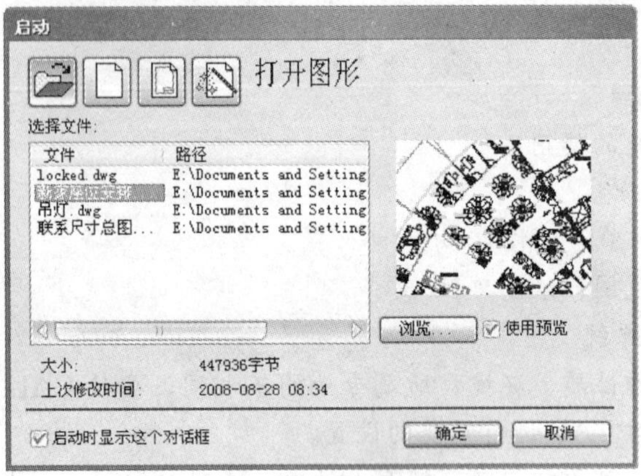

图 2-2 打开图形

用户可以直接点取选择文件列表框下的文件名，单击确定按钮，打开已经存在的图样；或点取浏览按钮，系统将弹出如图 2-3 所示的选择文件对话框，在该对话框中可选取已有图样，并在其上开始绘图。例如：在图 2-3 中，选中 CAD 下面的 Sample 子目录中名为 Cube. dwg 的图形，在对话框右边预览中将可以浏览该图形，然后点取打开按钮，以后就可以在此图样上继续绘图和编辑。

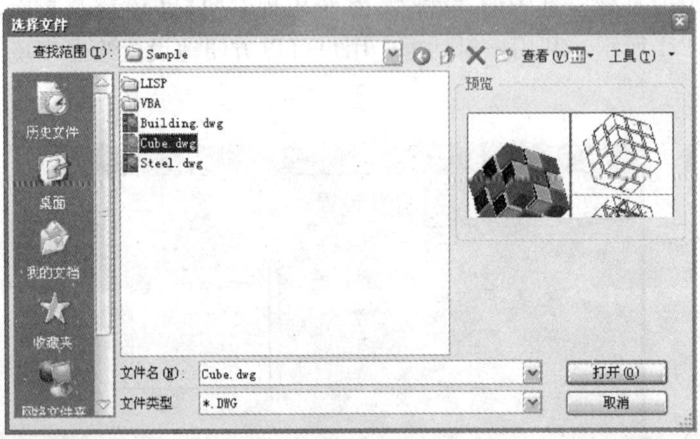

图 2-3 通过浏览选择文件

## 2.1.2 使用缺省设置

当用户单击图 2-1 所示的启动对话框中的按钮时，CAD 2010 将让用户使用缺省的绘图环境开始绘制新图，如图 2-4 所示。该对话框中的默认设置框中有两个单选框：英制(英尺和英寸)，公制(毫米)。用户选择其中一项后，单击确定按钮，即可开始绘制新图形。

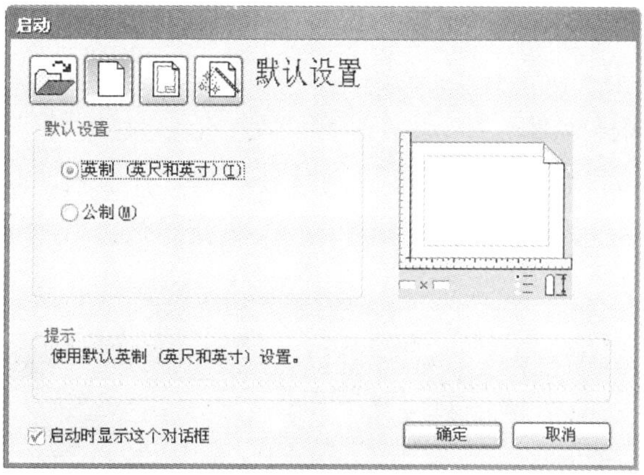


图 2-4 缺省的绘图环境开始绘制新图

显然，国内设计技术人员均采用公制。如果是以英制进入，绘图区长 12 英寸、宽 9 英寸，小数点后带 4 位小数。而初学者，往往是直接以缺省方式进入，也就是进入英制。

编者认为，最好不采用默认设置方式作新图，好的方式是以样板图为基础的方式，效率是最高。当然，对于初学者，也不防试一试此项。如果有困难，可请有经验的人帮助，也可利用其他人作好的样板。

## 2.1.3 使用样板图向导

样板图是指包含一定绘图环境，但未绘任何图形的实体文件。使用样板图的特点是不仅可以使用它所定义的绘图环境，而且可以使用它所包含的图样数据，以便在此基础上建立新的样板图文件。样板图文件的后缀名为“DWT”，CAD 2010 提供了多个样板图文件供用户选择，同时用户也可以定义自己的样板图文件。

单击图 2-1 所示的启动对话框中的按钮，打开如图 2-5 所示的对话框。CAD 2010 将让用户打开一幅样板图文件，并且基于该样板图文件绘制新图。

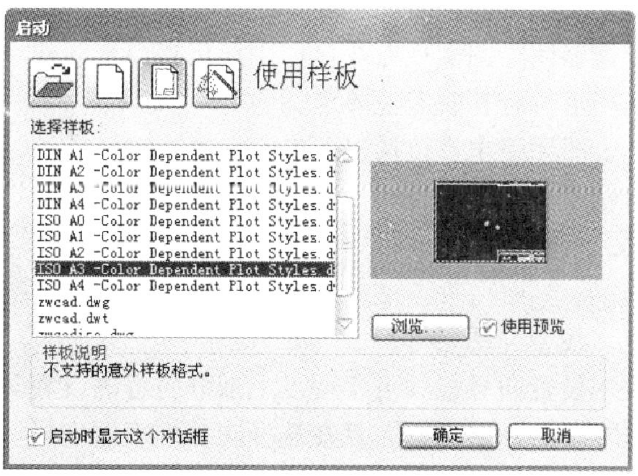


图 2-5 基于样板图开始绘制新的图样

### 1. 选择 DWT 格式样板图

在图 2-5 所示的对话框中，用户可以在选择样板列表框中选择 DWT 格式的样板图文件，然后单击确定按钮结束操作。此后，CAD 2010 将自动打开该样板图文件并且让用户基于它开始绘制新的图样。

**2. 选择 DWG 格式样板图**

如果用户在图 2-5 列表框中没有找到合适的 dwt 格式样板图，亦可以选择使用 dwg 格式图形，如图 2-6 所示。或者通过点击【浏览】按钮查找磁盘目录中 DWG 格式的图形文件并打开它进行编辑。

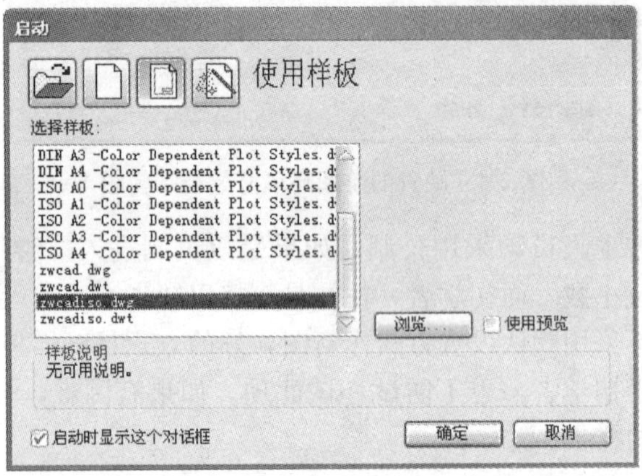


图 2-6 基于 DWG 图形文件绘制新的图样

如果采用此方法，有一点要提醒，作图时间将按照原来图形的作图时间，如果是在考试等场合要求有时间限制时，不能使用。另外一点是容易把原图充掉，而采用样板图，即 *.dwt 文件，就不会有这方面的担心了。如果要用一个图形文件作样板图，最好先将其的属性改为只读，可保证一直存在。

## 2.1.4 使用设置向导

使用向导中包含用户绘图所需的绘图环境。绘图环境是指在 CAD 2010 中绘制图样所需的基本设置与约定。能够使绘图实现专业化、用户化和流水线作业，同时它可大大提高绘图效率，使所绘制的图形符合相关专业要求。

在 CAD 2010 中，绘图环境主要包括以下内容：

◆ 绘图单位、测量精度、光标捕捉等。

◆ 图纸大小与布局、绘图界限等。

◆ 文字与尺寸格式。

◆ 线型和图层颜色、线型、图层等。

启动对话框中的使用设置向导选项可实现以上部分内容的设置。选择启动对话框中的按钮，系统弹出如图 2-7 所示对话框，且在选择向导列表框中显示两个选项：高级设置与快速设置。在该列表框下方向导说明区域中将显示当前向导功能的描述文字，下面分别介绍这两种设置。

**1. 高级设置**

在设置向导对话框中，点取选择向导列表框下的高级设置选项，再点取确定按钮，将

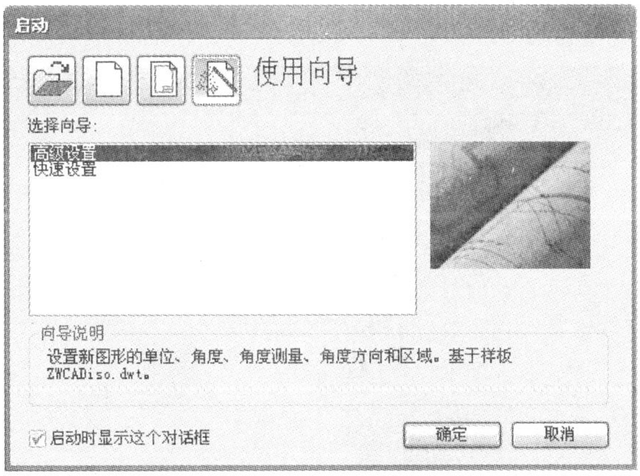


图 2-7　使用设置向导选项

进入高级设置状态，系统将弹出一个高级设置对话框，如图 2-8 所示。该向导共有五项设置，即：

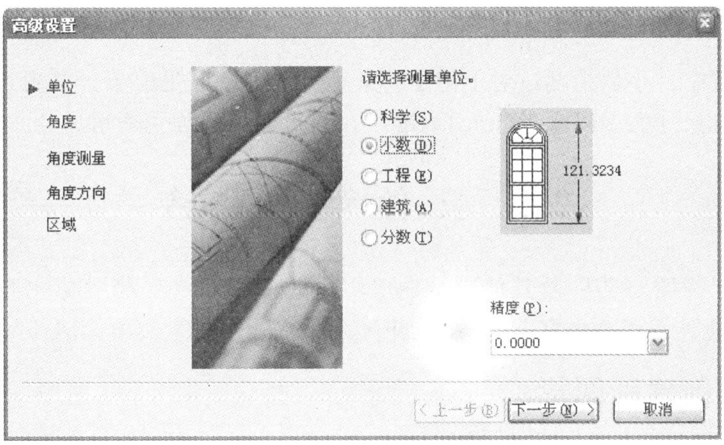


图 2-8　高级设置对话框

1）单位：设置绘图单位和精度。如图 2-8 所示，CAD 2010 共提供了五种绘图单位，其缺省为十进制，也就是小数，一般也是采用十进制。但精度不能采用缺省值 0.0000，一般初学者可选 0 即可。

2）角度：设置角度和精度。类似单位设置，缺省为第一项，可选度/分/秒(S)这一项，比如斜齿轮。

3）角度测量：测量角度的起始方向。选缺省项正东，也就是时针三点方向。

4）角度方向：角度测量方向。缺省项为逆时针方向。角度的起始和方向都和我们从小学开始学习的数学完全相同。

5）区域：绘图区域设置。分别在宽度和长度键入绘图区域的大小。比如 A3 图纸为 420mm×297mm，A4 图纸为 297mm×210mm 等。

完成以上五步后，点取【完成】按钮，即完成高级设置，接着开始绘图工作。

**2. 快速设置**

如图 2-7 所示的对话框，在选择向导列表框中选择快速设置选项，再点取【确定】按钮，系统将弹出快速设置对话框，如图 2-9 所示。

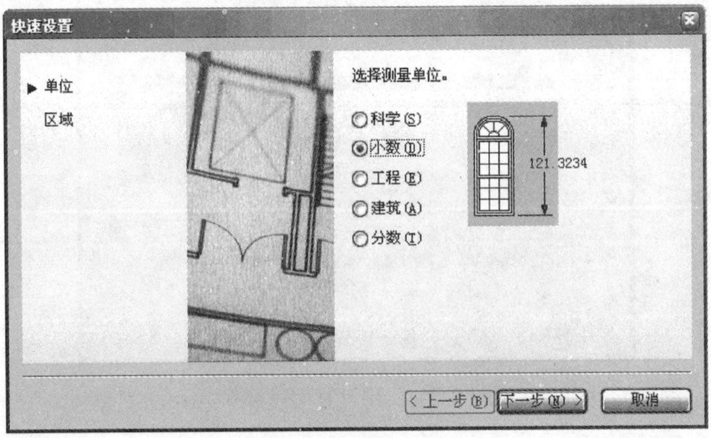


图 2-9 快速设置对话框

快速设置较高级设置简单得多，在快速设置对话框中只有单位和区域两项设置，同高级设置。

在单位设置中，小数精度，对于初学者其精度选为 0 已足够了，清爽，好理解，就是在工程上，公称尺寸大多以毫米(mm)为准，在建筑上，精确到毫米足矣。如图 2-9 所示。

## 2.2 文件管理命令

前面介绍了开始对话框及其使用，下面将讲述 CAD 2010 常用文件管理命令。CAD 2010 中常用的文件管理命令有 NEW、OPEN、QSAVE/SAVEAS、QUIT 等。

### 2.2.1 创建新图形

**1. 以缺省设置方式新建图形**

在工具栏中选择"新建"图标，或在命令行中直接键入"NEW"，即可以缺省设置方式创建一个新图形。该图已预先做好了一系列设置，例如绘图单位，文字尺寸及绘图区域等。你可根据绘图需要保留或改变这些设置。

**2. 使用启动对话框新建图形**

执行 NEW 命令后，系统会弹出启动对话框。该对话框允许以三种方式创建新图，即使用缺省设置、使用样板图向导及使用设置向导。其操作与前面相同，这里不再重述。

**注意：** 当系统变量"STARTUP"的值为"ON"时，执行 NEW 命令或点击"新建"图标都会弹出启动对话框；当"STARTUP"的值为"OFF"时，执行 NEW 命令或点击"新建"图标都以缺省设置方式创建一个新图形。

### 2.2.2 打开图形文件

**1. 命令格式**

命令行：Open

菜单：[文件]→[打开]

工具栏：[标准]→[打开]

OPEN 命令打开已经创建的图样。如果图样比较复杂，一次不能把它画完，可以把图样文件存盘，以后可用打开文件命令继续绘制该图。

**2. 操作步骤**

执行 OPEN 命令，系统弹出打开图对话框，如图 2-10 所示。

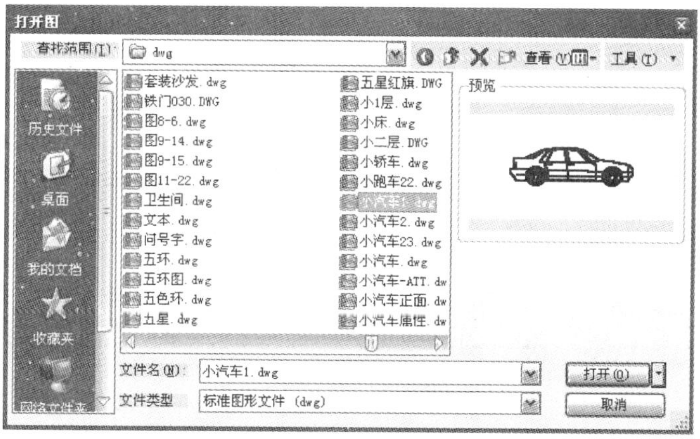


图 2-10　打开图对话框

对话框中各选项含义和功能说明如下：

**查找范围：** 点取下拉式列表框，可以改变搜寻图样文件的目录路径。

**文件名：** 当在文件列表框中点取某一图样文件时，图样的文件名自然会出现在文件名对话框中；也可以直接在对话框中键入文件名，最后点取【打开】按钮。

**文件类型：** 显示文件列表框中文件的类型，点取下拉列表，CAD 2010 可供四种文件类型：标准图形文件(dwg)、图形交换格式(dxf)、网络设计格式(dwf)、模板图形(dwt)。

**以只读方式打开：** 这是一个开关按钮，打开此开关，表明文件以只读文件打开，不许对文件做任何修改，但可以编辑文件，最后将文件存盘时，提示以另一文件名存盘。

**预览：** 选择图样后，可以从浏览窗口预览将要打开的图样。

**"工具"下拉菜单中的查找：** 点取此按钮，打开一个对话框，通过对话框可以找到自己要打开的文件。

**"工具"下拉菜单中的定位：** 通过此按钮，可以确定要打开的文件的路径。

## 2.2.3　保存文件

文件的保存在所有的软件操作中是最基本和最常用的操作。在绘图过程中，为了防止意外情况造成死机，必须随时将已绘制的图形文件存盘，常用"保存"、"另存为"等命令存储图形文件。

**1. 缺省文件名保存**

命令行：Qsave

菜单：[文件]→[保存]

工具栏：[标准]→[保存]

如果图样已经命名存储过，则此命令以最快的方式用原名存储图形，而不显示任何对话框。如果将从未保存过的图样存盘，这时 CAD 2010 将弹出如图 2-11 所示的对话框，系统为该图形自动生成一个文件名，一般是“Drawing1”。此时该命令同“另存为(SAVEAS)”命令。

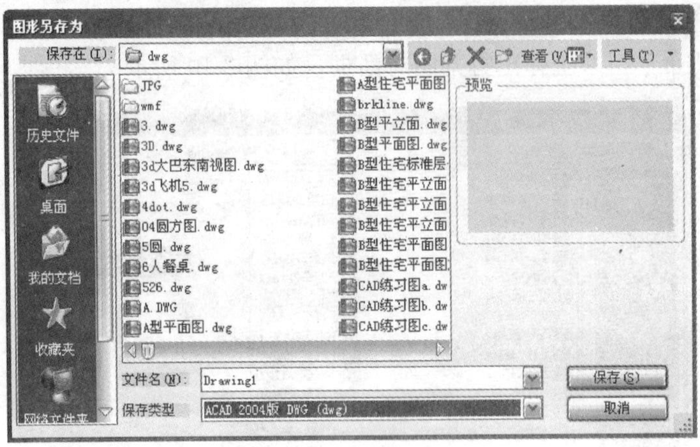


图 2-11　存储图形

**2. 命名存盘**

命令行：Saveas

菜单：[文件]→[另存为]

SAVEAS 命令将文件命名存盘。执行该命令后，系统弹出如图 2-12 对话框，下面对选项说明：

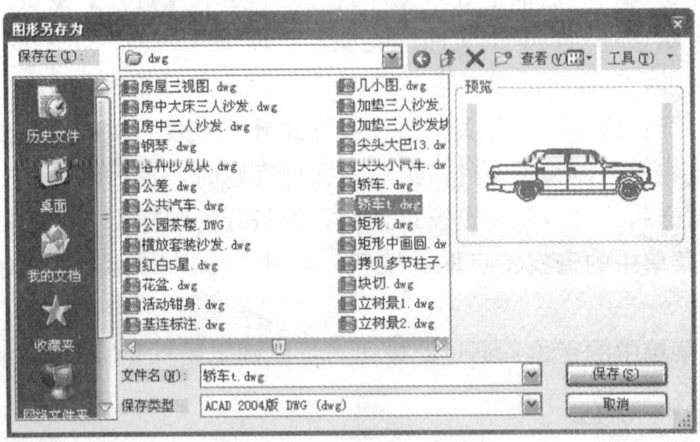


图 2-12　将文件另命名存盘

对话框中各选项含义和功能说明如下：

**保存在**：点取对话框右边的下拉箭头，选择文件要保存的目录路径。

**文件名**：在对已经保存过的文件另存时，编辑框中要自动出现该文件的文件名，不改变文件名保存，可直接点取【保存】按钮。如果要给文件另外命名，可以直接在此编辑区中键入新文件名并点取【保存】按钮即可。

**保存类型：**将文件保存为不同的格式文件。可以点取对话框右边的下拉箭头，选择其中的一种格式。

执行保存(S)命令，系统直接将图形以原来的文件名存盘，而原先的老图形文件已经变成了备份文件，即是 *.bak 文件。

### 2.2.4　关闭图形文件

**命令格式**

命令行：Close

菜单：[文件]→[关闭]

关闭当前图形文件。关闭文件之前若未保存，系统会提示是否保存。

### 2.2.5　获得帮助

**命令格式**

命令行：Help

菜单：[帮助]→[帮助]

工具栏：[标准]→[帮助]

显示帮助信息。可以直接按 F1 键来打开帮助窗口。

### 2.2.6　退出程序

**命令格式**

命令行：Quit 或 Exit

菜单：[文件]→[退出]

退出 CAD。若您尚未储存图形，程序会提示您是否要储存图形。退出程序也可直接点击软件窗口右上角的关闭图标。

## 2.3　定制 CAD 绘图环境

在新建了图纸以后，还可以通过下面的设置来修改之前一些不合理的地方和其他辅助设置选项。

### 2.3.1　图形范围

**1. 命令格式**

命令行：Limits

菜单：[格式]→[图形界限]

LIMITS 命令用于设置绘图区域大小，相当于手工制图时图纸的选择。

**2. 操作步骤**

用 LIMITS 命令将绘图界限范围设定为 A4 图纸(210mm×297mm)操作步骤如下：

命令：limits　　执行 limits 命令

限界关闭：打开(ON)/＜左下点＞ ＜0，0＞：0，0　　设置绘图区域左下角坐标

右上点 <420，297>：297，210　　设置绘图区域右上角坐标

命令：limits　　重复执行 limits 命令

限界关闭：打开(ON)/<左下点> <0，0>：on　　打开绘图界限检查功能

各选项说明如下：

**关闭**(OFF)：关闭绘图界限检查功能

**打开**(ON)：打开绘图界限检查功能

确定左下角点后，系统继续提示：右上点 <420，297>：指定绘图范围的右上角点。默认 A3 图的范围，如果设其他图幅，只要改成相应的图幅尺寸就可以了。

**国家标准图纸幅面**(单位：mm)　　**表 2-1**

| 幅面代号 | A0 | A1 | A2 | A3 | A4 |
|---|---|---|---|---|---|
| 宽×高 | 1189×841 | 841×594 | 594×420 | 420×297 | 297×210 |

**3. 注意**

1) 在 CAD 2010 中，我们总是用真实的尺寸绘图，在打印出图时，再考虑比例尺。另外，用 LIMITS 限定绘图范围，不如用图线画出图框更加直观。

2) 当绘图界限检查功能设置为 ON 时，如果输入或拾取的超出绘图界限，则操作将无法进行。

3) 绘图界限检查功能设置为 OFF 时，绘制图形不受绘图范围的限制。

4) 绘图界限检查功能只限制输入点坐标不能超出绘图边界，而不能限制整个图形。

例如圆，当它的定形定位点(圆心和确定半径的点)处于绘图边界内，它的一部分圆弧可能会位于绘图区域之外。

## 2.3.2 绘图单位

**1. 命令格式**

命令行：Units/Ddunits

菜单：[格式]→[单位]

DDUNITS 命令可以设置长度单位和角度单位的制式、精度。

一般的，用 CAD 2010 绘图使用实际尺寸(1∶1)，然后在打印出图时，设置比例因子，在开始绘图前，需要弄清绘图单位和实际单位之间的关系。例如，你可以规定一个线性单位代表一寸，一尺，一米或一公里，另外，你也可以规定程序的角度测量方式，对于线性单位和角度单位，你都可以设定显示数值精度，例如，显示小数的位数，精度设置仅影响距离、角度和坐标的“显示”，CAD 2010 总是用浮点精度存储距离、角度和坐标。

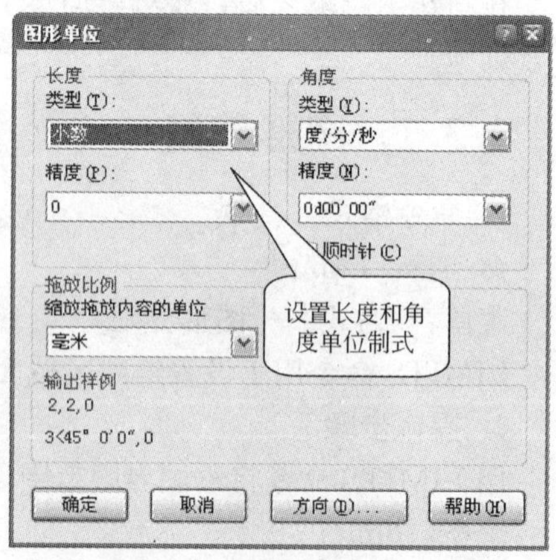


图 2-13　绘图单位对话框

**2. 操作步骤**

执行 DDUNITS 命令后，系统将弹出如图 2-13 所示的图形单位设置对话框。对话框的主要内容如

图 2-13 所示。

长度类型如表 2-2 所示。

**长度单位表示形式**　　**表 2-2**

| 单位类型 | 精度 | 举例 | 单位含义 |
|---|---|---|---|
| 科　学 | 0.00E+01 | 1.08E+05 | 科学计数法表达方式 |
| 小　数 | 0.000 | 5.948 | 我国工程界普遍采用的十进制表达方式 |
| 工　程 | 0′-0.0″ | 8′-2.6″ | 英尺与十进制英寸表达方式，其绘图单位为英寸 |
| 建　筑 | 0′-01/4″ | 1′-31/2″ | 欧美建筑业常用格式，其绘图单位为英寸 |
| 分　数 | 01/8 | 165/8 | 分数表达方式 |

**角度单位表示形式**　　**表 2-3**

| 单位类型 | 精度 | 举例 | 单位含义 |
|---|---|---|---|
| 度 | 0.00 | 48.48 | 十进制数，我国工程界多用 |
| 度/分/秒 | 0d00′00″ | 28d18′12″ | 用 d 表示度，′表示分，″表示秒 |
| 百分度 | 0.0g | 35.8g | 十进制数表示梯度，以小写 g 为后缀 |
| 弧度 | 0.0r | 0.9r | 十进制数，以小写 r 为后缀 |
| 勘测 | N0d00′00″E | N44d30′0″E<br>S 35d30′0″W | 该例表示北偏东北 44.5°，勘测角度表示从南(S)北(N)到东(E)西(W)的角度，其值总是小于 90°，大于 0° |

**角度方向**：规定当输入角度值时角度生成的方向，图 2-13 确定逆时针方向角度为正；若钩选顺时针，则确定顺时针方向角度为正。

**基准角度**：在图 2-13 中点击方向按钮，出现方向控制对话框，如图 2-14 所示，规定 0°角的位置，例如，缺省时，0°角在“东”或“3 点”的位置。

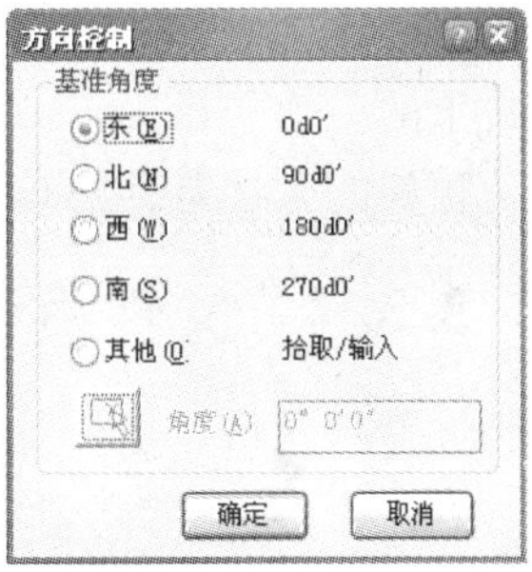


图 2-14　角度方向控制

**3. 注意**

基准角的设置对勘测角度没有影响。

## 2.3.3　调整自动保存时间

在 CAD 操作中，由于停电或突然死机等原因，往往将自己之前做的工作付之东流，而不得不重新再做。

我们可以调整 CAD 自动存图时间，使损失减少到最小，选取［工具］下拉菜单中的最后一项，即“选项”，出现配置对话框，如图 2-15 所示。选第一个“打开和保存”标签页，将系统默认的自动存盘分钟数 120 改成 20，即 20 分钟，系统自动存盘一次。当然，如果停电频繁也可改成 10，根据你自己所处环境情况确定。

这样计算机将按你设定的时间自动为你保存一个以 sv$ 为后缀的文件。这个文件存放在设定的文件夹里面，碰到断电等异常情况，可将此文件更名为 dwg 为后缀的文件，在 CAD 软件中就可打开了。

当你觉得在系统默认的目录并不适合你，在选项对话框中，改成你设定的子目录。对于学校机房的计算机，一般都加了保护卡，对于 C 盘(甚至 D 盘)，被保护起来了，计算机重新启动后图形文件也不存在了，在这样的情况，也可自己设定一个子目录。具体设置前，可以了解哪个分区是未保护。如果是全机保护，老师会为你提供一个存储区，比如教

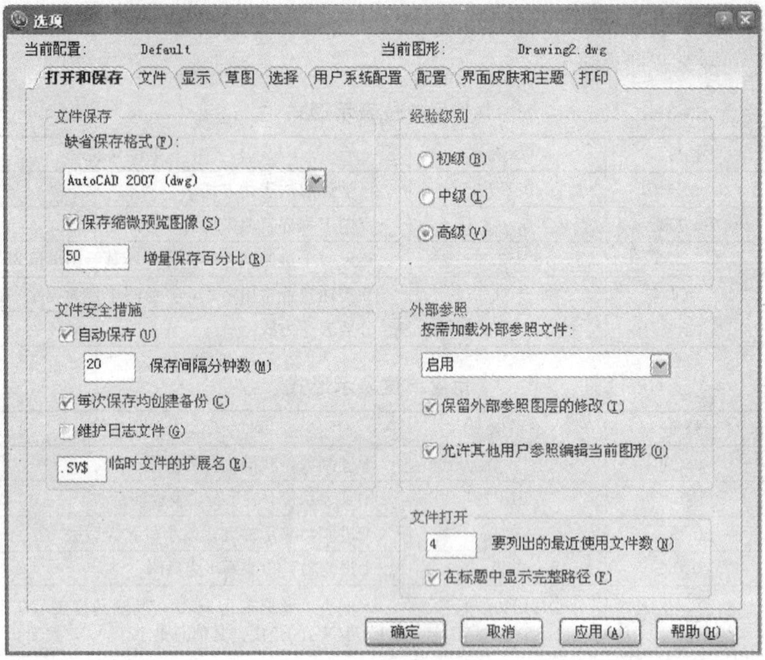


图 2-15　调整存图时间

师机上的一个子目录，可以通过网上邻居，访问到教师机。文件存放到老师指定的子目录下。更好的方法是存到自己的 U 盘上。

## 2.3.4　文件目录

文件目录最好是设置到 CAD 目录下，便于查找，如图 2-16 所示。当然，也可放到你

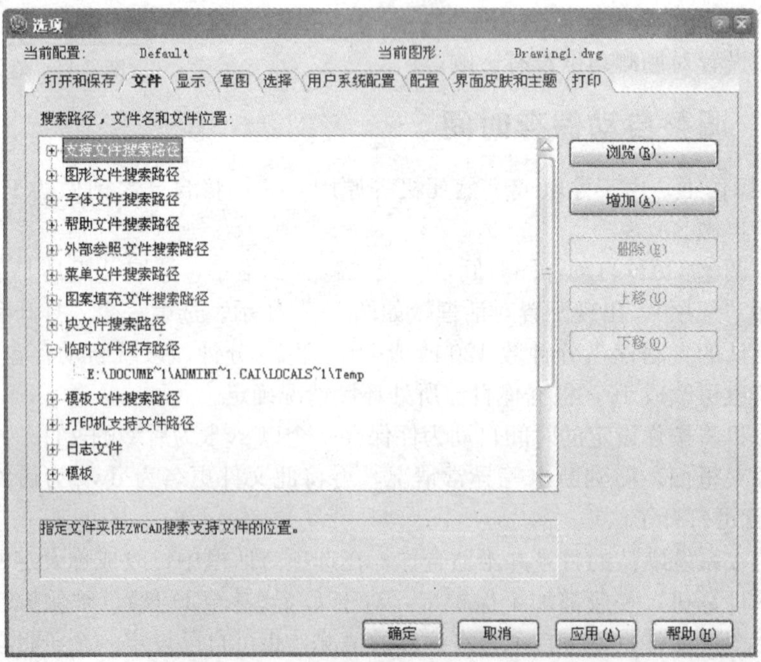


图 2-16　文件目录设置到 CAD 目录下

认为方便的地方，CAD 是将图、外部引用、块放到“我的文档”中，如果你的机器上的“我的文档”中文件太多，建议就要修改上述几种文件的用户路径。临时文件保存路径可以从系统默认的 temp 目录改到你想要的目录。

## 2.3.5　捕捉光标

如果是按系统默认是浅黄色如图 2-17 所示，对黑色背景绘图区，反差大，比较好。但当把屏幕背景设置成白色后，浅黄色就看不清楚了(反差太小)，这时可将捕捉小方框设成紫色，比如经常要截图到 word 文档，就要改成反差大的颜色，如图 2-18 所示。当然，你要在真彩色中去配置也可以，那里有 1670 万种颜色。

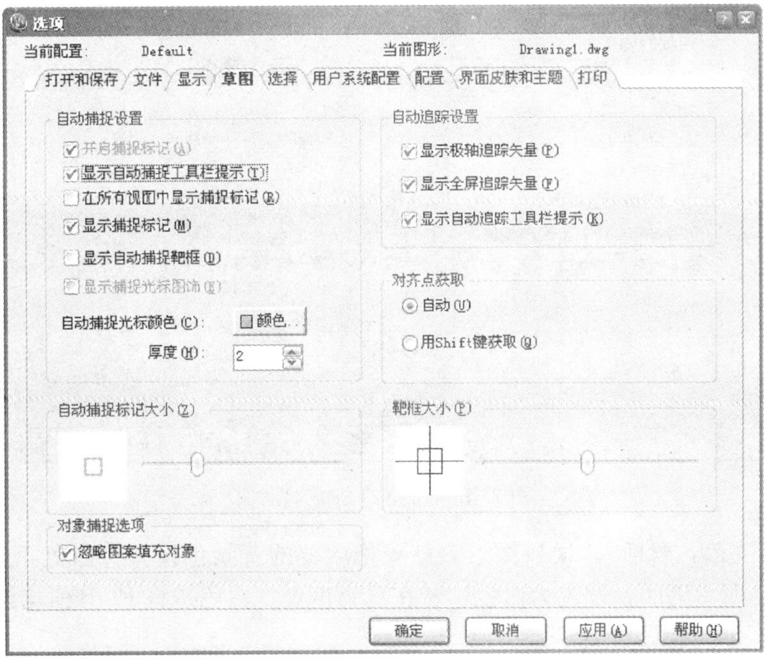


图 2-17　系统的捕捉光标

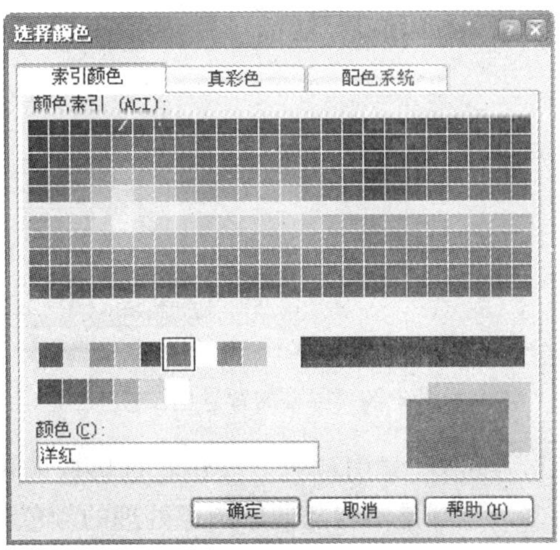


图 2-18　捕捉光标改变颜色

## 2.3.6 设置绘图屏幕颜色

设置绘图屏幕颜色。缺省情况下，屏幕图形的背景色是黑色。如图 2-19 中，点击【颜色】按钮，可以改变屏幕图形的背景色为指定的颜色。

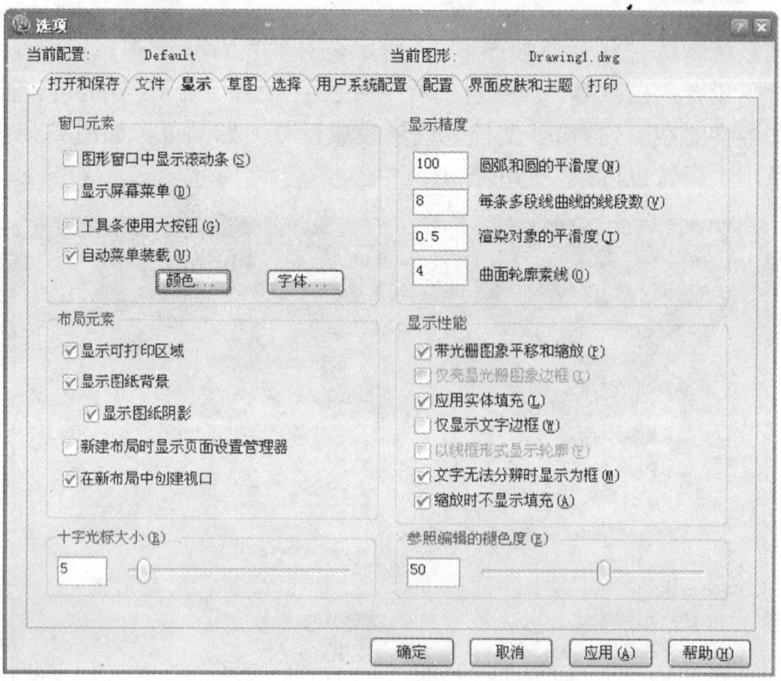


图 2-19 “显示”标签对话框

比如编写文稿，要插入 CAD 图形，就要把屏幕的背景色设置为白色，点击【颜色】，出现如图 2-20 所示画面，设置为白色，若在真彩色页，白色是将 RGB 值均设置为 255。

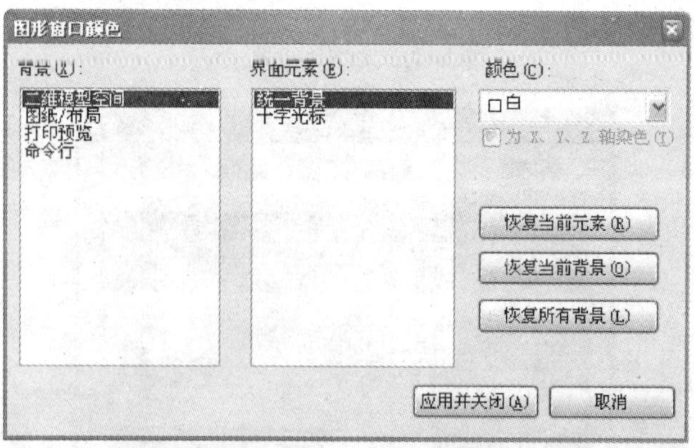


图 2-20 屏幕的背景色设置

如果采用“索引颜色”，点击“索引颜色”按钮，直接选颜色要简单得多。由于是工程图纸，颜色不必设置过多，最好是不要随便以图像处理的颜色要求来处理图形。

如图 2-20 所示对话框，可以设置十字光标颜色，帮助区别 X、Y 及 Z 轴，可分别设置不同颜色。

# 2.4　定制 CAD 操作环境

## 2.4.1　定制工具栏

命令行：Customize

菜单：[工具]→[自定义(C)]→[工具栏]

CAD 2010 提供的工具栏可快速地调用命令。可通过增加、删除或重排列、优化等设置工具栏，以更适应工作。也可以建立自己的工具栏。工具栏保存在程序中，也可以导出成 mns 等文件给其他人加载后使用。在定制工具栏时，使用 Customize 命令。

执行 Customize 后，系统弹出如图 2-21“定制”对话框，选择“工具栏”标签。

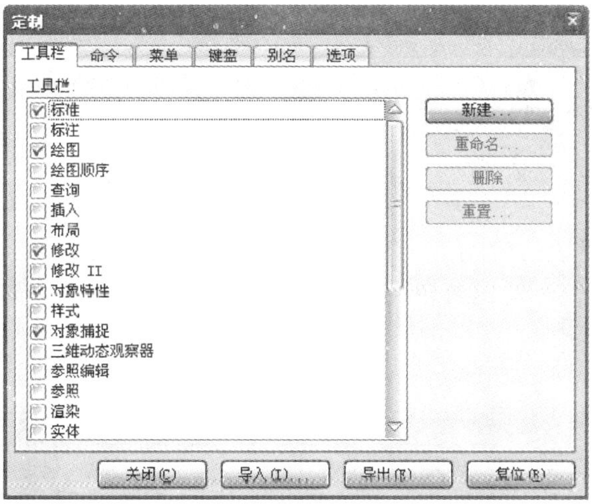


图 2-21　“定制”对话框

### 2.4.1.1　组建一个新的工具栏

组建一个新工具栏的工作包括新建工具栏和在新工具栏中自定义工具按钮。

**1. 建立新的工具栏**

可在图 2-21 的“定制”对话框中，点击【新建】按钮，会出现如图 2-22 所示的对话框。输入名称后确定，会在定制对话框的工具栏列表最底下新增一个新的工具栏，同时在软件界面上也会生成一个空白的工具栏。

图 2-22　“新建工具栏”对话框

**2. 增加一个按钮到工具栏**

1）确保想修改的工具栏是可见的，执行 Customize 命令。

2）点选工具标签

3）在对话框中“命令”标签页的“类别”列表中，选择一个工具栏后，在“按钮”区显示相关的工具按钮。

4）从“按钮”区拖动一个按钮到对话框外的某一工具栏上。

5）如果必要则修改工具提示，帮助字串和命令。

6）若再增加另一个工具按钮，重复 4～5 步骤。

7）当完成时则点取【关闭】按钮。

**3. 从工具栏中删除一个工具按钮**

1）确保想修改的工具栏是可见的，执行 Customize 命令。

2）右键点选工具栏中想要删除的工具按钮。

3）在右键菜单中点击删除。

#### 2.4.1.2 导入工具栏

工具栏是 CAD 2010 整体的一部分，导入一个菜单文件，执行 Tbconfig 命令，弹出如图 2-21 对话框，选择“菜单”标签，点击“导入”按钮，找到相应菜单文件导入，如图 2-23 所示。

图 2-23　导入其他 CAD 菜单文件

**注意：** 从“定制”对话框的工具栏标签输入其他菜单文件替换任何想自定义的工具栏。用此方法输入菜单文件，不会影响当前菜单。

也可按复位按钮返回 CAD 2010 的缺省复位。

### 2.4.2 定制菜单

执行 customize 命令，系统弹出“定制”对话框，选择“菜单”标签。系统显示如图 2-24 对话框。

#### 2.4.2.1 建立一个新的下拉菜单

1. 在“菜单树”内，在想添加新菜单处选择一个已有的菜单名。

2. 点击“插入”，选择“菜单条款”。

3. 在图 2-25 所示的编辑框内键入新下拉菜单的名，然后键入回车键。

**注意：** 要看到新菜单，必须执行下列 2.4.2.2 步骤加入命令到菜单。

图 2-24 “定制”对话框的菜单选项卡

图 2-25 键入新下拉菜单的名称

#### 2.4.2.2 给下拉菜单加入一个命令

1. 在“菜单树”内，选择要加入命令的菜单。

2. 点击【插入】按钮，选择“菜单子菜单”。

3. 在图 2-26 所示的编辑框内键入新命令的名称，然后键入回车键。

4. 指定要添加的命令，可以通过两种方式：

- 在“命令”编辑框内输入一个 CAD 2010 命令。
- 在“可选命令”列表内，选择相应的命令，然后点取“添加命令”按钮。

5. 在“帮助字串”编辑框内，输入要在状态行显示的命令提示文文本。

6. 点击【关闭】按钮。

**注意：**当为新的命令输入名字时，可以在要作为快捷键的字母前加“&”，但不要在同一个下拉菜单下的菜单项和命令中出现重复的快捷键。

图 2-26　键入新命令的名称

### 2.4.2.3　重命名一个菜单项

1. 在“菜单树”中，选择要更名的菜单项。
2. 选择【改名】按钮。
3. 在菜单项原名称处的编辑框内键入新的名字。
4. 点击【关闭】按钮。

### 2.4.2.4　删除一个菜单项

1. 在“菜单树”中，选择要删除的菜单项。
2. 选择【删除】按钮。
3. 点取【关闭】按钮。

**注意：**删除有子菜单的菜单项将删除所有子菜单。

### 2.4.2.5　设置菜单的经验级别

1. 在“菜单树”中，选择要设置经验级别的菜单项命令名称。
2. 点取【选项】按钮，弹出图“菜单自定义选项”对话框。
3. 在对话框“经验级别”中设置“初级”、“中级”或“高级”。
4. 点取【确定】。
5. 点取【关闭】。

### 2.4.2.6　保存菜单文件

程序自动保存当前菜单的修改。读者也可以创建并保存自己定制的菜单。

1. 选择【导出】按钮 。
2. 指定要保存的菜单文件的路径、文件名及文件格式。
3. 点取【保存】按钮。
4. 点取【关闭】按钮。

**注意：**保存菜单不保存你创建或修改的工具栏。

#### 2.4.2.7 调用菜单文件

可以用自己定制的菜单替换当前菜单。CAD 2010 可调用 *.mnu/ *.mns 和 *.icm 文件。

1. 选择【导入】按钮。
2. 指定菜单文件的类型 *.mnu、 *.mns 或者 *.icm。
3. 选择调用的菜单。
4. 点取【打开】按钮。
5. 点取【关闭】按钮。

**注意：** 调用新的菜单只替换菜单，它不会替换你定义的工具栏。

### 2.4.3 定制键盘快捷键

CAD 2010 提供了键盘快捷键以便能访问经常使用的命令。我们可以定制这些快捷键并用定制对话框添加新的快捷键。

执行 Customize 系统弹出“定制”对话框，选择“键盘”标签。系统显示如图 2-27 对话框。

图 2-27 “键盘”标签对话框

#### 2.4.3.1 创建一个新的键盘快捷方式

1. 选择【新建】按钮。

(1) 键入新的键盘快捷方式的组合(比如按“Ctrl+B”)。

(2) 可以用以下任一种方法来指派命令串：

1) 在“可选命令:”列表中，选择一个命令，并点击“添加命令”按钮；

2) 在“命令:”编辑框，直接键入命令串。

2. 点取【关闭】按钮。

#### 2.4.3.2 重新定义已存在的键盘快捷方式

1. 在已定义键列表中选择要改变的快捷键方式。

2. 在“命令：”编辑框中，可选择两种方法来改变命令串：

1）删除当前命令串，在“可选命令：”列表中选择【添加命令】按钮；

2）直接在命令编辑框中编辑命令串。

3）点取【关闭】按钮。

#### 2.4.3.3 删除键盘快捷方式

1. 在“已定义的键”列表中选择要删除的快捷方式。

2. 点击【删除】按钮。

3. 点击【关闭】按钮。

#### 2.4.3.4 CAD 2010 常用热键

CAD 有若干热键，以加速常用的操作，表 2-4 是常用的热键定义。

F6、F7、F8、F9 这几个热键经常使用，分别是：坐标、网格、正交、捕捉，简单记忆为：**“坐”**、**“网”**、**“正”**、**“捕”**。可联想到**“守株待兔”**。我们比农夫**“聪明”**点，**“坐”**在那里，**“网”**上一张大网，**“正”**好**“捕”**捉到兔子，这样记忆起来就非常容易了。

**CAD 2010 常用热键** **表 2-4**

| 热键名 | 功　能 |
| --- | --- |
| F1 | 帮助文件开关 |
| F2 | 屏幕的图形显示与文本开关(图文转换) |
| F3 | 对象捕捉开关键(OSNAP) |
| F4 | 数字化仪 |
| F5 | 等轴侧平面切换 |
| F6 | 状态栏 x、y、z 坐标即时显示的切换键(坐) |
| F7 | 屏幕的栅格点显示状态的切换键(网) |
| F8 | 屏幕的光标正交状态的切换键(正) |
| F9 | 屏幕的光标捕捉的开关键(捕) |
| F10 | 极轴追踪的开关键 |
| F11 | 对象捕捉追踪开关键 |
| F12 | 命令栏显示状态的切换键 |

### 2.4.4 建立命令别名

CAD 2010 为许多命令提供了别名。使用别名，可以通过键入一两个字母而不是整个命令来引用一些常用的命令。我们可以定制这些别名并添加新的别名。

#### 2.4.4.1 创建新的别名

如图 2-28 所示，要创建新的别名，你要先定义一个别名，然后把它指派给一个可用的命令。

1. 点击【新建】按钮。

图 2-28 “别名”标签项

2. 在“别名:”编辑框内键入新的别名。
3. 在“可选命令”列表内，选择相应的命令。
4. 点取【添加命令】按钮。
5. 点取【关闭】按钮。

#### 2.4.4.2 重定义已存在的别名

1. 在“别名”列表中选择欲改变的别名。
2. 在“可选命令”列表内，选择相应的命令。
3. 点击【添加命令】按钮。
4. 点击【关闭】按钮。

#### 2.4.4.3 删除已存在的别名

1. 在“别名”列表中选择欲删除的别名。
2. 点击【删除】按钮。
3. 点击【关闭】按钮。

#### 2.4.4.4 保存别名文件

CAD 2010 自动保存对当前别名的改动。读者也可以创建并保存自己的别名文件。程序用 *.ica、*.pgp 扩展名来保存别名文件。

1. 选择“导出”按钮。
2. 从类型列表中选择 *.ica 或 *.pgp。
3. 指定路径和文件名。
4. 点击【保存】按钮。
5. 点击【关闭】按钮。

#### 2.4.4.5 调用别名文件

可以用自己的别名文件来替换当前的别名文件。程序可以调用 *.pgp 和 *.ica 别名文件。

1. 选择【导入】按钮。
2. 从类型列表中选择 *.ica 或 *.pgp。
3. 指定别名文件。
4. 点击【打开】按钮。
5. 点击【关闭】按钮。

# 2.5 CAD 坐标系统

## 2.5.1 笛卡尔坐标系统

CAD 2010 使用了多种坐标系以方便绘图，比如：笛卡尔坐标 CCS、世界坐标系 WCS 和用户坐标系 UCS 等。

任何一个物体都是由三维点所构成，有了一点的三维坐标值，就可以确定该点的空间位置。CAD 2010 采用三维笛卡尔坐标系统(CCS)来确定点的位置。用户执行自动进入笛卡尔右手坐标系的第一象限(即世界坐标系统 WCS)。在屏幕显示状态栏中显示的三维数值即为当前十字光标所处的空间点在笛卡尔坐标系统中的位置。由于在缺省状态下的绘图区窗口中，我们只能看到 xoy 平面，因而只有 x 和 y 的坐标在不断地变化，而 z 轴的坐标值一直为零。在缺省状态下，要以把它看成是一个平面直角坐标系。

在 xoy 平面上绘制、编辑图形时，只需输入 x、y 轴的坐标，z 轴坐标由 CAD 自动赋值为 0。

## 2.5.2 世界坐标系统

世界坐标系统(WCS)是 CAD 2010 的绘制和编辑图形的过程中的基本坐标系统，也是进入 CAD 2010 后的缺省坐标系统。世界坐标系统 WCS，它由三个正交于原点的坐标轴 X、Y、Z 组成。WCS 的坐标原点和坐标轴是固定的，不会随用户的操作而发生变化。

世界坐标系统的坐标轴默认方向是 X 轴的正方向水平向右，Y 轴的正方向垂直向上，Z 轴的正方向垂直于屏幕指向用户。坐标原点在绘图区的左下角，系统默认的 Z 坐标值为 O，如果用户没有另外设定 Z 坐标值，所绘图形只能是 XY 平面的图形。

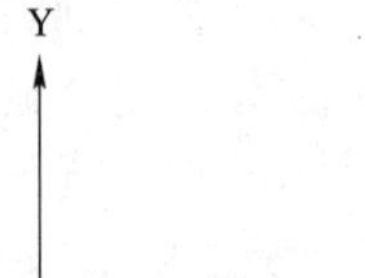

图 2-29　世界坐标系

如图 2-29 所示，为 CAD 2010 坐标系统的图标。

## 2.5.3 用户坐标系统

CAD 2010 提供了可变的用户坐标系统(UCS)，UCS 坐标系统是根据用户需要而变化的，以方便用户绘制图形。在缺省状态下，用户坐标系统与世界坐标系统相同，用户可以在绘图过程中根据具体情况来定义 UCS。

单击【视图】→【显示】→【UCS 图标】可以打开和关闭坐标系图标。也可以设置是否显示坐标系原点，还可以设置坐标系图标的样式、大小及颜色。

### 2.5.4　坐标输入方法

用鼠标可以直接定位坐标点，但不是很精确：采用键盘输入坐标值的方式可以更精确地定位坐标点。

在 CAD 绘图中经常使用平面直角坐标系的绝对坐标、相对坐标，平面极坐标系的绝对极坐标和相对极坐标等方法来确定点的位置。

● 绝对直角坐标

绝对坐标是以原点为基点定位所有的点。输入点的(x，y，z)坐标，在二维图形中，z=0 可省略。如用户可以在命令行中输入“10，20”（中间用逗号隔开）来定义点在 XY 平面上的位置。

● 相对直角坐标

相对坐标是某点(*A*)相对于另一特定点(*B*)的位置，相对坐标是把以前一个输入点作为输入坐标值的参考点，输入点的坐标值是以前一点为基准而确定的，它们的位移增量为△X、△Y、△Z。其格式为：@△X、△Y、△Z，“@”字符表示输入一个相对坐标值。如“@10，20”是指该点相对于当前点沿 x 方向移动 10，沿 y 方向移动 20。

● 绝对极坐标

极坐标是通过相对于极点的距离和角度来定义的，其格式为：距离<角度。角度以 X 轴正向为度量基准，逆时针为正，顺时针为负。绝对极坐标以原点为极点。如输入“10<20”，表示距原点 10，方向 20°的点。

● 相对极坐标

相对极坐标是以上一个操作点为极点，其格式为：@距离<角度。如输入“@10<20”，表示该点距上一点的距离为 10，和上一点的连线与 x 轴成 20°。

**操作实例**：在绘图过程中不是自始至终只使用一种坐标模式，而是可以将一种、两种或三种坐标模式混合在一起使用。在图 2-30 中，先以绝对坐标开始，然后改为极坐标，又改为相对坐标。作为一个 CAD 操作者应该选择最有效的坐标方式来绘图。

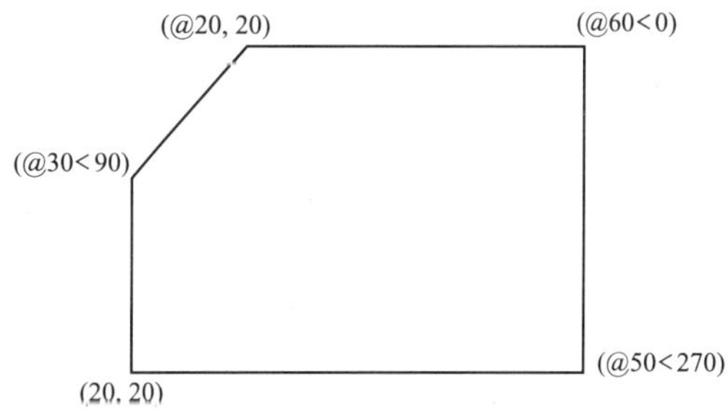


图 2-30　坐标输入方式

命令：line

线的起始点：20，20

指定下一点：@30<90

指定下一点：@20，20

指定下一点：@60<0

指定下一点：@50<270

指定下一点：@−80，0

指定下一点：(按回车键退出命令)

## 本 章 小 结

1. 本章主要介绍了绘图前的各项准备工作，首先介绍了图形的基本设置，用户可通过向导对图形的长度单位、角度单位、角度的起始位置和正方向以及图形界限等进行设置。用户也可随时对已有的设置进行修改。通过本章的学习，可以为下一步的绘制和编辑图形作好技术准备。

2. 有些概念和功能初学者可能一时还难以理解和掌握，但这并不影响后续章节的学习。而且随着 CAD 2010 绘图和编辑方法的介绍，相信读者对本章内容和概念将会有进一步的认识和了解。

3. 当开始操作 CAD 时，应对 CAD 工作环境进行一系列设置，比如存图时间的调整，可使你的工作不会因为停电、死机等造成太大损失。

4. 在单位设置中，小数点后面的数据没有太大的实际意义，对于初学者小数位置数目选为 0 已足够了，清爽，好理解，不然的话，一看到小数点后面还有一长串的数字，头皮就发麻了，这对初学者是一种精神打击。就是在工程上，公称尺寸大多以毫米(mm)为准，在建筑上，精确到毫米已是相当精确了。

5. 关于十字光标大小，现在的 CAD 版本一般是按 5%，对于初学工程制图者，也可考虑将光标大小调整为 100%，这样便于“长对正，高平齐，宽相等”的工程制图基本原则。

6. 高版能够打开低版本的图形，好多同学家里有计算机，学生宿舍中也有计算机，为了方便在任何机器上打开，建议采用低版格式存盘。2010 版操作时，可存为 2004 版本图形，或者更低版本，以便于打开图形。

7. 作业也可以采用样板图。如果读者能自己设计出样板图，保存为 dwt 文件就更好。每一个图形我们都要进行工作环境、单位、精度等进行设置，如果使用样板图我们只需要设置一次，这样我们节省大量的作图时间，并且可以实现作图的标准化。

8. 往往有学生反映上次作的图形没有了，由于机房中的机器都加装了保护卡，关机之后你们做的图形也就没有了，所以要及时存到你们自己的 U 盘上，或是保存到教师指定的地方，比如有的机房发到 ftp：//ctserver 下。

9. 请读者搜集一些图形文件，放到 CAD 的实例子目录 Sample 下面，也可放到你认为合适的子目录中，比如新建一个 DWG 子目录，专门放置图形。观察了解这些图形。

10. 安装 CAD 软件，学生学习也可到中望公司网站 http：//www.zwcad.com 直接下载 CAD 2010 安装包进行安装。

11. 未上网的读者，可向你的老师请教，向你的同事、朋友请教，并设法获取 CAD 软件，安装到计算机上练习。

## 练 习

1. 试作绘图前的各项准备工作，按步进行练习。

2. 试用绝对直角坐标、相对直角坐标、绝对极坐标、相对极坐标做一些简单几何图形。

3. 填空题

(1) CAD的坐标体系包括______坐标系和______坐标系。答案：世界、用户

(2) 在【图形单位】对话框中，______区域可用来设置图形的角度单位格式。答案：角度

# 第3章　图　形　绘　制

**本章要点**

- ■ 绘制直线
- ■ 绘制圆和圆弧
- ■ 绘制椭圆和椭圆弧
- ■ 绘制点
- ■ 徒手画线
- ■ 绘制矩形、正多边形
- ■ 绘制多段线
- ■ 迹线、射线、构造线
- ■ 绘制样条曲线
- ■ 绘制云线

CAD 2010 提供了丰富的创建二维图形工具。本章主要介绍 CAD 2010 中基本的二维绘图命令，常用二维绘图命令有 Point、Line、Circle 等。

本章目的在于让读者掌握 CAD 每个绘图命令的使用，同时分享一些绘图过程中的经验与技巧。

## 3.1　绘　直　线

**1. 命令格式**

命令行：Line(L)

菜单：[绘图]→[直线(L)]

工具栏：[绘图]→[直线]

直线的绘制方法最简单，也是各种绘图中最常用的二维对象之一。可绘制任何长度的直线，可输入点的 X、Y、Z 坐标，以指定二维或三维坐标的起点与终点。

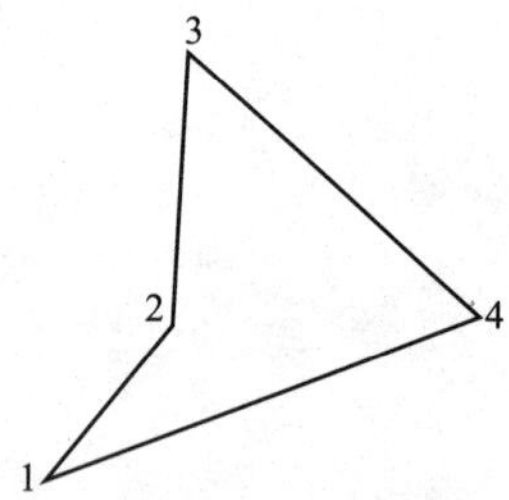


图 3-1　凹四边形

**2. 操作步骤**

绘制一个凹四边形，按如下步骤操作，如图 3-1：

| | |
|---|---|
| 命令：Line | 执行 Line 命令 |
| 线的起始点：100，50 | 输入绝对直角坐标：[X]，[Y]，确定第 1 点 |
| 角度(A)/长度(L)/指定下一点：A | 输入 A，以角度和长度来确定第 2 点 |
| 线的角度：50 | 输入角度值 50 |
| 线的长度：15 | 输入长度值 15 |

角度(A)/长度(L)/跟踪(F)/撤销(U)/指定下一点：@1，20

输入相对直角坐标：@［X］，［Y］　　　确定第 3 点

角度(A)/长度(L)/跟踪(F)/撤销(U)/指定下一点：@30<−40

输入相对极坐标：@［距离］<［角度］　确定第 4 点

角度(A)/长度(L)/跟踪(F)/闭合(C)/撤销(U)/指定下一点：C

输入 C　　　　　　　　　　　　　　闭合二维线段

以上通过了解相对坐标和极坐标方式来确定直线的定位点，目的是为练习 CAD 2010 的精确绘图。

直线命令的选项介绍如下：

**角度**(A)：指的是直线段与当前 UCS 的 X 轴之间的角度。

**长度**(L)：指的是两点间直线的距离。

**跟踪**(F)：跟踪最近画过的线或弧终点的切线方向，以便沿着这个方向继续画线。

**闭合**(C)：将第一条直线段的起点和最后一条直线段的终点连接起来，形成一个封闭区域。

**撤销**(U)：撤销最近绘制的一条直线段。在命令行中输入 U，点击【回车键】，则重新指定新的终点。

**<终点>**：按【回车键】后，命令行默认最后一点为终点。

**3. 注意**

1）由直线组成的图形，每条线段都是独立对象，可对每条直线段进行单独编辑。

2）在结束 Line 命令后，再次执行 Line 命令，根据命令行提示，直接点击【回车键】，则以上次最后绘制的线段或圆弧的终点作为当前线段的起点。

3）在命令行提示下输入三维点的坐标，则可以绘制三维直线段。

## 3.2　绘　　圆

**1. 命令格式**

命令行：Circle(C)

菜单：［绘图］→［圆(C)］

工具栏：［绘图］→［圆］

圆是工程制图中常用的对象之一，圆可以代表孔、轴和柱等对象。用户可根据不同的已知条件，创建所需圆对象，CAD 2010 默认情况下提供了五种不同已知条件创建圆对象的方式。

**2. 操作步骤**

介绍其中的四种方法创建圆对象，按如下步骤操作，如图 3-2：

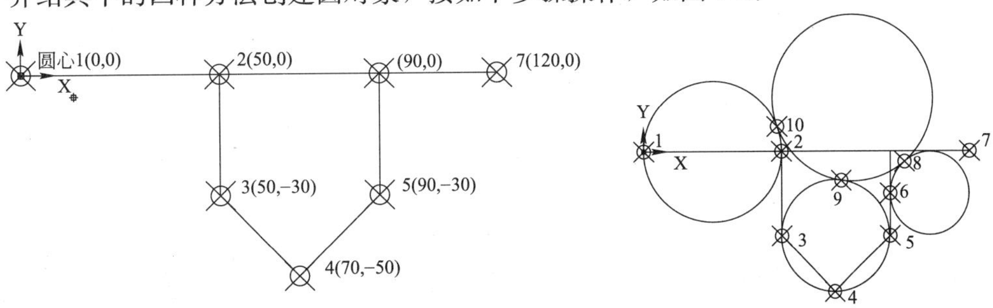


图 3-2　通过使用对象捕捉来确定以上圆对象

命令：Circle　　　　　　　　　　　　执行 Circle 命令
两点(2P)/三点(3P)/相切-相切-半径(T)/弧线(A)/多次(M)/<圆中心(C)>：2P
输入 2P　　　　　　　　　　　　　　指定圆直径上的两个点绘制圆
直径上第一点：　　　　　　　　　　拾取端点 1
直径上第二点：　　　　　　　　　　拾取端点 2

再次按【回车键】，执行 Circle 命令，看到“两点(2P)/三点(3P)/相切-相切-半径(T)/弧线(A)/多次(M)/<圆中心(C)>：”提示后，在命令行里输入：“3P”，点击【回车键】，指定圆上第一点为 3，第二点为 4，第三点为 5，以三点方式完成圆对象的创建。

重复执行 Circle 命令，看到“两点(2P)/三点(3P)/相切-相切-半径(T)/弧线(A)/多次(M)/<圆中心(C)>：”提示后，在命令行里输入：“T”，点击【回车键】，拾取第一切点为 6、第二切点为 7，看到“指定圆半径：”提示后，输入：“15”，点击【回车键】，结束第三个圆对象绘制。

在【绘图】下拉菜单里，找到【圆】——【相切、相切、相切(A)】命令，点击此命令后，可以在命令行看到“圆上第一点：_tan 到”提示后，拾取切点 8，依次拾取切点 9 和 10，第四个圆对象绘制完毕。

圆命令的选项介绍如下：

**两点**(2P)：通过指定圆直径上的两个点绘制圆。

**三点**(3P)：通过指定圆周上的三个点来绘制圆。

**T**(切点、切点、半径)：通过指定相切的两个对象和半径来绘制圆。

**弧线**(A)：将选定的弧线转化为圆，使得弧缺补充为封闭的圆。

**多次**(M)：选择“多次”选项，将连续绘制多个相同设置的圆。

**3. 注意**

1) 如果放大圆对象或者放大相切处的切点，有时看起来不圆滑或者没有相切，这其实只是一个显示问题，只需在命令行输入 Regen(RE)，点击【回车键】，圆对象即可变为光滑。也可以把 Viewers 的数值调大，画出的圆就更加光滑了。

2) 绘图命令中嵌套着撤销命令“Undo”，如果画错了不必立即结束当前绘图命令，重新再画，可以在命令行里输入“U”，点击【回车键】，撤销上一步操作。

# 3.3 绘 圆 弧

**1. 命令格式**

命令行：Arc (A)

菜单：[绘图]→[圆弧(A)]

工具栏：[绘图]→ [圆弧]

圆是工程制图中常用的对象之一。创建圆弧的方法有多种，有指定三点画弧，还可以指定弧的起点、圆心和端点来画弧，或是指定弧的起点、圆心和角度画弧，另外也可以指定圆弧的角度、半径、方向和弦长等方法来画弧。CAD 2010 提供了 10 种画圆弧的方式，如图 3-3

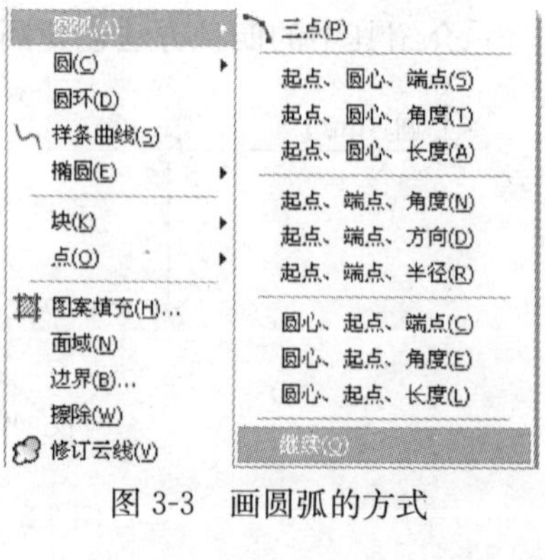


图 3-3　画圆弧的方式

所示：

**2. 操作步骤**

以下介绍其中的两种方式绘制圆弧。

1）三点画弧，按如下步骤操作，如图 3-4：

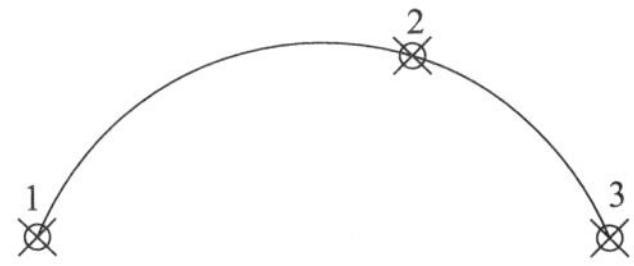


图 3-4 三点画弧

| | |
|---|---|
| 命令：Arc | 执行 Arc 命令 |
| 回车利用最后点/圆心(C)/跟踪(F)/＜弧线起点＞： | 指定第 1 点 |
| 角度(A)/圆心(C)/方向(D)/终点(E)/半径(R)/＜第二点＞： | 指定第 2 点 |
| 终点： | 指定第 3 点 |

2）指定中心点绘制圆弧，有以下三种方式创建所需圆弧对象(图 3-5)：

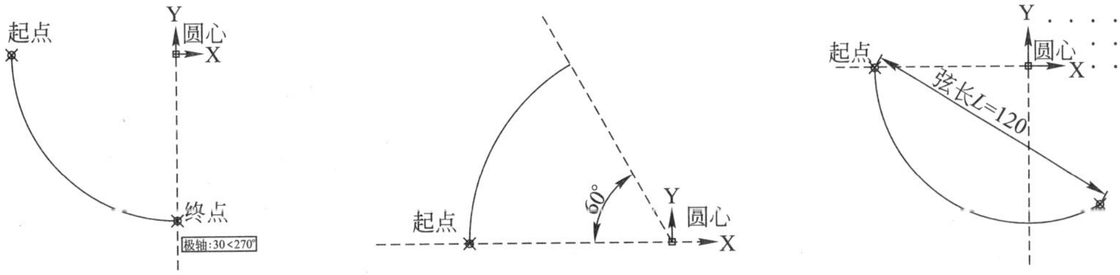


(a) (b) (c)

图 3-5

(a)起点-圆心-终点；(b)起点-圆心-角度；(c)起点-圆心-长度

以起点-圆心-长度为例，绘制圆弧，按如下操作步骤：

| | |
|---|---|
| 命令：Arc | 执行 Arc 命令 |
| 回车利用最后点/圆心(C)/跟踪(F)/＜弧线起点＞： | 指定圆弧的起点 |
| 角度(A)/圆心(C)/方向(D)/终点(E)/半径(R)/＜第二点＞：C | 输入 C |
| 圆心(C)： | 指定圆弧的圆心 |
| 角度(A)/弦长(L)/＜终点＞：L | 输入 L |
| 弦长(L)：120 | 输入 120 |

圆弧命令的选项介绍如下：

**三点：**指定圆弧的起点、终点以及圆弧上任意一点。

**起点：**指定圆弧的起点。

**终点：**指定圆弧的终点。

**圆心：**指定圆弧的圆心。

**方向：**指定和圆弧起点相切的方向。

**长度：**指定圆弧的弦长。

**角度：**指定圆弧包含的角度。默认情况下，顺时针为负，逆时针为正。

**半径：**指定圆弧的半径。

**3. 注意**

圆弧的角度与半径值均有正、负之分。默认情况下 CAD 2010 在逆时针方向上绘制出较小的圆弧，如果输入负数半径值，则绘制出较大的圆弧。

# 3.4　绘椭圆和椭圆弧

**1. 命令格式**

命令行：Ellipse(EL)

菜单：[绘图]→[椭圆(E)]

工具栏：[绘图]→[椭圆]

椭圆对象包括圆心、长轴和短轴。椭圆是一种特殊的圆，它的中心到圆周上的距离是变化的，而部分椭圆就是椭圆弧。

**2. 操作步骤**

图 3-6(*a*)是以椭圆中心点为椭圆圆心，分别指定椭圆的长、短轴；图 3-6(*b*)是以椭圆轴的两个端点和另一轴半长来绘制椭圆：

以图 3-6(*b*)为例，绘制椭圆，按如下步骤操作：

| | |
|---|---|
| 命令：Ellipse | 执行 Ellipse 命令 |
| 弧(A)/中心(C)/<椭圆轴的第一端点>： | 指定椭圆轴的第一端点 |
| 轴向第二端点： | 指定椭圆轴的第二端点 |
| 旋转(R)/<其他轴>： | 指定另一轴的半轴长度 |

绘制椭圆弧，按如下步骤操作，如图 3-7：

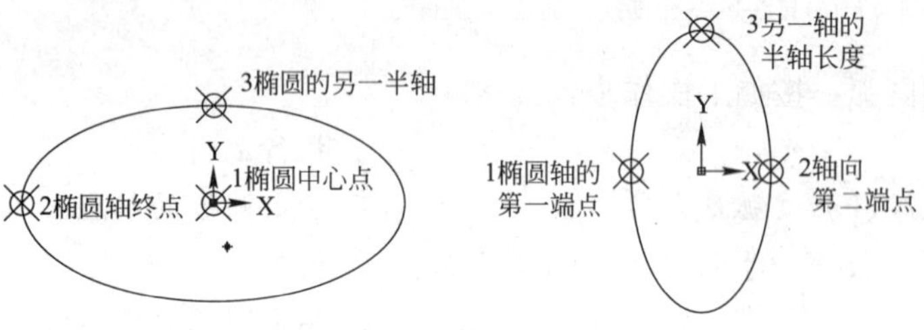


(*a*)　(*b*)

图 3-6

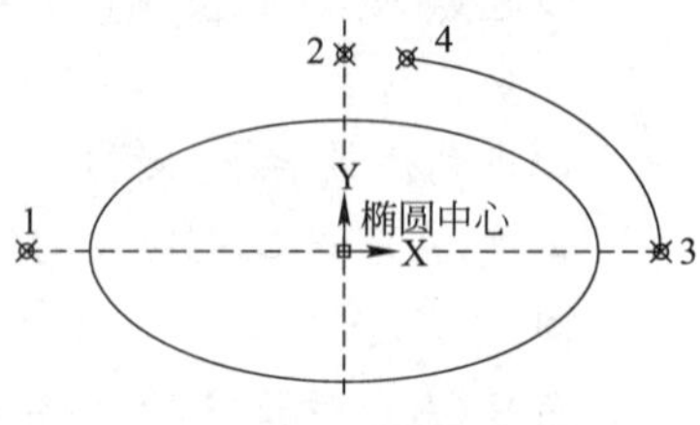


图 3-7　椭圆弧

| | |
|---|---|
| 命令：Ellipse | 执行 Ellipse 命令 |
| 弧(A)/中心(C)/<椭圆轴的第一端点>：A | 输入 A，以椭圆弧方式绘制 |
| 中心(C)/<椭圆轴的第一端点>：C | 输入 C，以坐标原点为椭圆中心 |
| 椭圆的中心： | 指定椭圆中心 |
| 轴的终点： | 指定第 1 点 |
| 旋转(R)/<其他轴>： | 指定第 2 点 |
| 参数(P)/<弧的起始角度>： | 指定第 3 点 |
| 参数(P)/包含(I)/<终止角度>： | 指定第 4 点 |

椭圆命令的选项介绍如下：

**中心**(C)：通过指定中心点来创建椭圆对象。

**弧**(A)：绘制椭圆弧。

**旋转**(R)：用长短轴线之间的比例，来确定椭圆的短轴。

**参数**(P)：以矢量参数方程式来计算椭圆弧的端点角度。

**包含**(I)：指所创建的椭圆弧从起始角度开始的包含角度值。

**3. 注意**✍

1) Ellipse 命令绘制的椭圆同圆一样，不能用 Explode、Pedit 等命令修改。

2) 通过系统变量 Pellipse 控制 Ellipse 命令创建的对象是真的椭圆还是以多段线表示的椭圆。当 Pellipse 设置为关闭(OFF)时，即缺省值，绘制的椭圆是真的椭圆；当该变量设置为打开(ON)时，绘制的椭圆对象由多段线组成。

3) “旋转(R)” 选项可输入的角度值取值范围是 0 至 89.4。若输入 0，则绘制的为圆。输入值越大，椭圆的离心率就越大。

# 3.5　绘　制　点

**1. 命令格式**

命令行：Ddptype

菜单：[绘图]→[点(O)]

工具栏：[绘图]→[点]

点不仅表示一个小的实体，而且通过点作为绘图的参考标记。CAD 2010 提供了 20 种类型的点样式，如图 3-8 所示：

设置点样式的选项介绍如下：

**相对于屏幕设置大小**：以屏幕尺寸的百分比设置点的显示大小。在进行缩放时，点的显示大小不随其他对象的变化而改变。

**按绝对单位设置大小**：以指定的实际单位值来显示点。在进行缩放时，点的大小也将随其他对象的变化而变化。

**2. 操作步骤**

为等边三角形的三个顶点创建点标记，按如下步骤操作，如图 3-9 所示：

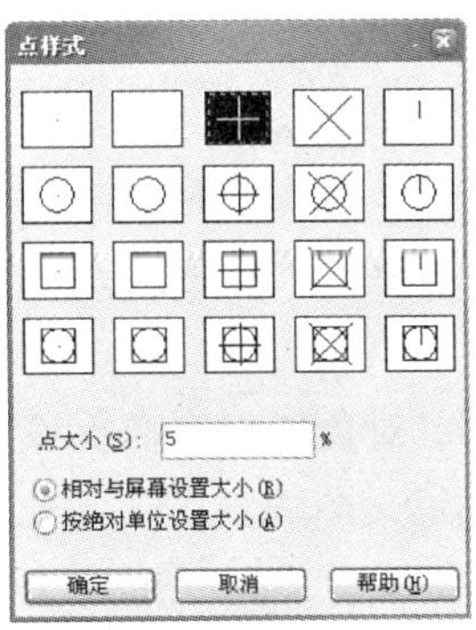


图 3-8　点的样式设置对话框

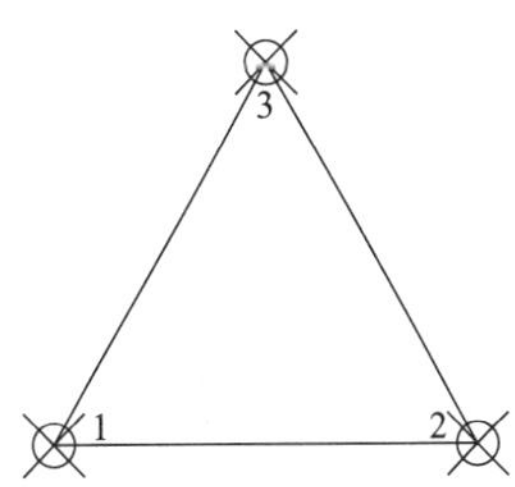


图 3-9　点标记符号显示

命令：Point　　执行 Point 命令

设置(S)/多次(M)/<点定位(L)>：M　　输入 M，以多点方式创建点标记

设置(S)/<点定位(L)>：　　拾取端点 1

设置(S)/＜点定位(L)＞：　　拾取端点 2

设置(S)/＜点定位(L)＞：　　拾取端点 3

1）分割对象：利用定数等分(Divide)命令，沿着直线或圆周方向均匀间隔一段距离排列点的实体或块。把圆对象，用块名为 star 的☆，分割为三等分，如图 3-10：

命令：Divide　　执行 Divide 命令

选取分割对象：　　选取圆对象

块(B)/＜分段数＞：B　　输入 B

插入块名称：star　　输入图块名称

是否对齐块和对象？[是(Y)/否(N)]＜Y＞：N　　输入 N

分段数：3　　输入 3

2）测量对象：利用定距等分(Measure)命令，在实体上按测量的间距排列点实体或块。把周长为 100 的圆，用块名为 line 的对象，以 30 为分段长度，测量圆对象，如图3-11：

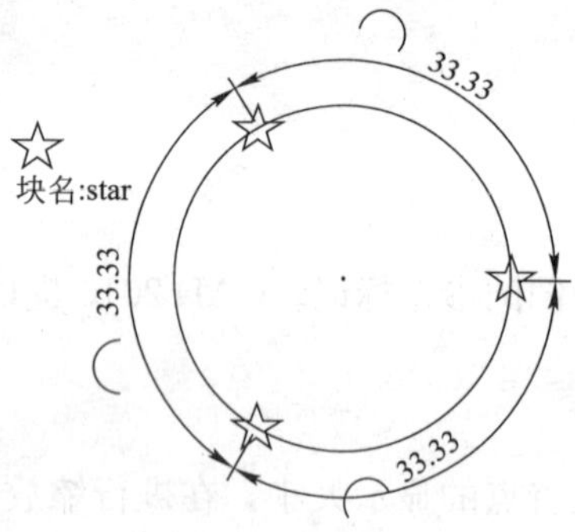


图 3-10　分割对象

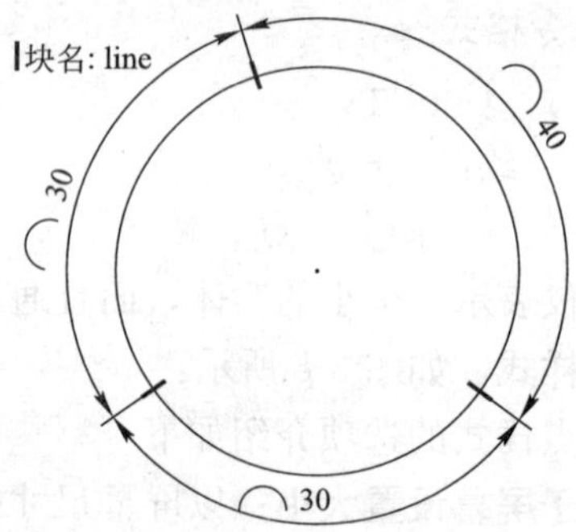


图 3-11　测量对象

命令：Measure　　执行 Measure 命令

选取分割对象：　　选取圆对象

块(B)/＜分段长度(S)＞：B　　输入 B

列出图中块/＜插入块(B)＞：line　　输入图块名称

是否对齐块和对象？[是(Y)/否(N)] ＜Y＞：　　输入 Y

分段长度(S)：30　　输入 30

**3. 注意**✍

1）可通过在屏幕上拾取点或者输入坐标值来指定所需的点(在三维空间内，也可指定 Z 坐标值来创建点)。

2）创建好的参考点对象，可以使用节点(Node)对象捕捉来捕捉该点。

3）用 Divide 或 Measure 命令插入图块时，先定义图块。

## 3.6 徒 手 画 线

**1. 命令格式**

命令行：Sketch

徒手画线对于创建不规则边界或使用数字化仪追踪非常有用，可以使用 Sketch 命令徒手绘制图形、轮廓线及签名等。

在 CAD 2010 中 Sketch 命令没有对应的菜单或工具按钮，因此要使用该命令，必须在命令行中输入 Sketch，按【回车键】，即可启动徒手画线的命令，输入分段长度，屏幕上出现了一支铅笔，鼠标轨迹变为线条。

**2. 操作步骤**

执行此命令，并根据命令行提示指定分段长度后，将显示如下提示信息：

移动光标到上次手画线分段终点。

按回车结束/画笔(P)down/停止(Q)/删除打开(D)/连接(C)/直接到光标(S)/写入图中(W)/(暂停…)：

绘制草图时，定点设备就像画笔一样。单击定点设备将把“画笔”放到屏幕上以进行绘图，再次单击将收起画笔并停止绘图。徒手画由许多条线段组成，每条线段都可以是独立的对象或多段线。可以设置线段的最小长度或增量。使用较小的线段可以提高精度，但会明显增加图形文件的大小，因此，要尽量少使用此工具。

## 3.7　绘　制　圆　环

**1. 命令格式**

命令行：Donut(DO)

菜单：[绘图]→[圆环(D)]

圆环是由相同圆心、不相等直径的两个圆组成的。控制圆环的主要参数是圆心、内直径和外直径。如果内直径为 0，则圆环为填充圆。如果内直径于外直径相等，则圆环为普通圆。圆环经常用在电路图中来代表一些元件符号。

**2. 操作步骤**

以图 3-12(*a*)为例，绘制圆环，按如下步骤操作：

(*a*)　(*b*)　(*c*)　(*d*)

图 3-12

(*a*)绘制圆环；(*b*)圆环体内直径为 0；(*c*)关闭圆环填充；(*d*)圆环体内直径为 0

命令：Fill　　执行 Fill 命令

FILLMODE 已经关闭：打开(ON)/切换(T)/<关闭>：ON

输入 ON　　打开填充设置

命令：Donut　　执行 Donut 命令

两点(2P)/三点(3P)/半径-相切-相切(RTT)/<圆环体内径> <0>：10

输入 10　　指定圆环内直径

圆环体外径 <20>：15 输入圆环外直径为 15

圆环体中心：0，0 指定圆环的中心为坐标原点

圆环命令的选项介绍如下：

**两点**(2P)：通过指定圆环宽度和直径上两点的方法画圆环。

**三点**(3P)：通过指定圆环宽度及圆环上三点的方式画圆环。

**T**(切点、切点、半径)：通过与已知对象相切的方式画圆环。

**圆环体内径**：指圆环体内圆直径。

**圆环体外径**：指圆环体外圆直径。

**3. 注意**

1) 圆环对象可以使用编辑多段线(Pedit)命令编辑。

2) 圆环对象可以使用分解(Explode)命令转化为圆弧对象。

3) 开启填充(Fill=on)时，圆环显示为填充模式，如图 3-12(*a*)和(*b*)。

4) 关闭填充(Fill=off)时，圆环显示为填充模式，如图 3-12(*c*)和(*d*)。

## 3.8 绘 矩 形

**1. 命令格式**

命令行：Rectangle(REC)

菜单：[绘图]→[矩形(G)]

工具栏：[绘图]→[矩形]

通过确定矩形对角线上的两个点来绘制。

**2. 操作步骤**

绘制矩形，按如下步骤操作，如图 3-13(*a*)：

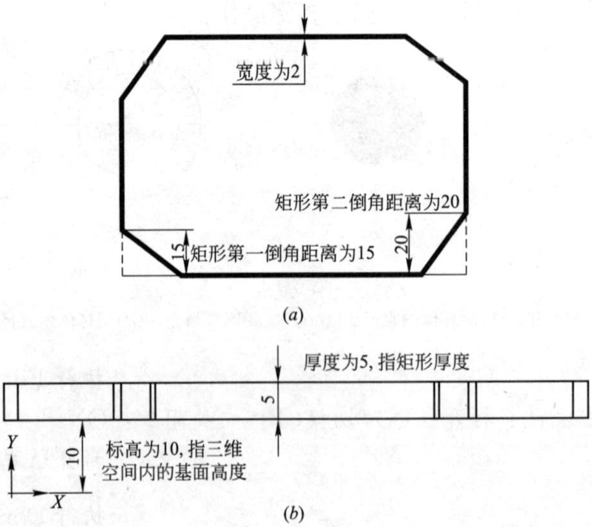


图 3-13

(*a*)绘制矩形；(*b*)通过左视图或右视图查看标高值和厚度

| | |
|---|---|
| 命令：Rectang | 执行 Rectang 命令 |
| 倒角(C)/标高(E)/圆角(F)/厚度(T)/宽度(W)/＜选取方形的第一点＞：C | |
| 输入 C | 设置倒角参数 |
| 关闭(O)/缺省(D)/方形第一倒角距离(F)＜10＞：15 | 输入第一倒角距离 15 |
| 所有长方形第二倒角距离(S)＜15＞：20 | 输入第二倒角距离 20 |
| 倒角(C)/标高(E)/圆角(F)/厚度(T)/宽度(W)/＜选取方形的第一点＞：E | |
| 输入 E | 设置标高值 |
| 所有方形标高：10 | 输入标高值为 10 |
| 倒角(C)/标高(E)/圆角(F)/厚度(T)/宽度(W)/＜选取方形的第一点＞：T | |
| 输入 T | 设置厚度值 |
| 缺省/方形厚度 ＜3＞：5 | 输入厚度值为 5 |
| 倒角(C)/标高(E)/圆角(F)/厚度(T)/宽度(W)/＜选取方形的第一点＞：W | |
| 输入 W | 设置宽度值 |
| 所有方形宽度：2 | 设置宽度值为 2 |
| 倒角(C)/标高(E)/圆角(F)/厚度(T)/宽度(W)/＜选取方形的第一点＞： | 拾取第 1 对角点 |
| 指定另一个角点或 [面积(A)/尺寸(D)/旋转(R)]： | 拾取第 2 对角点 |

矩形命令的选项介绍如下：

**倒角**(C)：设置矩形角的倒角距离。

**标高**(E)：确定矩形在三维空间内的基面高度。

**圆角**(F)：设置矩形角的圆角大小。

**旋转**(R)：通过输入旋转角度来选取另一对角点来确定显示方向。

**厚度**(T)：设置矩形的厚度，即 Z 轴方向的高度。

**宽度**(W)：设置矩形的线宽。

**面积**(A)：如已知矩形面积和其中一边的长度值，就可以使用面积方式创建矩形。

**尺寸**(D)：如已知矩形的长度和宽度即可使用尺寸方式创建矩形。

**3. 注意**

1) 矩形选项中，除了面积一项以外，都会将所作的设置保存为默认设置。

2) 矩形的属性其实是多段线对象，也可通过分解(Explode)命令把多段线转化为多条直线段。

# 3.9 绘正多边形

**1. 命令格式**

命令行：Polygon(POL)

菜单：[绘图]→[正多边形(Y)]

工具栏：[绘图]→[正多边形]

在 CAD 2010 中，绘正多边形的命令是“Polygon”。它可以精确绘 3～1024 条边的正多边形。

**2. 操作步骤**

绘制正六边形，按如下步骤操作，如图 3-14：

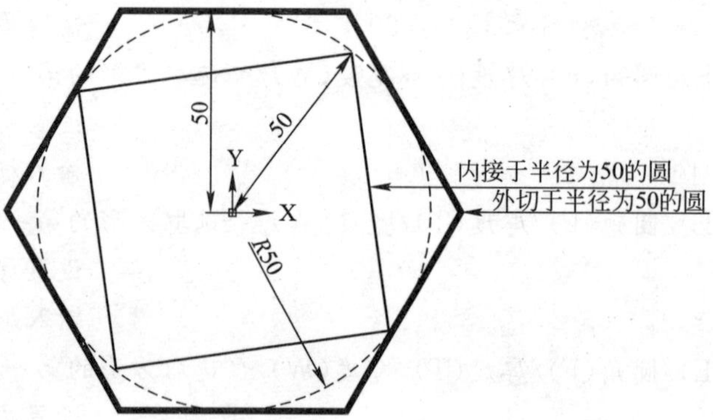


图 3-14　以外切于圆和内接于圆绘制六边形

| | |
|---|---|
| 命令：Polygon | 执行 Polygon 命令 |
| 多边形：多个(M)/线宽(W)/<边数><4>：W | 输入 W |
| 多段线宽度 <0>：2 | 输入宽度值为 2 |
| 多边形：多个(M)/线宽(W)/<边数><4>：6 | 输入多边形的边数为 6 |
| 指定正多边形的中心点或［边(E)］： | 拾取坐标原点 |
| 输入选项［内接于圆(I)\|外切于圆(C)］<I>：C | 输入 C |
| 指定圆的半径：50 | 输入外切圆的半径为 50 |
| 命令： | 点击回车键 |
| POLYGON | 重复执行 Polygon 命令 |
| 多边形：多个(M)/线宽(W)/<边数><6>：4 | 输入多边形的边数为 4 |
| 指定正多边形的中心点或［边(E)］： | 拾取坐标原点 |
| 输入选项［内接于圆(I)\|外切于圆(C)］<I>： | 输入 I |
| 指定圆的半径：50 | 输入内接圆的半径为 50 |

正多边形命令的选项介绍如下：

**多个**(M)：如果需要创建同一样属性的正多边形，在执行 Polygon(POL)命令后，首先键入 M，输入完所需参数值后，就可以连续指定位置放置正多边形。

**线宽**(W)：指正多边形的多段线宽度值。

**边**(E)：通过指定边缘第一端点及第二端点，可确定正多边形的边长和旋转角度。

**<多边形中心>**：指定多边形的中心点。

**内接于圆**(I)：指定外接圆的半径，正多边形的所有顶点都在此圆周上。

**外切于圆**(C)：指定从正多边形中心点到各边中心的距离。

**3. 注意**

用 Polygon 绘制的正多边形是一条多段线，可用 Pedit 命令对其进行编辑。

# 3.10　多　段　线

**1. 命令格式**

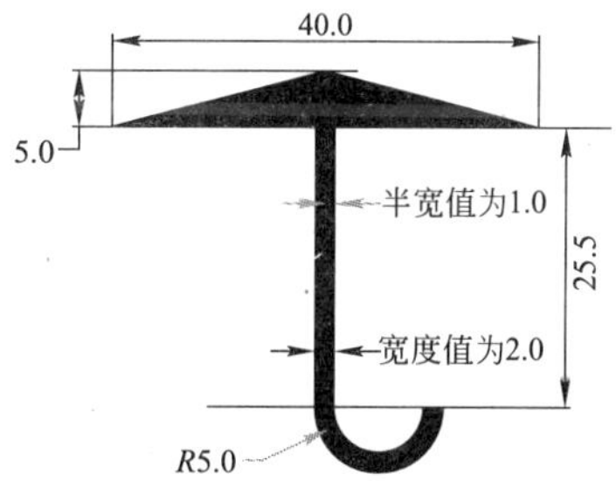


图 3-15　多段线绘制

命令行：Pline(PL)

菜单：[绘图]→[多段线(P)]

工具栏：[绘图]→[多段线]

多段线由直线段或弧连接组成，作为单一对象使用。可以绘制直线箭头和弧形箭头。

**2. 操作步骤**

使用多段线绘制，按如下步骤操作，如图 3-15：

命令：Pline　　执行 Pline 命令

弧(A)/距离(D)/跟踪(F)/半宽(H)/宽度(W)/＜下一点(N)＞：W

输入 W　　设置宽度值

起始宽度＜2.0＞：0　　输入起始宽度值为 0

终止宽度＜0.0＞：40　　输入起始宽度值为 40

弧(A)/距离(D)/跟踪(F)/半宽(H)/宽度(W)/＜下一点(N)＞：D

输入 D　　设置距离值

分段距离：5　　输入分段距离值为 5

分段角度：270　　输入分段角度值为 270

弧(A)/距离(D)/跟踪(F)/半宽(H)/宽度(W)/撤销(U)/＜下一点(N)＞：H

输入 H　　设置半宽值

起始半宽＜20.0＞：1　　输入起始半宽值为 1

终止半宽＜1.0＞：　　默认设置，点击回车键

弧(A)/距离(D)/跟踪(F)/半宽(H)/宽度(W)/撤销(U)/＜下一点(N)＞：D

输入 D　　设置距离值

分段距离：25.5　　输入分段距离值为 25.5

分段角度：270　　输入分段角度值为 270

弧(A)/闭合(C)/距离(D)/跟踪(F)/半宽(H)/宽度(W)/撤销(U)/＜下一点(N)＞：A

输入 A　　选择画弧方式

角度(A)/中心(CE)/闭合(CL)/方向(D)/半宽(H)/ 线段(L)/半径(R)/第二点(S)/宽度(W)/撤销(U)/＜弧终点＞：R　　输入 R

半径：5　　输入半径值为 5

角度(A)/＜弧的终点＞：　　指定圆弧的终点

多段线命令的选项介绍如下：

**弧**(A)：指定弧的起点和终点绘制圆弧段。

**角度**(A)：指定圆弧从起点开始所包含的角度。

**中心**(CE)：指定圆弧所在圆的圆心。

**方向**(D)：从起点指定圆弧的方向。

**半宽(H)**：指从宽多段线线段的中心到其一边的宽度。

**线段(L)**：退出“弧”模式，返回绘制多段线的主命令行，继续绘制线段。

**半径(R)**：指定弧所在圆的半径。

**第二点(S)**：指定圆弧上的点和圆弧的终点，以三个点来绘制圆弧。

**宽度(W)**：带有宽度的多段线。

**闭合(C)**：通过在上一条线段的终点和多段线的起点间绘制一条线段来封闭多段线。

**距离(D)**：指定分段距离。

**3. 注意**

系统变量 Fillmode 控制圆环和其他多段线的填充显示，设置 Fillmode 为关闭(off)，那么创建的多段线就为二维线框对象。

## 3.11 绘 迹 线

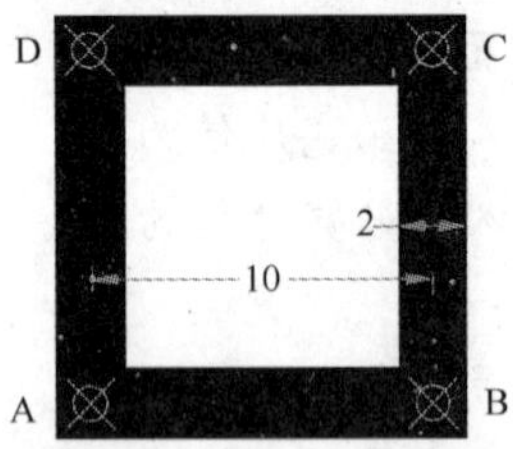

图 3-16 迹线绘制正方形

**1. 命令格式**

命令行：Trace

Trace 命令绘制具有一定宽度的实体线。

**2. 操作步骤**

使用迹线绘制一个边长为 10，宽度为 2 的正方形，按如下步骤操作，如图 3-16：

| | |
|---|---|
| 命令：Trace | 执行 Trace 命令 |
| 迹线宽度 <5>：2 | 输入迹线宽度值 2 |
| 迹线起点： | 拾取点 A |
| 下一点： | 拾取点 B |
| 下一点： | 拾取点 C |
| 下一点： | 拾取点 D |

**3. 注意**

1）Trace 命令不能自动封闭图形，即使没有闭合(Close)选项，也不能放弃(Undo)。

2）系统变量 Tracewid 可以设置默认迹线的宽度值。

## 3.12 绘 制 射 线

**1. 命令格式**

命令行：Ray

菜单：[绘图]→[射线(R)]

射线是从一个指定点开始并且向一个方向无限延伸的直线。

**2. 操作步骤**

使用射线平分等边三角形的角，按如下步骤操作，如图 3-17：

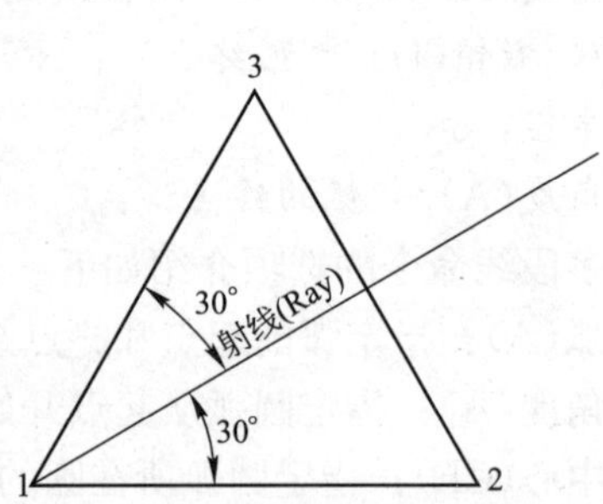

图 3-17 用射线平分等边三角形的顶角

命令：Ray　　执行 Ray 命令
射线：等分(B)/水平(H)/竖直(V)/
角度(A)/偏移(O)/＜射线起点＞：B　　输入 B
对象(E)/＜顶点＞：　　拾取顶点 1
平分角起点：　　拾取顶点 2
平分角终点：　　拾取顶点 3
平分角终点：　　射线自动生成

射线命令的选项介绍如下：

**等分**(B)：垂直于已知对象或平分已知对象绘制等分射线。

**水平**(H)：平行于当前 UCS 的 X 轴绘制水平射线。

**竖直**(V)：平行于当前 UCS 的 Y 轴绘制垂直射线。

**角度**(A)：指定角度绘制带有角度的射线。

**偏移**(P)：以指定距离将选取的对象偏移并复制，使对象副本与原对象平行。

## 3.13 绘制构造线

**1. 命令格式**

命令行：Xline(XL)

菜单：[绘图]→[构造线(T)]

工具栏：[绘图]→[构造线] 

构造线是没有起点和终点的无穷延伸的直线。

**2. 操作步骤**

通过对象捕捉节点(node)方式来确定构造线，如图 3-18：

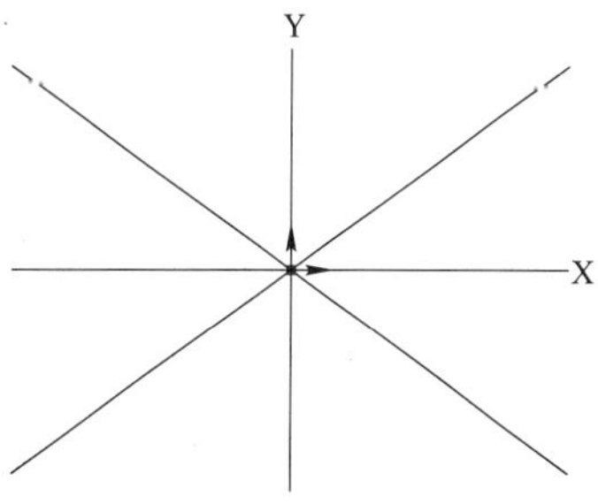


图 3-18　通过节点和第二点来绘制构造线

构造线命令的选项介绍如下：

**等分**(B)：垂直于已知对象或平分已知对象绘制等分构造线。

**水平**(H)：平行于当前 UCS 的 X 轴绘制水平构造线。

**竖直**(V)：平行于当前 UCS 的 Y 轴绘制垂直构造线。

**角度**(A)：指定角度绘制带有角度的构造线。

**偏移**(P)：以指定距离将选取的对象偏移并复制，使对象副本与原对象平行。

**3. 注意**✍

构造线作为临时参考线用于辅助绘图，参照完毕，应记住将其删除，以免影响图形的效果。

## 3.14 绘制样条曲线

**1. 命令格式**

命令行：Spline(SPL)

菜单：[绘图]→[样条曲线(S)]

工具栏：[绘图]→[样条曲线]

样条曲线是由一组点定义的一条光滑曲线。可以用样条曲线生成一些地形图中的地形线、绘制盘形凸轮轮廓曲线、作为局部剖面的分界线等。

**2. 操作步骤**

用样条曲线绘制一个S形，按如下步骤操作，如图3-19：

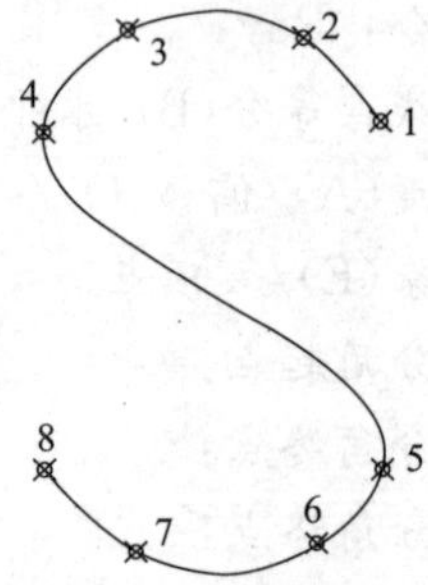


图 3-19 用样条曲线绘制S图形

| | |
|---|---|
| 命令：Spline | 执行 Spline 命令 |
| 样条第一点： | 拾取第 1 点 |
| 第二点： | 拾取第 2 点 |
| 闭合(C)/撤销(U)/拟合公差(F)/<下一点>： | 拾取第 3 点 |
| …… | 4、5、6、7 |
| 闭合(C)/撤销(U)/拟合公差(F)/<下一点>： | 拾取第 8 点 |
| 选取起始切点： | 右击鼠标 |
| 终点相切： | 右击鼠标 |

样条曲线命令的选项介绍如下：

**闭合(C)**：生成一条闭合的样条曲线。

**拟合公差(F)**：键入曲线的偏差值。值越大，曲线就相对越平滑。

**起始切点**：指定起始点切线。

**终点相切**：指定终点切线。

## 3.15 云线的绘制

**1. 命令格式**

命令行：Revcloud

菜单：[绘图]→[修订云线(V)]

工具栏：[绘图]→[修订云线]

云线是由连续圆弧组成的多段线。用于检查阶段时提醒用户注意图形中圈阅部分。

**2. 操作步骤**

用云线绘制一棵树，把图 3-20(*a*)转化为图 3-20(*b*)，按如下步骤操作：

| | |
|---|---|
| 命令：Revcloud | 执行 Revcloud 命令 |
| 指定起点或［弧长(A)/对象(O)］<对象>：A | 输入 A |
| 指定最小弧长 <0.2>：0.5 | 输入最小弧长为 0.5 |
| 指定最大弧长 <0.6>：1.5 | 输入最大弧长为 1.5 |
| 指定起点或［对象(O)］<对象>： | 选取(a)三角形对象 |
| 沿云线路径引导十字光标… | |

修订云线完成

| | |
|---|---|
| 命令： | 点击回车键 |
| Revcloud | 再次执行 Revcloud |
| 最小弧长：0.5　最大弧长：1.5 | |
| 指定起点或［弧长(A)/对象(O)］＜对象＞：A | 输入 A |
| 指定最小弧长 ＜0.5＞：0.2 | 输入最小弧长为 0.2 |
| 指定最大弧长 ＜1.5＞：0.6 | 输入最大弧长为 0.6 |
| 指定起点或［对象(O)］＜对象＞： | 选取(*a*)长方形对象 |
| 沿云线路径引导十字光标… | |
| 修订云线完成 | |

| | |
|---|---|
| 命令： | 点击回车键 |
| Revcloud | 再次执行 Revcloud |
| 最小弧长：0.2　最大弧长：0.6 | |
| 指定起点或［弧长(A)/对象(0)］＜对象＞：0 | 输入 0 |
| 选择对象： | 选取(*a*)椭圆对象 |
| 反转方向？是(Y)/否(N)/＜否(N)＞：Y | 输入 Y |
| 修订云线完成 | |

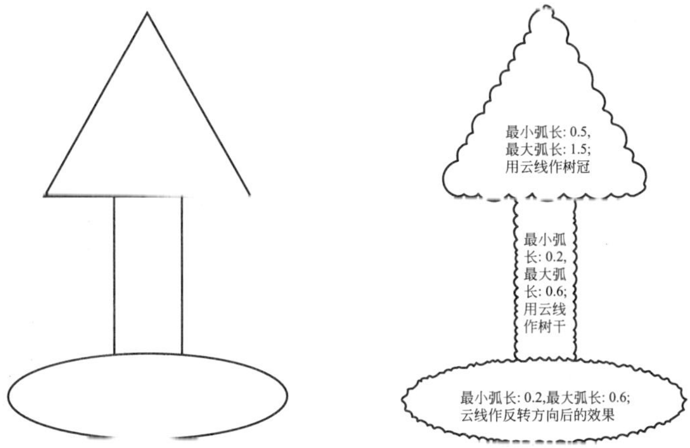


(*a*)　　(*b*)

图 3-20

云线命令的选项介绍如下：

**弧长**(A)：指云线上凸凹的圆弧弧长。

**对象**(O)：选择已知对象作为云线路径。

**3. 注意**

云线对象实际上是多段线，可用多段线编辑(Pedit)编辑。

# 本 章 小 结

任何一幅图形都是由一些基本的二维对象或者三维实体组成。二维对象指的是基本二维绘图对象，例如：点、直线、圆和正多边形等等，不同的设计师绘制同一幅平面图所用的方式方法大不相同，区别在于绘图思路不同，绘图高效不仅需要好的绘图思路，而且还需要灵活掌握捕捉方式和坐标输入方式等高效、精确的绘图工具来配合二维绘图，做到多练习、多体会每个命令的绘制方法。

# 练 习

1. 选择题

(1) 正多边形是具有 3 到(　　)条等长边的封闭多段线。

A. 1023　　B. 1024　　C. 1025　　D. 1026

(2) 要画出一条有宽度且各线段均属同一对象的线，要使用(　　)命令。

A. Line　　B. MLine　　C. Xline　　D. Pline

2. 按要求绘制以下图形：

(1) 用构造线(Xline)绘制如图($a$)；用多段线(Pline)绘制如图($b$)。

($a$)　　($b$)

(2) 用射线(Ray)和内接于圆方式绘制正五边形(Polygon)绘制如图($u$)；用直线(Line)绘制五角星如图($b$)；用多线绘制如图($c$)。

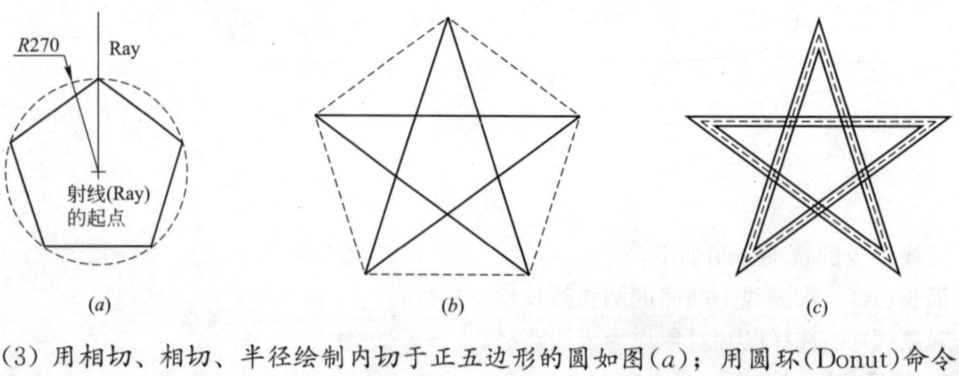


($a$)　　($b$)　　($c$)

(3) 用相切、相切、半径绘制内切于正五边形的圆如图($a$)；用圆环(Donut)命令绘制如图($b$)；用起点、圆心、端点方式绘制圆弧如图($c$)；用定数等分(Divide)分割线段 $AB$ 和 $AC$ 分别为三段，如图($d$)；用椭圆(Ellipse)绘制如图($e$)；用射线(Ray)绘制如图($f$)。

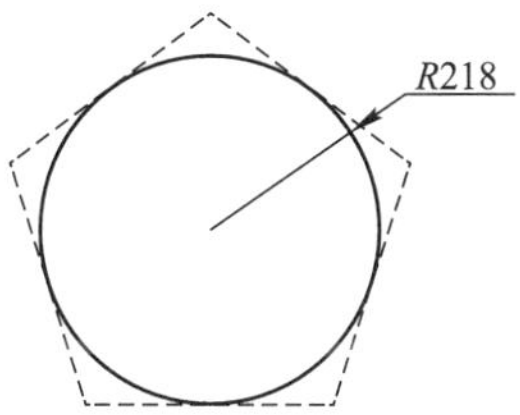


(a)

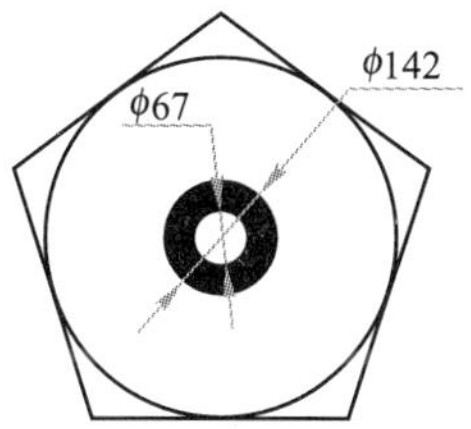


(b)

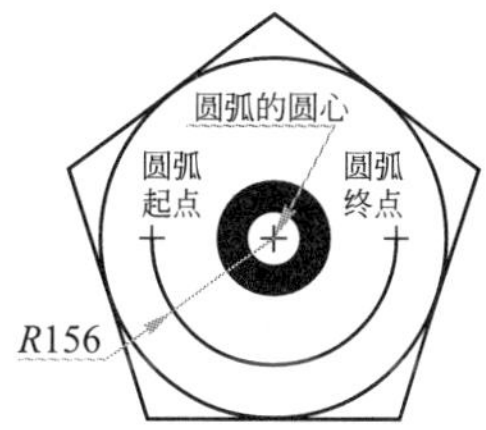


(c)

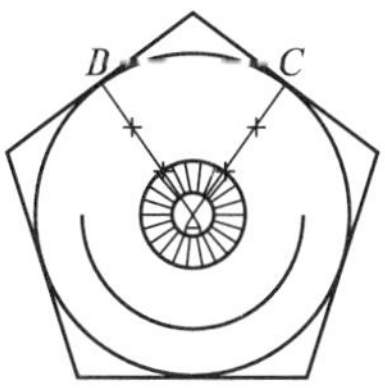


(d)

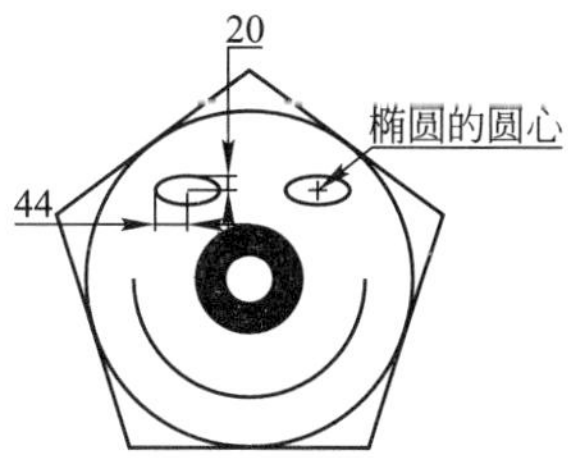


(e)

(f)

# 第4章　编　辑　对　象

**本章要点**

- 选择对象的方法
- 常用编辑命令
- 特征点编辑
- 特性编辑

图形编辑就是对图形对象进行移动、旋转、复制、缩放等操作。CAD 2010 提供强大的图形编辑功能，可以帮助用户合理地构造和组织图形，以获得准确的图形。合理地运用编辑命令可以极大地提高绘图效率。

本章内容与绘图命令结合的非常紧密。通过本章的学习，读者应该掌握编辑命令的使用方法，能够利用绘图命令和编辑命令制作复杂的图形。

## 4.1　选　择　对　象

在图形编辑前，首先要选择需要进行编辑的图形对象，然后再对其进行编辑加工。CAD 会将所选择的对象虚线显示，这些所选择的对象被称为选择集。选择集可以包含单个对象，也可以包含更复杂的多个对象。

**1. 操作步骤**

CAD 2010 具有多种方法，如在命令行提示要选择对象时，输入“?”，将显示如下提示信息：

全部(ALL)/增添(A)/除去(R)/前次(P)/上次(L)/窗口(W)/相交(C)/外部(O)/多边形窗口(WP)/相交多边形(CP)/外部多边形(OP)/圆形窗口(WC)/相交圆形(CC)/外部圆形(OC)/方形(B)/点(PO)/围栏(F)/自动(AU)/多次(M)/单个(S)/特性(PRO)/对话框(D)/撤销(U)：

以上各项提示的含义和功能说明如下：

**全部**(ALL)：选取当前图形中的所有对象。

**增添**(A)：新增一个或以上的对象到选择集中。

**除去**(R)：从选择集中删除一个或以上的对象。

**前次**(P)：选取包含在上个选择集中的对象。

**上次**(L)：选取在图形中最近创建的对象。

**窗口**(W)：选取完全包含在矩形选取窗口中的对象。

**相交**(C)：选取与矩形选取窗口相交或包含在矩形窗口内的所有对象。

**外部**(O)：选取完全在矩形选取窗口外的对象。

**多边形窗口**(WP)：选取完全在多边形选取窗中的对象。
**相交多边形**(CP)：选取多边形选取窗口所包含或与之相交的对象。
**外部多边形**(OP)：选取完全在多边形选取窗口外的对象。
**圆形窗口**(WC)：选取完全在圆形选取窗口中的对象。
**相交圆形**(CC)：选取圆形选取窗所包含或与之相交的对象。
**外部圆形**(OC)：选取完全在圆形选取窗之外的对象。

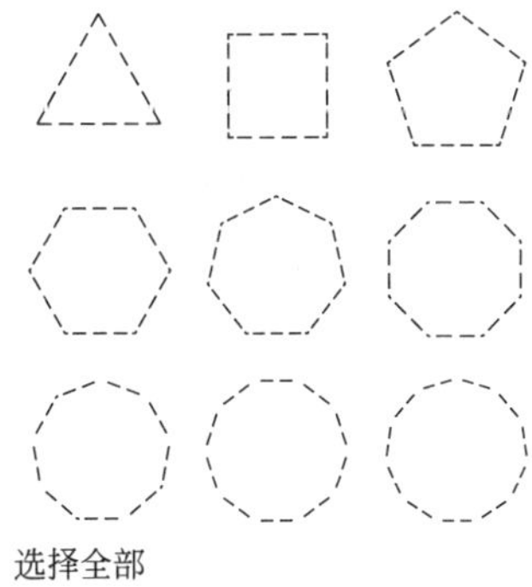


图 4-1　全部(ALL)

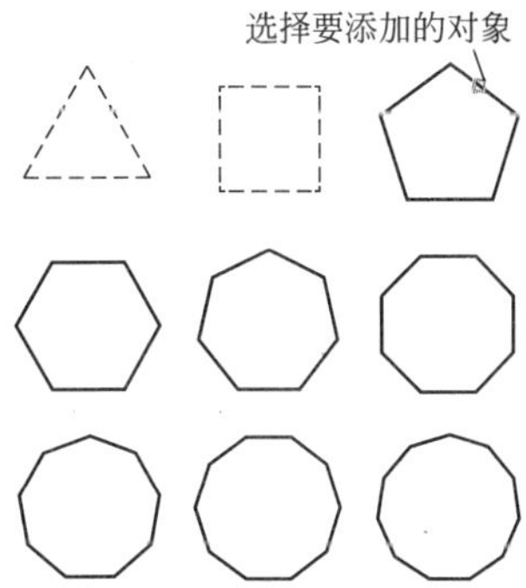


图 4-2　增添(A)

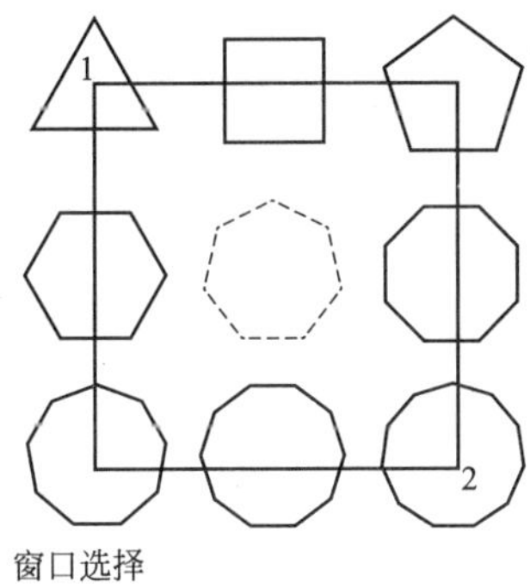


图 4-3　窗口(W)

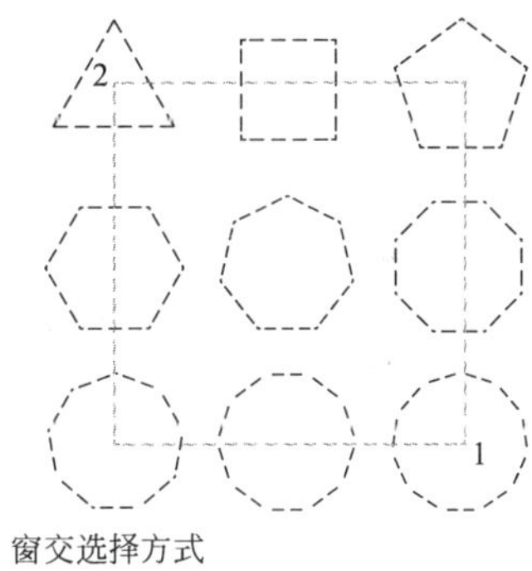


图 4-4　相交(C)

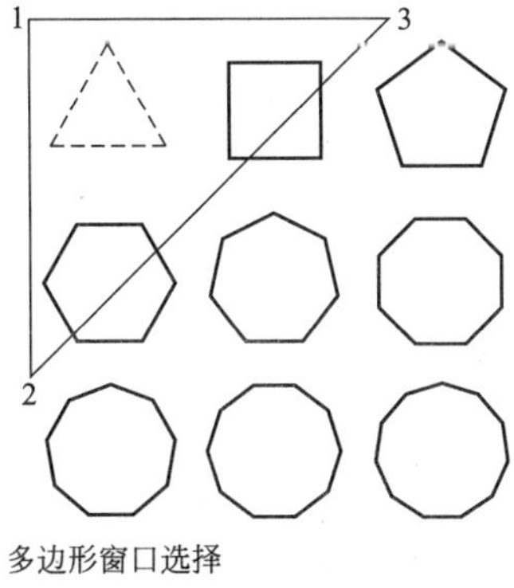


图 4-5　多边形窗口(WP)

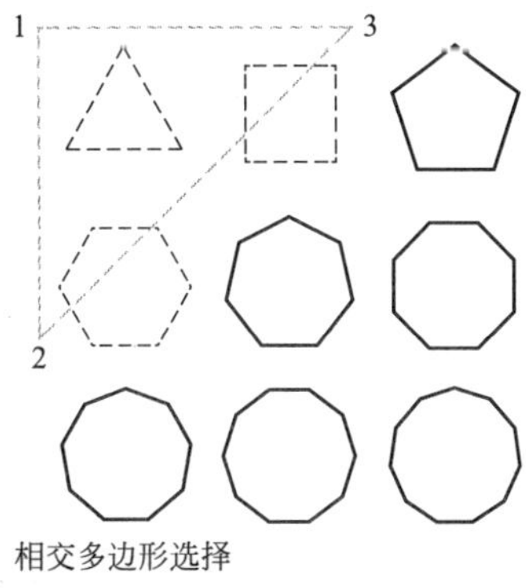


图 4-6　相交多边形(CP)

**方形**(B)：选择指定方形选择框区域内的所有对象。

**点**(PO)：选取任何围绕着所选点的封闭对象。

**围栏**(F)：选取与选择框相交的所有对象。

**自动**(AU)：自动选择模式，用户指向一个对象即可选择该对象。若指向对象内部或外部的空白区，将形成框选方法定义的选择框的第一个角点。

**多次**(M)：选择多个对象并亮显选取的对象。

**单个**(S)：选择“单个”选项后，只能选择一个对象，若要继续选择其他对象，需要重新执行选择命令。

**特性**(PRO)：根据特性选择相同特性的对象。

**对话框**(D)：开启“绘图设置”对话框的“坐标输入”选项卡，用户可在其中设置选择方式等。

**撤销**(U)：取消最近添加到选择集中的对象。

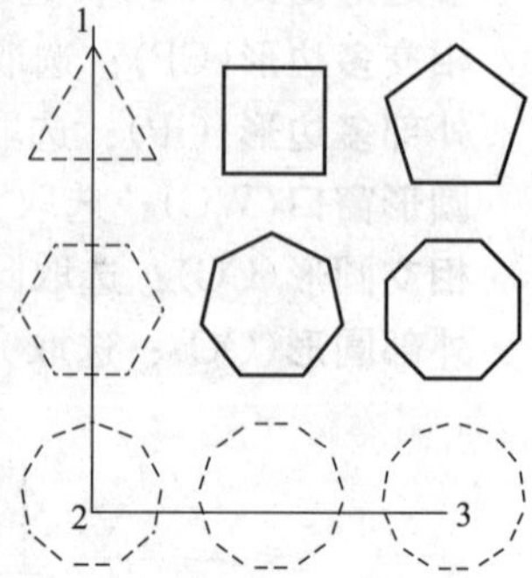


图 4-7 围栏(F)

**2. 注意**

可以自动的使用一些选择方法，无需显示提示框。如用鼠标左键，可以点击选择对象，或点击两点确定矩形选择框来选择对象。

**3. 夹点编辑**

选取对象时，对象上有小方块高亮显示，这些位于对象关键点的小方块就称作夹点。夹点的位置视所选对象的类型而定。举例来说，夹点会显示在直线的端点与中点、圆的四分点与圆心、弧的端点、中点与圆心。

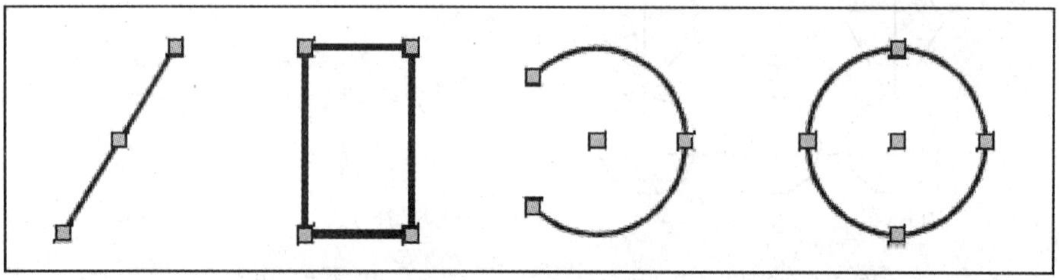

图 4-8 夹点位置图例

**图形对象的夹点特征** **表 4-1**

| 对象类型 | 夹点特征 |
|---|---|
| 直线 | 两个端点和中点 |
| 多段线 | 直线段的两端点、圆弧段的中点和两端点 |
| 构造线 | 控制点以及线上的邻近两点 |
| 射线 | 起点以及线上的一个点 |
| 多线 | 控制线上的两个端点 |
| 圆弧 | 两个端点和中点 |
| 圆 | 四个象限点和圆心 |
| 椭圆 | 四个顶点和中心点 |

续表

| 对象类型 | 夹 点 特 征 |
|---|---|
| 椭圆弧 | 端点、中点和中心点 |
| 填充 | 形心点 |
| 文字 | 插入点 |
| 线性标注、对齐标注 | 尺寸线和尺寸界限的端点，尺寸文字的中心点 |
| 角度标注 | 尺寸线端点和指定尺寸标注弧的端点，支持文字的中点 |
| 半径标注、直径标注 | 半径或直径标注的端点，支持文字的中心点 |
| 坐标标注 | 标注点，引出线端点和尺寸文字的中心点 |

要使用夹点来编辑，请选取对象以显示夹点，再点选夹点来使用。您所选的夹点视所修改对象类型与所采用的编辑方式而定。举例来说，要移动直线对象，请拖动直线中点处的夹点。要拉伸直线，请拖动直线端点处的夹点。在使用夹点时，您不需输入命令。

## 4.2 常用编辑命令

在 CAD 2010 中，用户不仅可以使用夹点来编辑对象，还可以通过“修改”菜单中的相关命令来实现。

### 4.2.1 删除

**1. 命令格式**

命令行：Erase(E)

菜单：[修改]→[删除(E)]

工具栏：[修改]→[删除]

删除图形文件中选取的对象。

**2. 操作步骤**

用删除命令删除图 4-9(*a*)中圆形，结果如图 4-9(*b*)所示。操作如下：

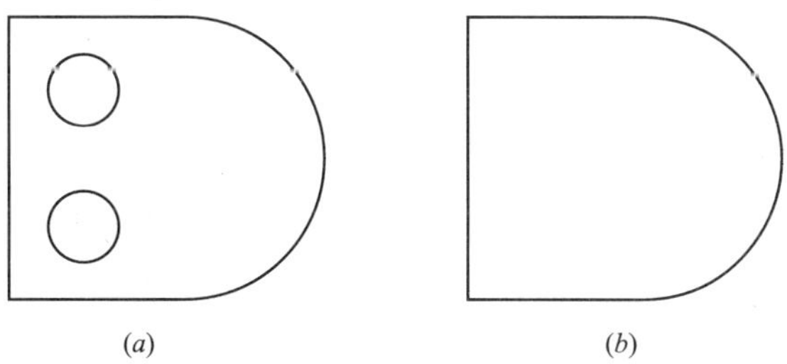

图 4-9 用 Delete 命令删除图形

| | |
|---|---|
| 命令：Erase(E) | 执行 Erase 命令 |
| 选取删除对象：点选圆 | 选取删除对象 |
| 选择集中的对象：1 | 提示已选择对象数 |

| 提示 | 说明 |
|---|---|
| 选取删除对象：点选另一个圆 | 选取删除对象 |
| 选择集中的对象：2 | 提示已选择对象数 |
| 选取删除对象 | 回车删除对象 |

**3. 注意**✍

使用 Oops 命令，可以恢复最后一次使用“删除”命令删除的对象。如果要连续向前恢复被删除的对象，则需要使用取消命令 Undo。

## 4.2.2 移动

**1. 命令格式**

命令行：Move(M)

菜单：[修改]→[移动(V)]

工具栏：[修改]→[移动] ✥

将选取的对象以指定的距离从原来位置移动到新的位置。

**2. 操作步骤**

用 Move 命令将图 4-10(*a*)中上面三个圆向上移动一定的距离，如图 4-10(*b*) 所示。操作如下：

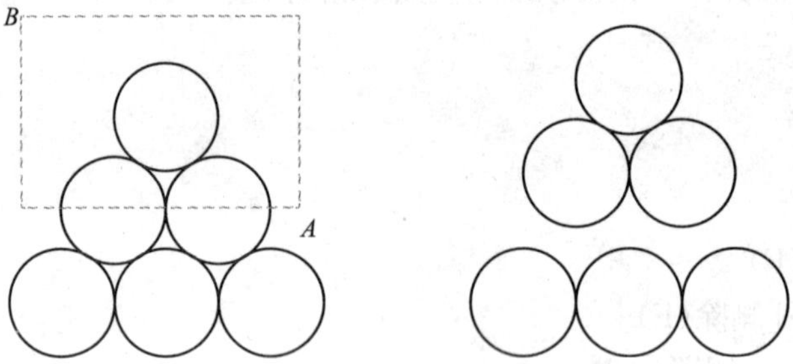


(*a*) (*b*)

图 4-10 用 Move 命令进行移动

| 提示 | 说明 |
|---|---|
| 命令：Move (M) | 执行 Move 命令 |
| 选择移动对象：点选点 A | 指定窗选对象的第一点 |
| 另一角点：点选点 B | 指定窗选对象的第二点 |
| 选择集中的对象：3 | 提示已选择对象数 |
| 选取移动对象： | 回车结束对象选择 |
| 指定基点或 [位移(D)] <位移>： | 指定移动的基点 |
| 指定第二个点或 <使用第一个点作为位移>： | 垂直向上指定另一点 |

以上各项提示的含义和功能说明如下：

**基点**：指定移动对象的开始点。移动对象距离和方向的计算会以起点为基准。

**位移**(D)：指定移动距离和方向的 $x$，$y$，$z$ 值。

**3. 注意**✍

用户可借助目标捕捉功能来确定移动的位置。移动对象最好是将“极轴”打开，可以清楚看到移动的距离及方位。

### 4.2.3 旋转

**1. 命令格式**

命令行：Rotate(V)

菜单：[修改]→[旋转(R)]

工具栏：[修改]→[旋转]

通过指定的点来旋转选取的对象。

**2. 操作步骤**

用 Rotate 命令将图 4-11(*a*)中正方形内的两个螺栓复制旋转 90°，使得正方形每个角都有一个螺栓，如图 4-11(*c*) 所示。操作如下：

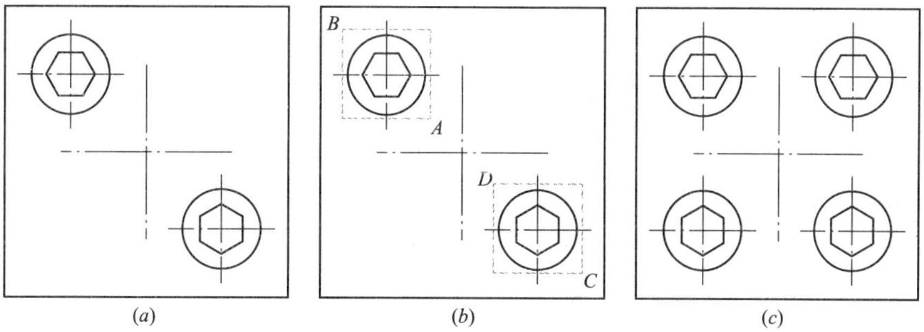


图 4-11 用 Rotate 命令进行旋转

| | |
|---|---|
| 命令：Rotate | 执行 Rotate 命令 |
| 选择对象：点选点 A | 指定窗选对象的第一点 |
| 另一角点：点选点 B | 指定窗选对象的第二点 |
| 选择集当中的对象：9 | 提示已选择对象数 |
| 选择对象：点选点 C | 指定窗选对象的第一点 |
| 另一角点：点选点 D | 指定窗选对象的第二点 |
| 选择集当中的对象：18 | 提示已选择对象数 |
| 选择对象： | 回车结束对象选择 |
| UCS 当前正角方向：ANGDIR=逆时针 ANGBASE=0 | |
| 指定基点：点选正方形中心点 | 指定旋转点 |
| 指定旋转角度或 [复制(C)/参照(R)] <0>：C | 选择复制旋转 |
| 旋转一组选定对象。 | |
| 指定旋转角度或 [复制(C)/参照(R)] <0>：90 | 指定旋转 90° |

以上各项提示的含义和功能说明如下：

**旋转角度**：指定对象绕指定的点旋转的角度。旋转轴通过指定的基点，并且平行于当前用户坐标系的 Z 轴。

**复制**(C)：在旋转对象的同时创建对象的旋转副本。

**参照**(R)：将对象从指定的角度旋转到新的绝对角度。

**3. 注意**

对象相对于基点的旋转角度有正负之分，正角度表示沿逆时针旋转，负角度表示沿顺时针旋转。

### 4.2.4 复制

**1. 命令格式**

命令行：Copy(CP)

菜单：[修改]→[复制选择(Y)]

工具栏：[修改]→[复制对象]

将指定的对象复制到指定的位置上。

**2. 操作步骤**

用 Copy 命令复制图 4-12(*a*)中床上的枕头。操作如下：

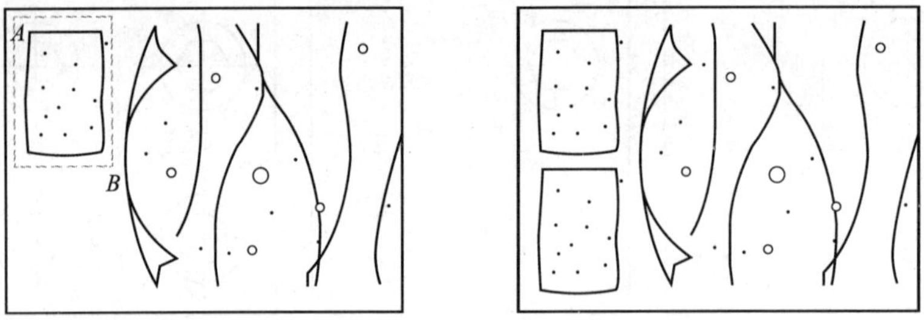


(*a*) (*b*)

图 4-12 用 Copy 命令复制图形

| | |
|---|---|
| 命令：Copy | 执行 Copy 命令 |
| 选择复制对象：点选点 A | 指定窗选对象的第一点 |
| 另一角点：点选点 B | 指定窗选对象的第二点 |
| 选择集当中的对象：17 | 提示已选择对象数 |
| 选择复制对象： | 回车结束对象选择 |
| 当前设置：复制模式＝多个 | |
| 指定基点或［位移(D)/模式(O)］<位移>： | |
| 点选一点 | 指定复制基点 |
| 指定第二个点或 <使用第一个点作为位移>： | |
| 点选另外一点 | 指定位移点 |
| 指定第二个点或［退出(E)/放弃(U)］<退出>： | 回车结束命令 |

以上各项提示的含义和功能说明如下：

**基点**：通过基点和放置点来定义一个矢量，指示复制的对象移动的距离和方向。

**位移**(D)：通过输入一个三维数值或指定一个点来指定对象副本在当前 X、Y、Z 轴的方向和位置。

**模式**(O)：控制复制的模式为单个或多个，确定是否自动重复该命令。

**3. 注意**

1) Copy 命令支持对简单的单一对象(集)的复制，如直线/圆/圆弧/多段线/样条曲线和单行文字等，同时也支持对复杂对象(集)的复制，例如关联填充，块/多重插入块，多行文字，外部参照，组对象等。

2）使用 Copy 命令在一个图样文件进行多次复制，如果要在图样之间进行复制，应采用 Copyclip 命令，它将复制对象复制到 Windows 的剪贴板上，然后在另一个图样文件中用 Pasteclip 命令将剪贴板上的内容粘贴到图样中。

### 4.2.5 镜像

**1. 命令格式**

命令行：Mirror(MI)

菜单：[修改]→[镜像(I)]

工具栏：[修改]→[镜像]

以一条线段为基准线，创建对象的反射副本。

**2. 操作步骤**

用 Mirror 命令使桌子另一边也有同样的椅子，如图 4-13(*b*)所示。操作如下：

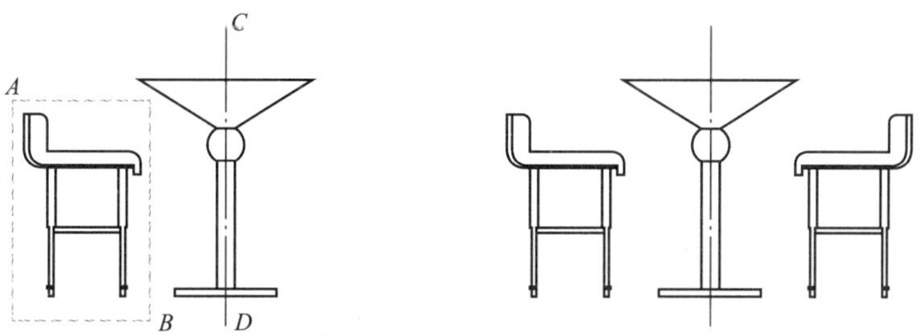


(*a*) (*b*)

图 4-13 用 Mirror 命令镜像图形

| 命令：Mirror | 执行 Mirror 命令 |
| --- | --- |
| 选择对象：点选点 A | 指定窗选对象的第一点 |
| 另一角点：点选点 B | 指定窗选对象的第二点 |
| 选择集当中的对象：37 | 提示已选择对象数 |
| 选择对象： | 回车结束对象选择 |
| 指定镜面线的第一点：点选点 C | 指定镜像线第一点 |
| 指定镜面线的第二点：点选点 D | 指定镜像线第二点 |
| 要删除源对象吗？[是(Y)/否(N)] <N>： | 回车结束命令 |

**3. 注意**

若选取的对象为文本，可配合系统变量 Mirrtext 来创建镜像文字。当 Mirrtext 的值为 1(开)时，文字对象将同其他对象一样被镜像处理。当 Mirrtext 设置为关 (0) 时，创建的镜像文字对象方向不作改变。

### 4.2.6 阵列

**1. 命令格式**

命令行：Array(AR)

菜单：[修改]→[阵列(A)]

工具栏：[修改]→[阵列] 

复制选定对象的副本，并按指定的方式排列。除了可以对单个对象进行阵列的操作，还可以对多个对象进行阵列的操作，在执行该命令时，系统会将多个对象视为一个整体对象来对待。

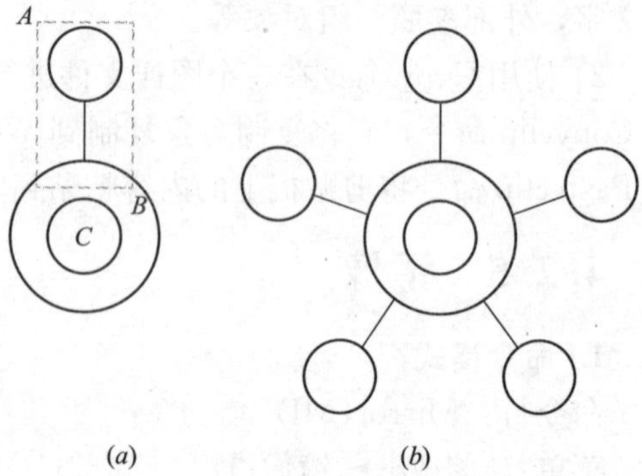


图 4-14　用 Array 命令进行阵列复制

**2. 操作步骤**

将图 4-14(*a*)用 Array 命令进行阵列复制，得到 4-14(*b*)所示的图形。操作如下：

| | |
|---|---|
| 命令：Array | 执行 Array 命令，打开图 4-15 所示对话框 |
| 中心点：点选点 C | 指定环形阵列中心 |
| 项目总数：5 | 指定阵列项数 |
| 填充角度：360 | 指定阵列角度 |
| 【选择对象】 | 选择对象 |
| 选取阵列对象：点选点 A | 指定窗选对象的第一点 |
| 另一角点：点选点 B | 指定窗选对象的第二点 |
| 选择集当中的对象：2 | 提示已选择对象数 |
| 选取阵列对象： | 回车结束对象选择 |
| 【确定】 | 结束命令 |

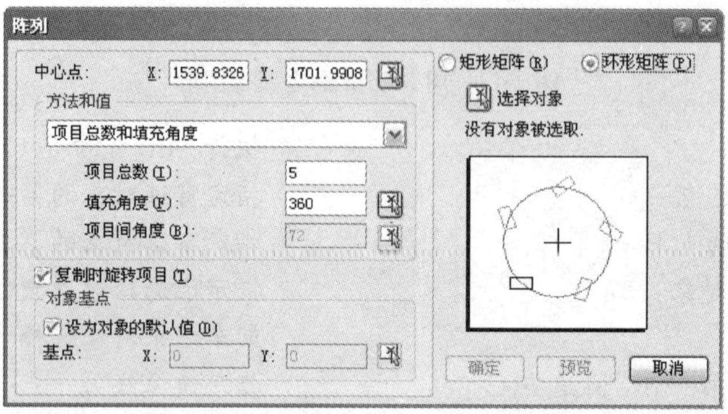


图 4-15　阵列命令对话框

矩形阵列(R)：复制选定的对象后，为其指定行数和列数创建阵列。

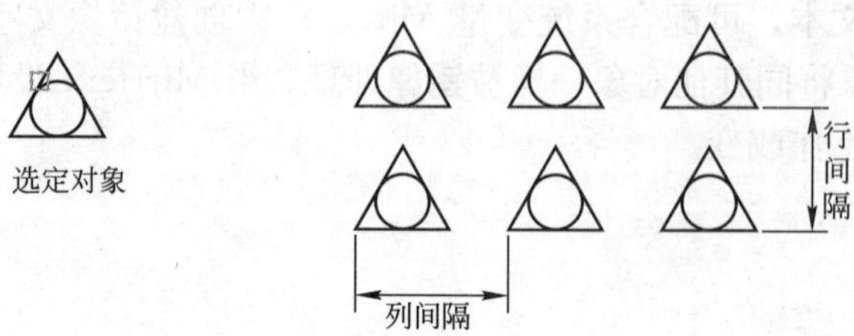


图 4-16　矩形阵列示意

关于环形阵列的含义和功能说明如下：

**环形阵列**(P)：通过指定圆心或基准点来创建环形阵列。系统将以指定的圆心或基准点来复制选定的对象，创建环形阵列。

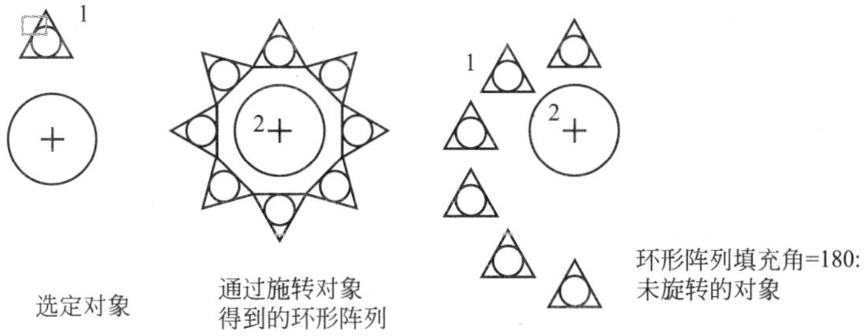


图 4-17　环形阵列示意

**3. 注意**

环形阵列时，阵列角度值若输入正值，则以逆时针方向旋转，若为负值，则以顺时针方向旋转。阵列角度值不允许为 0，选项间角度值可以为 0，但当选项间角度值为 0 时，将看不到阵列的任何效果。

## 4.2.7　偏移

**1. 命令格式**

命令行：Offset(O)

菜单：[修改]→[偏移(S)]

工具栏：[修改]→[偏移]

以指定的点或指定的距离将选取的对象偏移并复制，使对象副本与原对象平行。

**2. 操作步骤**

用 Offset 命令偏移一组同心圆如图 4-18(*b*)。操作如下：

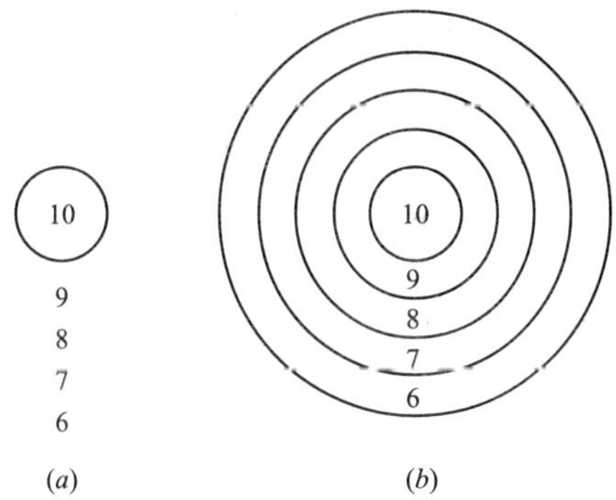


图 4-18　用 Offset 命令偏移对象

命令：Offset　　执行 Offset 命令

指定偏移距离或 [通过(T)/拖拽(D)/删除(E)/图层(L)] <通过>：2

输入 2　　指定偏移距离

选择要偏移的对象，或 [退出(E)/放弃(U)] <退出>：

选择圆形　　选择要偏移的对象

指定要偏移的那一侧上的点，或 [退出(E)/多个(M)/放弃(U)] <退出>：m

输入 M　　选择多次偏移

指定要偏移的那一侧上的点，或 [退出(E)/放弃(U)] <下一个对象>：

选取圆外一点　　偏移出一个圆

指定要偏移的那一侧上的点，或 [退出(E)/放弃(U)] <下一个对象>：

选取圆外一点　　偏移出第二个圆

指定要偏移的那一侧上的点，或［退出(E)/放弃(U)］<下一个对象>：

选取圆外一点　　　　偏移出第三个圆

指定要偏移的那一侧上的点，或［退出(E)/放弃(U)］<下一个对象>：

选取圆外一点　　　　偏移出第四个圆

指定要偏移的那一侧上的点，或［退出(E)/放弃(U)］<下一个对象>：

回车　　　　结束命令

以上各项提示的含义和功能说明如下：

**偏移距离**：在距离选取对象的指定距离处创建选取对象的副本。

**通过**(T)：以指定点创建通过该点的偏移副本。

**拖拽**(D)：以拖拽的方式指定偏移距离，创建偏移副本。

**删除**(E)：在创建偏移副本之后，删除或保留源对象。

**图层**(L)：控制偏移副本是创建在当前图层上还是源对象所在的图层上。

**3. 注意**

偏移命令是一个单对象编辑命令，在使用过程中，只能以直接拾取方式选择对象。

## 4.2.8 缩放

**1. 命令格式**

命令行：Scale(SC)

菜单：［修改］→［缩放(L)］

工具栏：［修改］→［缩放］

以一定比例放大或缩小选取的对象。

**2. 操作步骤**

用 Scale 命令将图 4-19 左边的五角星放大。操作如下：

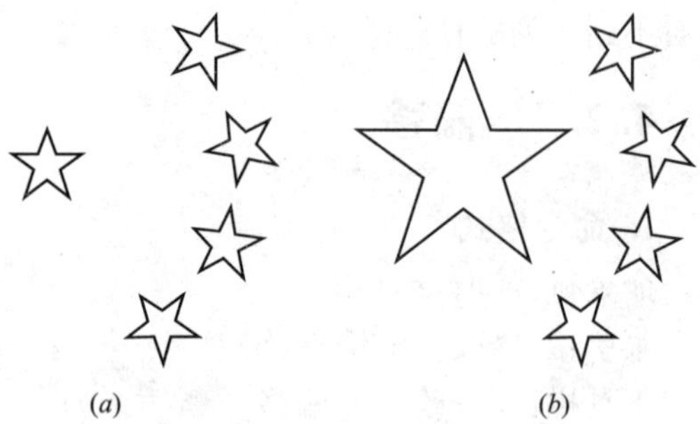


图 4-19 用 Scale 命令缩小图形

命令：Scale　　　　执行 Scale 命令

选择对象：点选图形左上角点　　　　指定窗选对象的第一点

另一角点：点选图形右下角点　　　　指定窗选对象的第二点

选择集当中的对象：10　　　　提示已选择对象数

选择对象：　　　　回车结束对象选择

指定基点：点选五角星中心点　　　　指定缩放基点

指定比例因子或［复制(C)/参照(R)］：3　　　　指定缩放比例

以上各项提示的含义和功能说明如下：

**比例因子**：以指定的比例值放大或缩小选取的对象。当输入的比例值大于 1 时，则放大对象，若为 0 和 1 之间的小数，则缩小对象。或指定的距离小于原来对象大小时，缩小对象；指定的距离大于原对象大小，则放大对象。

**复制**(C)：在缩放对象时，创建缩放对象的副本。

**参照**(R)：按参照长度和指定的新长度缩放所选对象。

**3. 注意**

Scale 命令与 Zoom 命令有区别，前者可改变实体的尺寸大小，后者只是缩放显示实体，并不改变实体的尺寸值。

## 4.2.9 打断

**1. 命令格式**

命令行：Break(BR)

菜单：[修改]→[打断(K)]

工具栏：[修改]→[打断]

将选取的对象在两点之间打断。

**2. 操作步骤**

用Break命令删除图4-20(*a*)所示圆的一部分，结果使图形成为一个螺母，如图4-20(*b*)所示。操作如下：

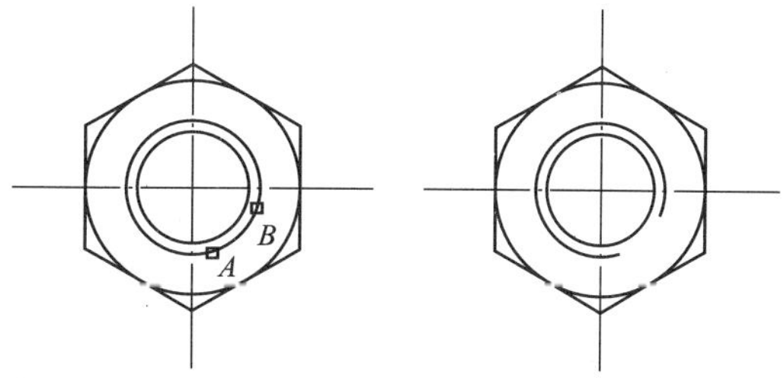


(*a*) (*b*)

图4-20 用Break命令删除图形

命令：Break 执行Break命令

选取切断对象：点选点A 指定要切断的第一点

第一切断点(F)/同第一点(@)

<第二切断点>：点选点B 指定要切断的第二点

以上各项提示的含义和功能说明如下：

**第一切断点**(F)：在选取的对象上指定要切断的起点。

**第二切断点**(S)：在选取的对象上指定要切断的第二点。若用户在命令行输入BREAK命令后第一条命令提示中选择了S(第二切断点)，则系统将以选取对象时指定的点为默认的第一切断点。

**3. 注意**

1) 系统在使用Break命令切断被选取的对象时，一般是切断两个切断点之间的部分。当其中一个切断点不在选定的对象上时，系统将选择离此点最近的对象上的一点为切断点之一来处理。

2) 若选取的两个切断点在一个位置，可将对象切开，但不删除某个部分。除了可以指定同一点，还可以在选择第二切断点时，在命令行提示下输入@字符，这样可以达到同样的效果。但这样的操作不适合圆，要切断圆，必须选择两个不同的切断点。

在切断圆或多边形等封闭区域对象时，系统默认以逆时针方向切断两个切断点之间的部分。

## 4.2.10 合并

**1. 命令格式**

命令行：Join

菜单：[修改]→[合并(J)]

工具栏：[修改]→[合并]

将对象合并以形成一个完整的对象。

**2. 操作步骤**

用Join命令连接图4-21(*a*)所示两段直线，结果如图4-21(*b*)所示。操作如下：

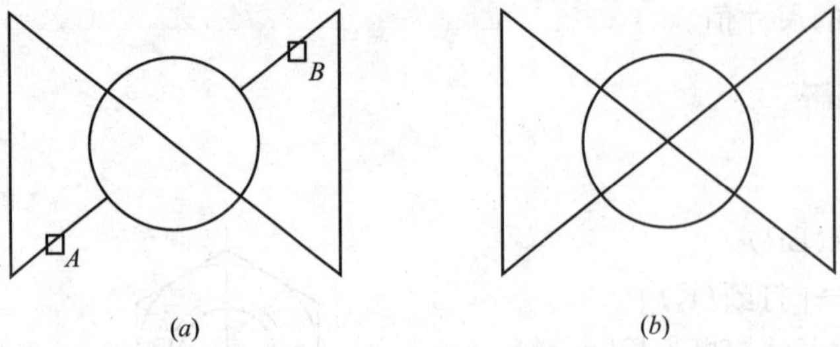


图 4-21　用 Join 命令连接图形

| | |
|---|---|
| 命令：Join | 执行 Join 命令 |
| 选择连接的圆弧，直线，开放多段线，椭圆弧，<br>或者 开放样条曲线：点选 A 直线 | 指定要连接的图形 |
| 选择要连接的线：点选 B 直线 | 指定要连接的图形 |
| 选择集当中的对象：1 | 提示已选择对象数 |
| 选择要连接的线： | 回车结束对象选择 |
| 已将 1 条直线合并到源 | |

**3. 注意**

1）圆弧：选取要连接的弧。要连接的弧必须都为同一圆的一部分。

2）直线：要连接的直线必须是处于同一直线上，它们之间可以有间隙。

3）开放多段线：被连接的对象可以是：直线、开放多段线或圆弧，对象之间不能有间隙，并且必须位于与 UCS 的 XY 平面平行的同一平面上。

4）椭圆弧：选择的椭圆弧必须位于同一椭圆上，它们之间可以有间隙。“闭合”选项可将源椭圆弧闭合成完整的椭圆。

5）开放样条曲线：连接的样条曲线对象之间不能有间隙。最后对象是单个样条曲线。

## 4.2.11　倒角

**1. 命令格式**

命令行：Chamfer(CHA)

菜单：［修改］→［倒角(C)］

工具栏：［修改］→［倒角］

在两线交叉、放射状线条或无限长的线上建立倒角。

**2. 操作步骤**

用 Chamfer 命令将图 4-22(*a*)所示的螺栓前端进行倒角，结果如图 4-22(*b*)所示。

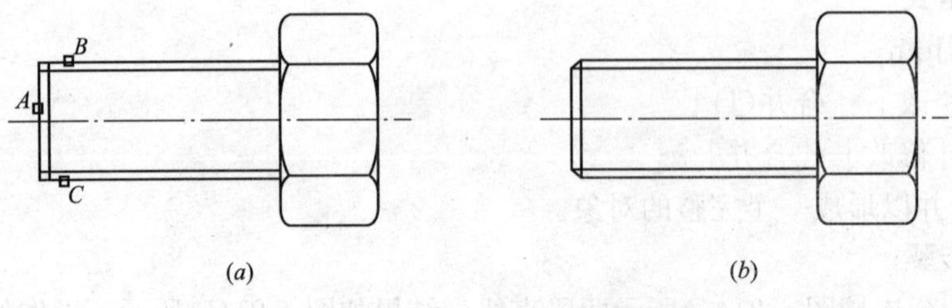


图 4-22　用 Chamfer 命令绘制图形

命令：Chamfer　　执行Chamfer命令

选择连接的圆弧，直线，开放多段线，椭圆弧，倒角（距离1=10，距离2=10）：设置(S)/多段线(P)/距离(D)/角度(A)/修剪(T)/方式(M)/多个(U)/<选取第一个对象>：D

输入D　　选择倒角距离

第一个对象的倒角距离 <10>：1　　设置的倒角距离

第二个对象的倒角距离 <1>：　　回车接受默认距离

倒角（距离1=1，距离2=1）：设置(S)/多段线(P)/距离(D)/角度(A)/修剪(T)/方式(M)/多个(U)/<选取第一个对象>：U

输入U　　选择多次倒角

倒角（距离1=1，距离2=1）：设置(S)/多段线(P)/距离(D)/角度(A)/修剪(T)/方式(M)/多个(U)/<选取第一个对象>：

点选A直线　　选取第一个倒角对象

选取第二个对象：　　点选B直线

倒角（距离1=1，距离2=1）：设置(S)/多段线(P)/距离(D)/角度(A)/修剪(T)/方式(M)/多个(U)/<选取第一个对象>：

点选A直线　　再选第一个倒角对象

选取第二个对象：　　点选C直线

倒角（距离1=1，距离2=1）：设置(S)/多段线(P)/距离(D)/角度(A)/修剪(T)/方式(M)/多个(U)/<选取第一个对象>：

回车　　结束命令

以上各项提示的含义和功能说明如下：

**选取第一个对象：**选择要进行倒角处理的对象的第一条边，或要倒角的三维实体边中的第一条边。

**设置**(S)：开启“绘图设置”对话框的“对象修改”选项卡，用户可在其中选择倒角的方法，并设置相应的倒角距离和角度。

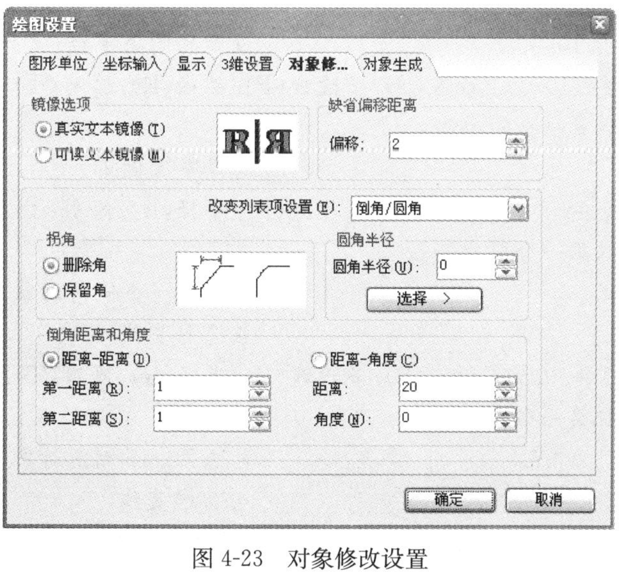


图4-23　对象修改设置

**多段线**(P)：为整个二维多段线进行倒角处理。

**距离**(D)：创建倒角后，设置倒角到两个选定边的端点的距离。

**角度**(A)：指定第一条线的长度和第一条线与倒角后形成的线段之间的角度值。

**修剪**(T)：由用户自行选择是否对选定边进行修剪，直到倒角线的端点。

**方式**(M)：选择倒角方式。倒角处理的方式有两种，“距离-距离”和“距离-角度”。

**多个**(U)：可为多个两条线段的选择集进行倒角处理。

**3. 注意**

1) 若要做倒角处理的对象没有相交，系统会自动修剪或延伸到可以做倒角的情况。

2) 若为两个倒角距离指定的值均为 0，选择的两个对象将自动延伸至相交。

3) 用户选择“放弃”时，使用倒角命令为多个选择集进行的倒角处理将全部被取消。

## 4.2.12 圆角

**1. 命令格式**

命令行：Fillet(F)

菜单：[修改]→[圆角(F)]

工具栏：[修改]→[圆角]

为两段圆弧、圆、椭圆弧、直线、多段线、射线、样条曲线或构造线以及三维实体创建以指定半径的圆弧形成的圆角。

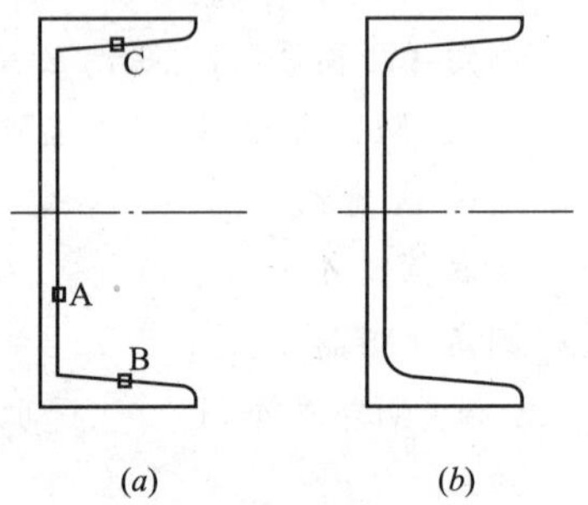


图 4-24 用 Fillet 命令绘制图形

**2. 操作步骤**

用 Fillet 命令将图 4-24(*a*)所示的槽钢进行倒圆角，结果如图 4-24(*b*)所示。操作如下：

命令：Fillet　　执行 Fillet 命令

圆角(F) (半径=0)：设置(S)/多段线(P)/半径(R)/修剪(T)/多个(U)/<选取第一个对象>：R

输入 R　　选择圆角半径

圆角半径 <0>：10.5　　设置的圆角半径

圆角(F) (半径=10.5)：设置(S)/多段线(P)/半径(R)/修剪(T)/多个(U)/<选取第一个对象>：U

输入 U　　选择多次倒角

圆角(F) (半径=10.5)：设置(S)/多段线(P)/半径(R)/修剪(T)/多个(U)/<选取第一个对象>：

点选 A 直线　　选取第一个倒角对象

选取第二个对象：　　点选 B 直线

圆角(F) (半径=10.5)：设置(S)/多段线(P)/半径(R)/修剪(T)/多个(U)/<选取第一个对象>：

点选 A 直线　　再选第一个倒角对象

选取第二个对象：　　点选 C 直线

圆角(F) (半径=10.5)：设置(S)/多段线(P)/半径(R)/修剪(T)/

多个(U)/<选取第一个对象>：
回车　　　　　　　　　　　　　　　　　　结束命令

以上各项提示的含义和功能说明如下：

**选取第一个对象**：选取要创建圆角的第一个对象。

**设置**(S)：选择“设置”选项，开启“绘图设置”对话框。如图 4-23 所示。

**多段线**(P)：在二维多段线中的每两条线段相交的顶点处创建圆角。

**半径**(R)：设置圆角弧的半径。

**修剪**(T)：在选定边后，若两条边不相交，选择此选项确定是否修剪选定的边使其延伸到圆角弧的端点。

**多个**(U)：为多个对象创建圆角。

**3. 注意**

1）若选定的对象为直线、圆弧或多段线，系统将自动延伸这些直线或圆弧直到它们相交，然后再创建圆角。

2）若选取的两个对象不在同一图层，系统将在当前图层创建圆角线。同时，圆角的颜色、线宽和线型的设置也是在当前图层中进行。

3）若选取的对象是包含弧线段的单个多段线。创建圆角后，新多段线的所有特性(例如图层、颜色和线型)将继承所选的第一个多段线的特性。

4）若选取的对象是关联填充(其边界通过直线线段定义)，创建圆角后，该填充的关联性不再存在。若该填充的边界以多段线来定义，将保留其关联性。

5）若选取的对象为一条直线和一条圆弧或一个圆，可能会有多个圆角的存在，系统将默认选择最靠近选中点的端点来创建圆角。

## 4.2.13　修剪

**1. 命令格式**

命令行：Trim(TR)

菜单：[修改]→[修剪(T)]

工具栏：[修改]→[修剪]

清理所选对象超出指定边界的部分。

**2. 操作步骤**

用 Trim 将图 4-25(*a*)所示的五角星内的直线剪掉，结果如图 4-25(*b*)所示。操作如下：

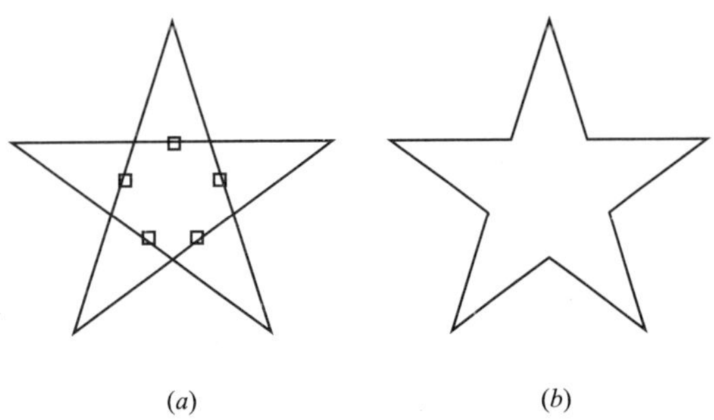

图 4-25　用 Trim 命令将直线部分剪掉

命令：Trim　　　　　　　　　　　　　　执行 Trim 命令
选取切割对象作修剪 <回车全选>：　　　回车全选对象
用全部对象作修剪边界　　　　　　　　　提示选择对象数量

选择要修剪的实体，或按住 Shift 键选择要延伸的实体，或[边缘模式(E)/围栏(F)/窗交(C)/投影(P)/删除(R)]：

点选图形内一直线　　　　　　　　　　　指定要删除的一个对象

选择要修剪的实体，或按住 Shift 键选择要延伸的实体，或[边缘模式(E)/围栏(F)/窗交(C)/投影(P)/删除(R)/撤销(U)]：

点选图形内一直线　　　　　　　　　　指定要删除的一个对象

选择要修剪的实体，或按住 Shift 键选择要延伸的实体，或[边缘模式(E)/围栏(F)/窗交(C)/投影(P)/删除(R)/撤销(U)]：

点选图形内一直线　　　　　　　　　　指定要删除的一个对象

选择要修剪的实体，或按住 Shift 键选择要延伸的实体，或[边缘模式(E)/围栏(F)/窗交(C)/投影(P)/删除(R)/撤销(U)]：

点选图形内一直线　　　　　　　　　　指定要删除的一个对象

选择要修剪的实体，或按住 Shift 键选择要延伸的实体，或[边缘模式(E)/围栏(F)/窗交(C)/投影(P)/删除(R)/撤销(U)]：

点选图形内一直线　　　　　　　　　　指定要删除的一个对象

选择要修剪的实体，或按住 Shift 键选择要延伸的实体，或[边缘模式(E)/围栏(F)/窗交(C)/投影(P)/删除(R)/撤销(U)]：

回车　　　　　　　　　　　　　　　　结束命令

以上各项提示的含义和功能说明如下：

**要修剪的对象**：指定要修剪的对象。

**边缘模式**(E)：修剪对象的假想边界或与之在三维空间相交的对象。

**围栏**(F)：指定围栏点，将多个对象修剪成单一对象。

**窗交**(C)：通过指定两个对角点来确定一个矩形窗口，选择该窗口内部或与矩形窗口相交的对象。

**投影**(P)：指定在修剪对象时使用的投影模式。

**删除**(R)：在执行修剪命令的过程中将选定的对象从图形中删除。

**撤销**(U)：撤销使用 TRIM 最近对对象进行的修剪操作。

**3. 注意**

在用户按 ENTER 键结束选择前，系统会不断提示指定要修剪的对象，所以用户可指定多个对象进行修剪。在选择对象的同时按 SHIFT 键可将对象延伸到最近的边界，而不修剪它。

## 4.2.14 延伸

**1. 命令格式**

命令行：Extend(EX)

菜单：[修改]→[延伸(D)]

工具栏：[修改]→[延伸]

延伸线段、弧、二维多段线或射线，使之与另一对象相切。

**2. 操作步骤**

用 Extend 命令延伸图 4-26(*a*)，使之成为 4-26(*b*)所示的图形。操作如下：

命令：Extend　　　　　　　　　　　　执行 Extend 命令

选取边界对象作延伸 <回车全选>：

点选点 A　　　　　　　　　　　　　　指定延伸边界

选择集当中的对象：1　　　　　　　　　　提示选择对象数量
选取边界对象作延伸 <回车全选>：　　　　回车结束对象选择
选择要延伸的实体，或按住 Shift 键选择
要修剪的实体，或［边缘模式(E)/围栏(F)/窗交(C)/投影(P)/删除(R)］：
点选点 B　　　　　　　　　　　　　　　　指定延伸对象
选择要延伸的实体，或按住 Shift 键选择
要修剪的实体，或［边缘模式(E)/围栏(F)/窗交(C)/投影(P)/删除(R)/撤销(U)］：
回车　　　　　　　　　　　　　　　　　　结束命令

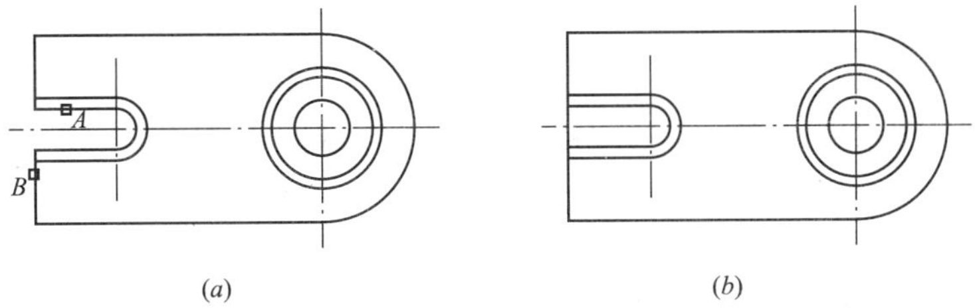


图 4-26　用 Extend 命令延伸图

以上各项提示的含义和功能说明如下：

**边界对象**：选定对象，使之成为对象延伸的边界的边。

**延伸的实体**：选择要进行延伸的对象。

**边缘模式**(E)：若边界对象的边和要延伸的对象没有实际交点，但又要将指定对象延伸到两对象的假想交点处，可选择"边缘模式"。

**围栏**(F)：进入"围栏"模式，可以选取围栏点，围栏点为要延伸的对象上的开始点，延伸多个对象到一个对象。

**窗交**(C)：进入"窗交"模式，通过从右到左指两个点定义选择区域内的所有对象，延伸所有的对象到边界对象。

**投影**(P)：选择对象延伸时的投影方式。

**删除**(R)：在执行 EXTEND 命令的过程中选择对象将其从图形中删除。

**撤销**(U)：放弃之前使用 EXTEND 命令对对象的延伸处理。

**3. 注意**

在选择时，用户可根据系统提示选取多个对象进行延伸。同时，还可按住 SHIFT 键选定对象将其修剪到最近的边界边。若要结束选择，按 ENTER 键即可。

## 4.2.15　拉长

**1. 命令格式**

命令行：Lengthen(LEN)

菜单：［修改］→［拉长(G)］

工具栏：［修改］→［拉长］

为选取的对象修改长度，为圆弧修改包含角。

**2. 操作步骤**

用 Lengthen 增长图 4-27(*a*)中的圆弧的长度，结果如图 4-27(*b*)所示。操作如下：

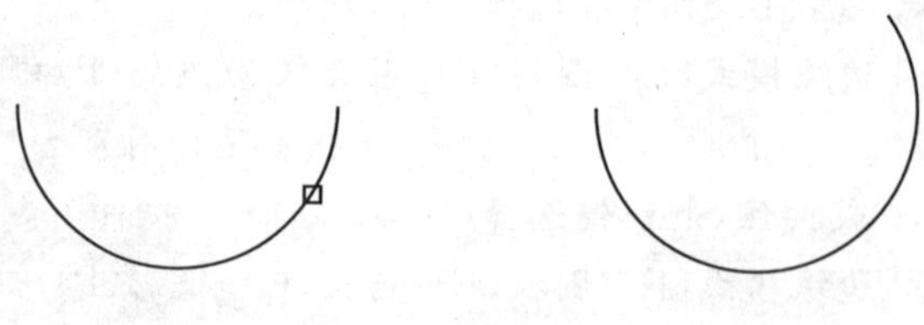

(*a*)　　(*b*)

图 4-27　用 Lengthen 命令增加圆弧长度

|  |  |
|---|---|
| 命令：_LENGTHEN | 执行 Lengthen 命令 |
| 拉长：动态(DY)/递增(I)/百分比(P)/全部(T)/＜列出选取对象长度＞：P | |
| 输入 P | 选择拉长方式 |
| 输入百分比长度＜130.000000＞：120 | 指定拉长比例 |
| 方式(M)/＜选取变化对象＞：点选圆弧 | 指定拉长对象 |
| 方式(M)/撤销(U)/＜选取变化对象＞： | 回车结束命令 |

以上各项提示的含义和功能说明如下：

**列出选取对象长度**：在命令行提示下选取对象，将在命令栏显示选取对象的长度。

**动态**(DY)：开启“动态拖动”模式，通过拖动选取对象的一个端点来改变其长度。其他端点保持不变。

**递增**(I)：以指定的长度为增量修改对象的长度，该增量从距离选择点最近的端点处开始测量。

**百分比**(P)：指定对象总长度或总角度的百分比来设置对象的长度或弧包含的角度。

**全部**(T)：指定从固定端点开始测量的总长度或总角度的绝对值来设置对象长度或弧包含的角度。

**3. 注意**

递增方式拉长时，若选取的对象为弧，增量就为角度。若输入的值为正，则拉长扩展对象，若为负值，则修剪缩短对象的长度或角度。

## 4.2.16　分解

**1. 命令格式**

命令行：Explode(X)

菜单：[修改]→[分解(X)]

工具栏：[修改]→[分解]

将由多个对象组合而成的合成对象(例如图块、多段线等)分解为独立对象。

**2. 操作实例**

用 Explode 命令炸开矩形，令其成为 4 条单独的直线。操作如下：

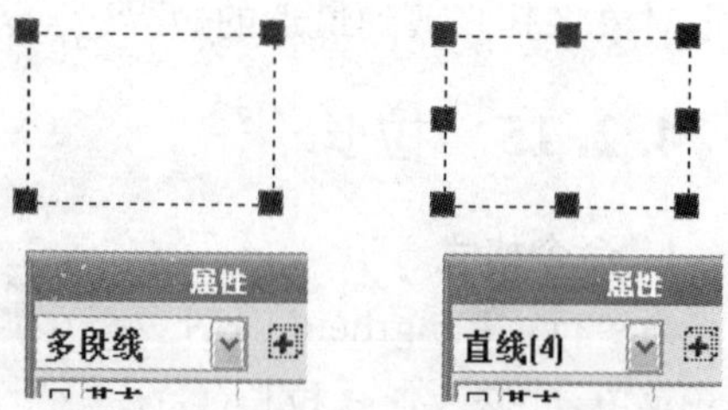


(*a*)　　(*b*)

图 4-28　用 Explode 命令分解图形

命令：Explode　　执行 Explode 命令
选择对象：点选矩形　　指定分解对象
选择集当中的对象：1　　提示选择对象数量
选择对象：　　回车结束命令

**3. 注意**

1）系统可同时分解多个合成对象。并将合成对象中的多个部件全部分解为独立对象。但若使用的是脚本或运行时扩展函数，则一次只能分解一个对象。

2）分解后，除了颜色、线型和线宽可能会发生改变，其他结果将取决于所分解的合成对象的类型。

3）将块中的多个对象分解为独立对象，但一次只能删除一个编组级。若块中包含一个多段线或嵌套块，那么对该块的分解就首先分解为多段线或嵌套块，然后再分别分解该块中的各个对象。

## 4.2.17　拉伸

**1. 命令格式**

命令行：Stretch(S)

菜单：[修改]→[拉伸(D)]

工具栏：[修改]→[拉伸]

拉伸选取的图形对象，使其中一部分移动，同时维持与图形其他部分的连结。

**2. 操作实例**

用 Stretch 命令把图 4-29(*a*)中的门的宽度拉伸，使之成为图 4-29(*b*)所示的样子。操作如下：

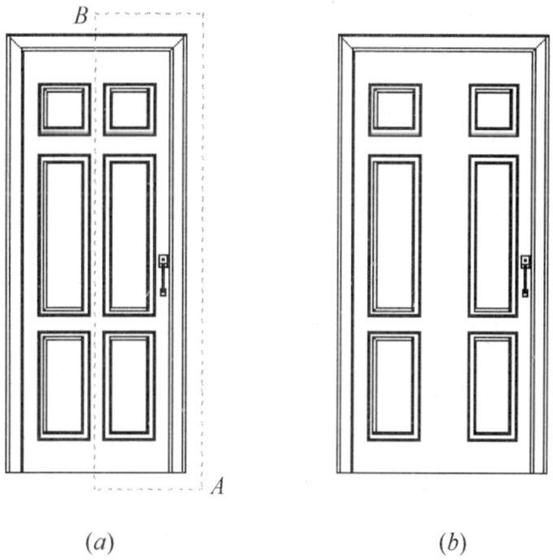


图 4-29　用 Stretch 拉伸门的宽度

命令：Stretch　　执行 Stretch 命令
用相交窗口或相交多边形选择对象：点选点 A　　指定窗选对象的第一点
另一角点：点选点 B　　指定窗选对象的第二点
选择集当中的对象：123　　提示选中对象数量
用相交窗口或相交多边形选择对象：　　回车结束选择
指定基点或 [位移(D)] <位移>：点选一点　　指定拉伸基点
指定第二个点或
<使用第一个点作为位移>：水平向右点选一点　　指定拉伸距离

以上各项提示的含义和功能说明如下：

**指定基点**：使用 STRETCH 命令拉伸选取窗口内或与之相交的对象，其操作与使用 Move 命令移动对象类似。

**位移**(D)：进行向量拉伸。

**3. 注意**

可拉伸的对象包括与选择窗口相交的圆弧、椭圆弧、直线、多段线线段、二维实体、射线、宽线和样条曲线。

### 4.2.18 编辑多段线

**1. 命令格式**

命令行：Pedit(PE)

菜单：［修改］→［对象］→［编辑多段线(P)］

工具栏：［修改Ⅱ］→［编辑多段线］

编辑二维多段线、三维多段线或三维网格。

**2. 操作实例**

用 Pedit 命令编辑图 4-30($a$)所示的多段线。操作如下：

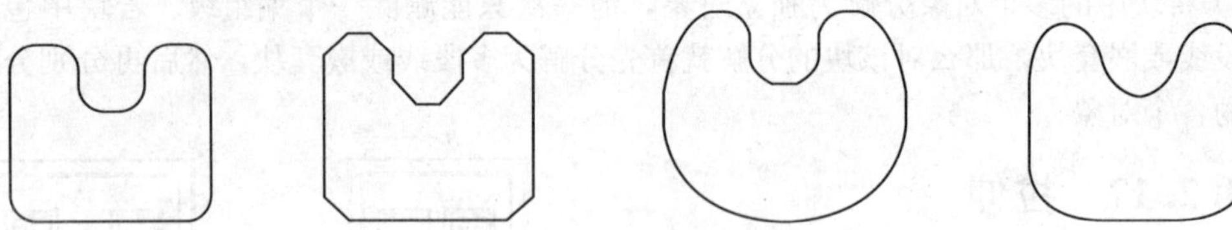

($a$)　($b$)　($c$)　($d$)

图 4-30　用 Pedit 命令编辑图所示的多段线

命令：Pedit　　执行 Pedit 命令

选择多段线(S)＼上一个(L)［多条(M)］：点选对象 指定编辑对象

选择集当中的对象：1　　提示选中对象数量

编辑多段线：编辑顶点(E)/打开(O)/非曲线化(D)/拟合(F)/连接(J)/线型模式(L)/反向(R)/样条(S)/锥形(T)/宽度(W)/撤销(U)/＜退出(X)＞：D

输入 D　　执行结果如图 4-30($b$)所示

编辑多段线：编辑顶点(E)/打开(O)/非曲线化(D)/拟合(F)/连接(J)/线型模式(L)/反向(R)/样条(S)/锥形(T)/宽度(W)/撤销(U)/＜退出(X)＞：F

输入 F　　执行结果如图 4-30($c$)所示

编辑多段线：编辑顶点(E)/打开(O)/非曲线化(D)/拟合(F)/连接(J)/线型模式(L)/反向(R)/样条(S)/锥形(T)/宽度(W)/撤销(U)/＜退出(X)＞：S

输入 S　　执行结果如图 4-30(d)所示

编辑多段线：编辑顶点(E)/打开(O)/非曲线化(D)/拟合(F)/连接(J)/线型模式(L)/反向(R)/样条(S)/锥形(T)/宽度(W)/撤销(U)/＜退出(X)＞：

回车　　结束命令

以上各项提示的含义和功能说明如下：

**多条**(M)：选择多个对象同时进行编辑。

**编辑顶点**(E)：对多段线的各个顶点逐个进行编辑。

**闭合**(C)：将选取的处于打开状态的三维多段线以一条直线段连接起来，成为封闭的三维多段线。

**非曲线化**(D)：删除“拟合”选项所建立的曲线拟合或“样条”选项所建立的样条曲线，并拉直多段线的所有线段

**拟合**(F)：在顶点间建立圆滑曲线，创建圆弧拟合多段线。

**连接**(J)：从打开的多段线的末端新建线、弧或多段线。

**线型模式**(L)：改变多段线的线型模式。

**反向**(R)：改变多段线的方向。

**样条**(S)：将选取的多段线对象改变成样条曲线。

**锥形**(T)：通过定义多段线起点和终点的宽度来创建锥状多段线。

**宽度**(W)：指定选取的多段线对象中所有直线段的宽度。

**撤销**(U)：撤销上一步操作，可一直返回到使用 PEDIT 命令之前的状态。

**退出**(X)：退出 PEDIT 命令。

**3. 注意**

选择多个对象同时进行编辑时要注意，不能同时选择多段线对象和三维网格进行编辑。

## 4.3 编辑对象属性

对象属性包含一般属性和几何属性。对象的一般属性包括对象的颜色、线型、图层及线宽等，几何属性包括对象的尺寸和位置。用户可以直接在“属性”窗口中设置和修改对象的这些属性。

### 4.3.1 使用“属性”窗口

“属性”窗口中显示了当前选择集中对象的所有属性和属性值，当选中多个对象时，将显示它们共有属性。用户可以修改单个对象的属性、由快速选择集中对象共有的属性，以及多个选择集中对象的共同属性。

命令行：Properties

菜单：[修改]→[对象特性管理器]

工具栏：

上面三种方法都可以打开“属性”窗口。使用它可以浏览、修改对象的属性，也可以浏览、修改满足应用程序接口标准的第三方应用程序对象。

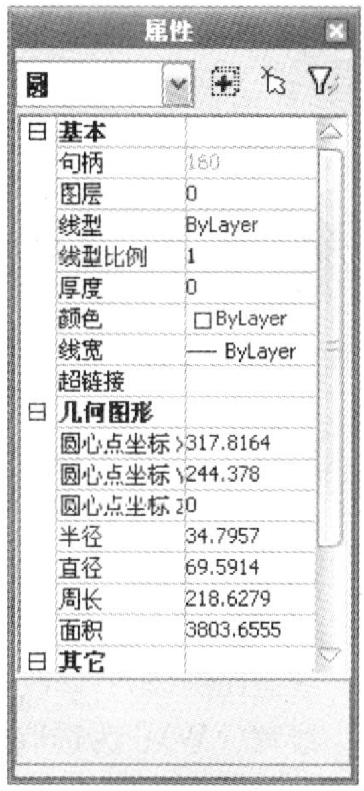


图 4-31 “属性”窗口

### 4.3.2 属性修改

**1. 命令格式**

命令行：Change

修改选取对象特性。

**2. 操作实例**

用 Change 命令改变圆形对象的线宽。操作如下：

命令：Change　　　　执行 Change 命令

选取变化对象：点选对象　　　　指定编辑对象

选择集当中的对象：1　　　　　　　　　　　提示选中对象数量

选取变化对象：

改变(C)：对象(E)/特征(P)/<改变点>：P　　选择编辑对象特征

要改变的属性：颜色(C)/标高(E)/图层(LA)/线型(LT)/线型比例(S)/线宽(LW)/厚度(T)：LW

输入 LW　　　　　　　　　　　　　　　　选择编辑对象宽

新线宽(0.0 mm　－2.11 mm) <ByLayer>：2　指定对象线宽

要改变的属性：颜色(C)/标高(E)/图层(LA)/线型(LT)/线型比例(S)/线宽(LW)/厚度(T)：

回车　　　　　　　　　　　　　　　　　　结束命令

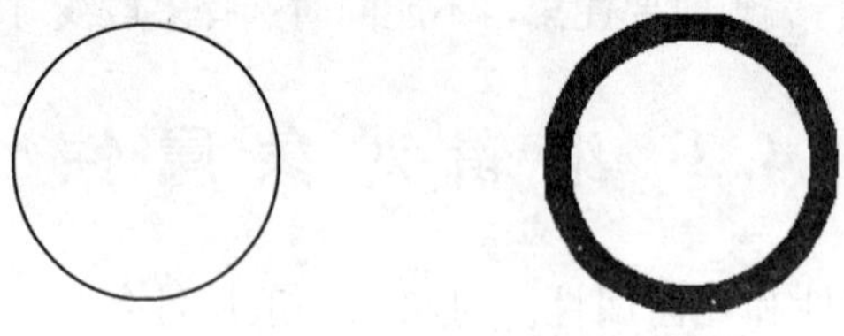

(*a*)　　　　(*b*)

图 4-32　用 Change 命令改变图形线宽

以上各项提示的含义和功能说明如下：

**改变点**：通过指定改变点来修改选取对象的特性。

**对象**(E)：指定了射线和直线对象的改变点后，控制是否改变射线和直线的角度、位置。

**特征**(P)：修改选取对象的特性。

**颜色**(C)：修改选取对象的颜色。

**标高**(E)：为对象上所有的点都具有相同 Z 坐标值的二维对象设置 Z 轴标高。

**图层**(LA)：为选取的对象修改所在图层。

**线型**(LT)：为选取的对象修改线型。

**线型比例**(S)：修改选取对象的线型比例因子。

**线宽**(LW)：为选取的对象修改线宽。

**厚度**(T)：修改选取的二维对象在 Z 轴上的厚度。

**3. 注意**

选取的对象除了线宽为 0 的直线外，其他对象都必须与当前用户坐标系统(UCS)平行。若同时选择了直线和其他可变对象，由于选取对象顺序的不同，结果可能也不同。

# 4.4　清理及核查

## 4.4.1　清理

**命令格式**

命令行：Purge(PU)

菜单：[文件]→[绘图使用程序]→[清理(P)]

工具栏：[修改]→[清理]

清除当前图形文件中未使用的已命名项目。例如图块、图层、线型、文字形式，或您所定义但不使用于图形的恢复标注样式。

### 4.4.2　核查

**1. 命令格式**

命令行：Recover

菜单：[文件]→[绘图使用程序]→[核查]

修复损坏的图形文件。

**2. 注意**

RECOVER 命令只对 DWG 文件执行修复或核查操作。对 DXF 文件执行修复将仅打开文件。

## 本　章　小　结

没有任何一幅图形是不经修改就可以完成的。由于各种原因需要对图形进行修改。一些编辑过程就是绘图过程的一部分，例如复制一个对象而不是重新开始绘制。而另外一些编辑操作设计同时对大量对象进行更改，如变更图形的图层。此外，还经常需要对对象进行删除、移动、旋转和缩放等操作。用户要把本章内容配合绘图的内容一起学习，达到熟能生巧。

## 练　　习

1. 选择题

(1) 在 CAD 中，用鼠标选择删除目标和用工具条删除命令删除目标时，对先选目标和后选目标而言，操作鼠标按钮的次数(　　)。

A. 先选目标时多操作一次　　　　B. 后选目标时少操作一次

C. 后选目标时多操作一次　　　　D. 都一样

(2) 关于 CAD 的 Move 命令的移动基点，描述正确的是(　　)。

A. 须选择坐标原点　　　　B. 须选择图形上的特殊点

C. 可是绘图区域上的任意点　　　　D. 可以直接回车作答

(3) 用旋转命令“rotate”旋转对象时(　　)。

A. 必须指定旋转角度　　　　B. 必须指定旋转基点

C. 必须使用参考方式　　　　D. 可以在三位一体空间缩放对象

(4) 不能应用修剪命令“trim”进行修剪的对象是：(　　)。

A. 圆弧　　B. 圆　　C. 直线　　D. 文字

2. 画出下列的图形。

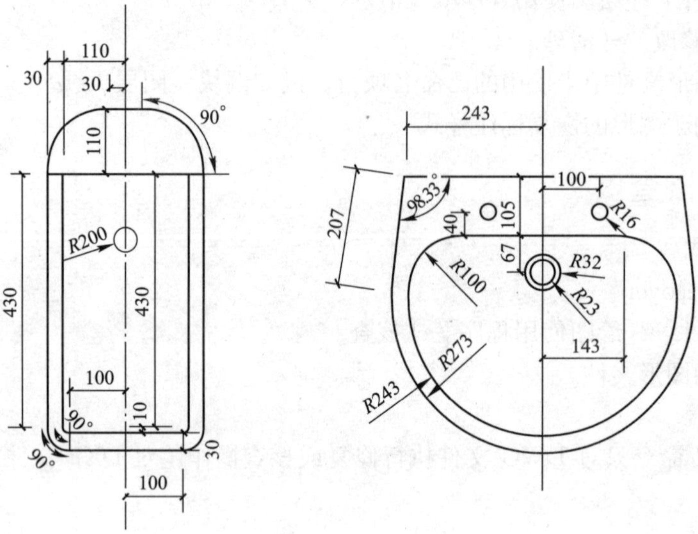
110
30
30
90°
110
430
R200
430
100
10
90°
90°
30
100
243
207
98.33°
100
40
105
R16
67
R32
R100
R23
143
R273
R243

# 第5章　区域填充与面域绘制

**本章要点**

■ 创建图案填充

■ 渐变色填充

■ 区域填充

■ 创建面域

■ 面域的布尔运算

在图样绘制过程中，用户经常要重复绘制某些图案来填充图形中的一个区域，以表达该区域的特征，这样的操作在CAD中称为图案填充。本章主要介绍图案填充命令的使用。

## 5.1　图　案　填　充

### 5.1.1　创建图案填充

在进行图案填充时，使用对话框的方式进行操作，非常直观和方便。

**1. 命令格式**

命令行：Bhatch/Hatch(H)

菜单：[绘图]→[图案填充(H)]

工具栏：[绘图]→[图案填充]

图案填充命令都能在指定的填充边界内填充一定样式的图案。图案填充命令以对话框设置填充方式，包括填充图案的样式、比例、角度，填充边界等。

**2. 操作步骤**

用Bhatch命令将图5-1(*a*)填充成图5-1(*b*)的效果，操作步骤如下：

1）执行Bhatch命令。

2）在“图案填充”选项卡的“类型和图案”项中，“类型”选择“预定义”，“图案”选择“HLNHER”。如图5-2所示。

3）在“角度和比例”项中，把“角度”设为0，“比例”设为1。

4）勾选上“动态预览”，可以实时预览填充效果。

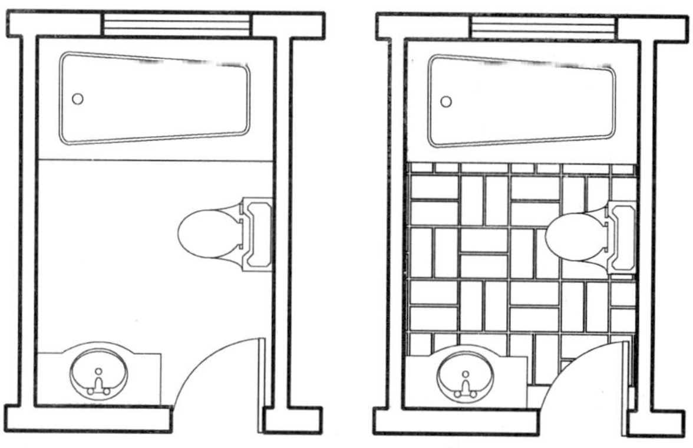

(*a*)　　(*b*)

图5-1　填充界面(一)

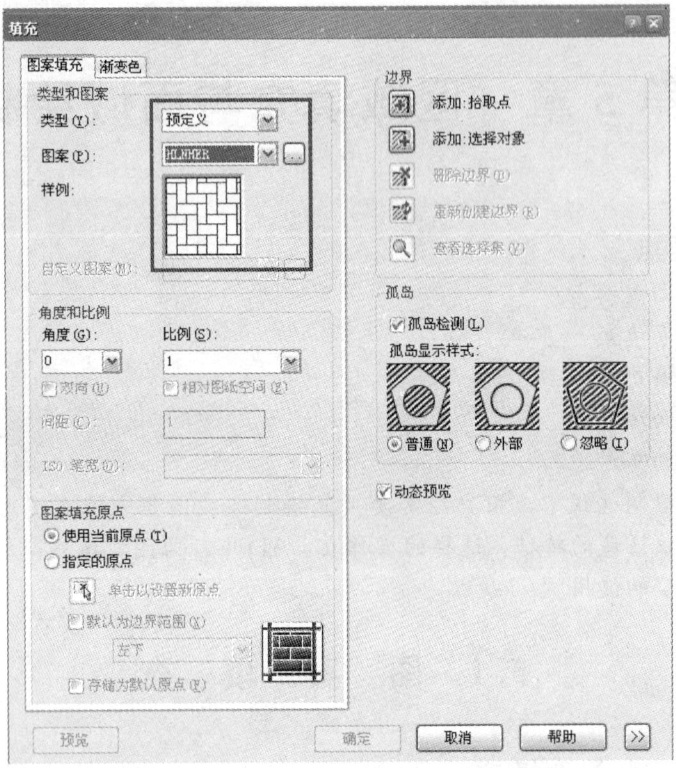


图 5-2　填充界面(二)

5）在“边界”项中，点击【添加：拾取点】按钮后，在要填充的卫生间内点击一点来选择填充区域，预览填充结果如图 5-3 所示。

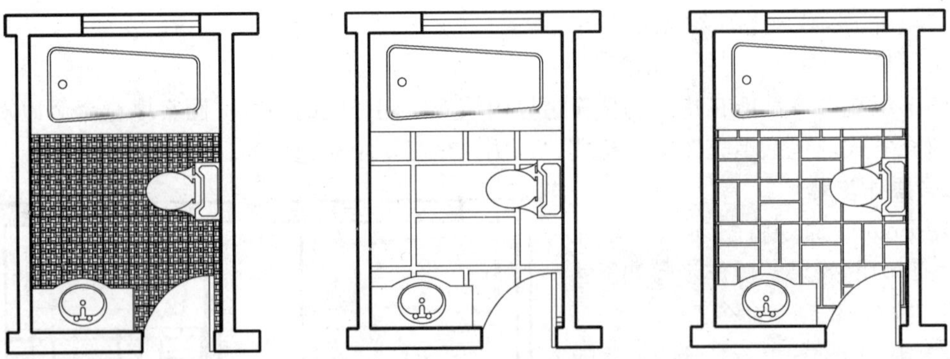

(*a*)　　(*b*)　　(*c*)

图 5-3　预览填充结果

(*a*)比例太小；(*b*)比例太大；(*c*)比例合适

6）在图 5-3 中，比例为“1”时出现(*a*)情况，说明比例太小；重新设定比例为“10”，出现(*b*)情况，说明比例太大；不断重复地改变比例，当比例为“3”时，出现(*c*)情况，说明此比例合适。

7）满意效果后点【确定】按钮执行填充，卫生间就会填充如图 5-1(*b*)的效果。

**3. 注意**

1）区域填充时，所选择的填充边界需要形成封闭的区域，否则 CAD 2010 会提示警告信息："你选择的区域无效"。

如果在"允许的间隙"项中设置了定义边界对象与填充图案之间允许的最大间隙值，此时系统会提示"指定的填充边界未闭合"问是否继续填充。关于"允许的间隙"项的含义会在后面的章节中解释。

2）填充图案是一个独立的图形对象，填充图案中所有的线都是关联的。

3）如果有需要可以用 EXPLODE 命令将填充图案分解成单独的线条。一旦填充图案被分解成单独的线条，那么它与原边界对象将不再具有关联性。

## 5.1.2　设置图案填充

执行图案填充命令后，弹出"填充"对话，下面对里面的各项分别讲述。

1）类型和图案

**类型**：类型有三种：单击下拉箭头可选择方式，分别是预定义、用户定义、自定义，CAD 2010 默认选择预定义方式。

**图案**：显示填充图案文件的名称，用来选择填充图案。单击下拉箭头可选择填充图案。也可以点击列表后面的按钮开启"填充图案选项板"对话框如图 5-4 所示，通过预览图像，选择自定义图案。自定义图案功能允许设计人员调用自行设计的图案类型，其下拉列表将显示最近使用的六个自定义图案。

**样例**：用于显示当前选中的图案样式。单击所选的图案样式，也可以打开"填充图案选项板"对话框。

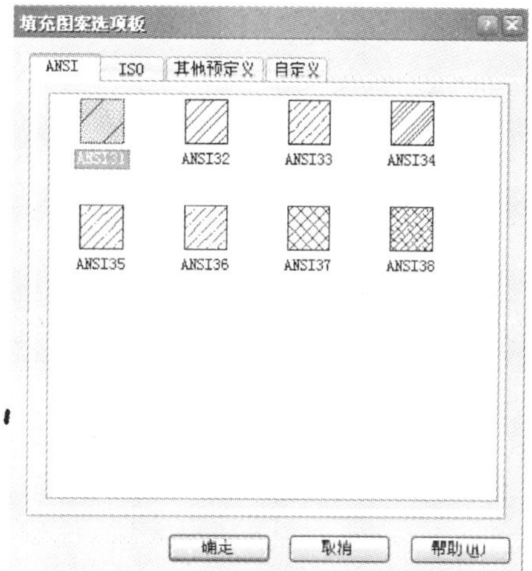


图 5-4　填充图案选项板对话框

2）角度和比例

**角度**：图样中剖面线的倾斜角度。缺省值是 0，用户可以输入值改变角度。

**比例**：图样填充时的比例因子。CAD 2010 提供的各图案都有缺省的比例，如果此比例不合适(太密或太稀)，可以输入值，给出新比例。

3）图案填充原点

原点用于控制图案填充原点的位置，也就是图案填充生成的起点位置。

**使用当前原点**：以当前原点为图案填充的起点，一般情况下，原点设置为(0，0)。

**指定的原点**：指定一点，使其成为新的图案填充的原点。用户还可以进一步调整原点相对于边界范围的位置，共有 5 种情况：左下、右下、左上、右上、正中。如图 5-5 所示。

**默认为边界范围**：指定新原点为图案填充对象边界的矩形范围中四个角点，或中心点。

**存储为默认原点**：把当前设置保存成默认的原点。

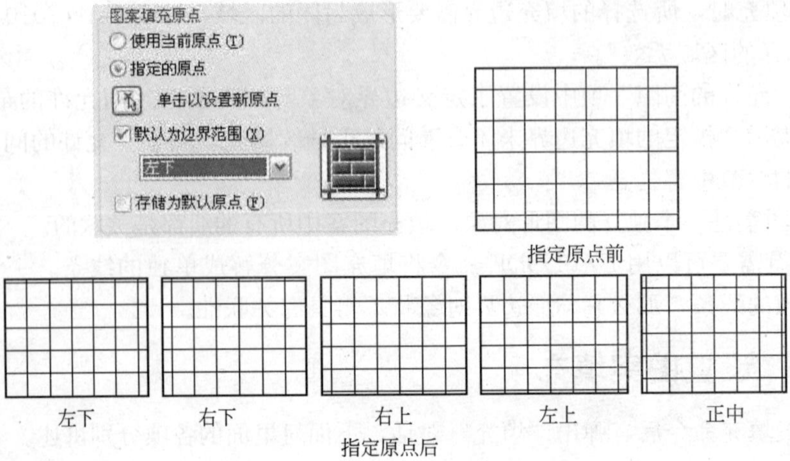


图 5-5　图案填充指定原点

4）确定填充边界

在 CAD 2010 中为用户提供了两种指定图案边界的方法，分别是通过拾取点和选择对象来确定填充的边界。

**添加：拾取点：**点取需要填充区域内一点，系统将寻找包含该点的封闭区域填充。

**添加：选择对象：**用鼠标来选择要填充的对象，常用在多个或多重嵌套的图形。

**删除边界：**将多余的对象排除在边界集外，使其不参与边界计算。如图 5-6 所示。

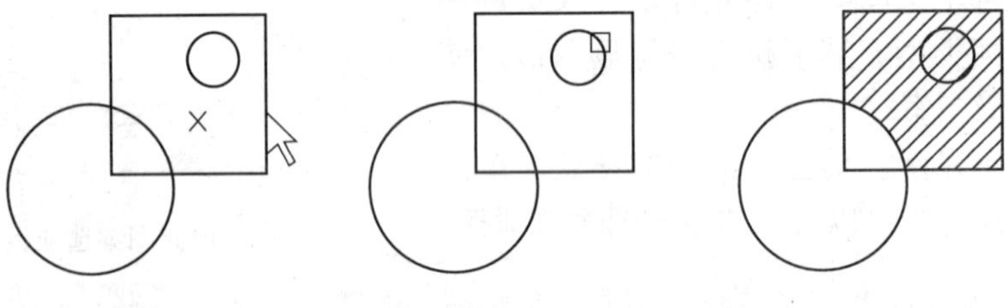


图 5-6　删除边界图示

**重新创建边界：**以填充图案自身补全其边界，采取编辑已有图案的方式，可将生成的边界类型定义为面域或多段线，如图 5-7 所示。

**查看选择集：**点击此按钮后，可在绘图区域亮显当前定义的边界集合。

5）孤岛

**孤岛检测：**用于控制是否进行孤岛检测，将最外层边界内的对象作为边界对象。

**普通：**从外向内隔层画剖面线。

**外部：**只将最外层画上剖面线。

**忽略：**忽略边界内的孤岛，全图面画上剖

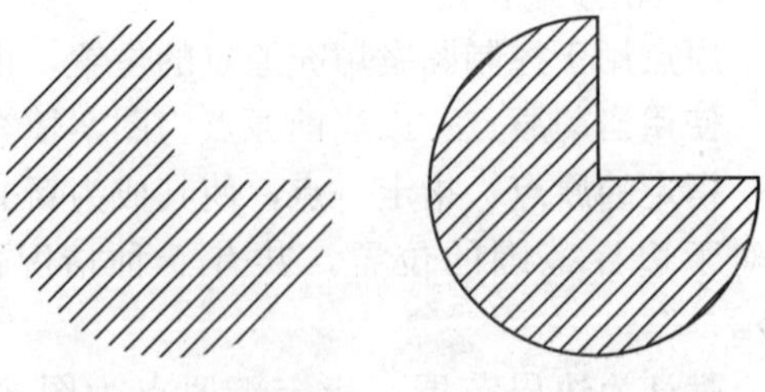


图 5-7　重新创建边界

面线。

6）预览

**预览：**可以在应用填充之前查看效果。

**动态预览：**可以在不关闭“填充”对话框的情况下预览填充效果，以便用户动态地查看并及时修改填充图案。动态预览和预览选项不能同时选中，只能选择其中一种预览方法。

7）其他高级选项

在默认的情况下，“其他选项”栏是被隐藏起来的，当点击“其他选项”的按钮时»，将其展开后可以拉出如图 5-8 所示的对话框。

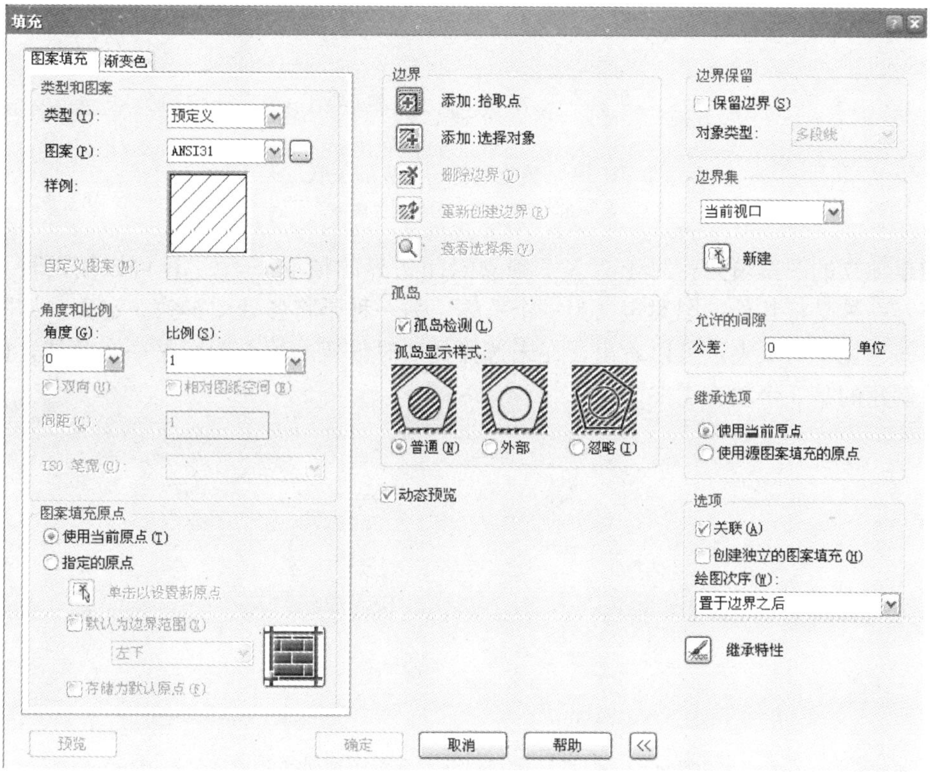


图 5-8　其他选项对话框

**保留边界：**此选项用于以临时图案填充边界创建边界对象，并将它们添加到图形中，在对象类型栏内选择边界的类型是面域或多段线。

**边界集：**用户可以指定比屏幕显示小的边界集，在一些相对复杂的图形中需要进行长时间分析操作时可以使用此项功能。

**允许的间隙：**一幅图形中有些边界区域并非是严格封闭的，接口处存在一定空隙，而且空隙往往比较小，不易观察到，造成边界计算异常，CAD 2010 考虑到这种情况，设计了此选项，使在可控制的范围内即使边界不封闭也能够完成填充操作。

**继承选项：**当用户使用“继承特性”创建图案填充时，将以这里的设置来控制图案填充原点的位置。

“使用当前原点”项表示以当前的图案填充原点设置为目标图案填充的原点；“使用源

图案填充的原点”表示以复制的源图案填充的原点为目标图案填充的原点。

**关联：**确定填充图样与边界的关系。若打开此项，那么填充图样与填充边界保持着关联关系，当填充边界被缩放或移动时，填充图样也相应跟着变化，系统默认是关联，如图5-9(*a*)所示。

如果把关联前的小框中的钩去掉，就是关闭此开关，那么图案与边界不再关联，也就是填充图样不跟着变化，如图5-9(*b*)所示。

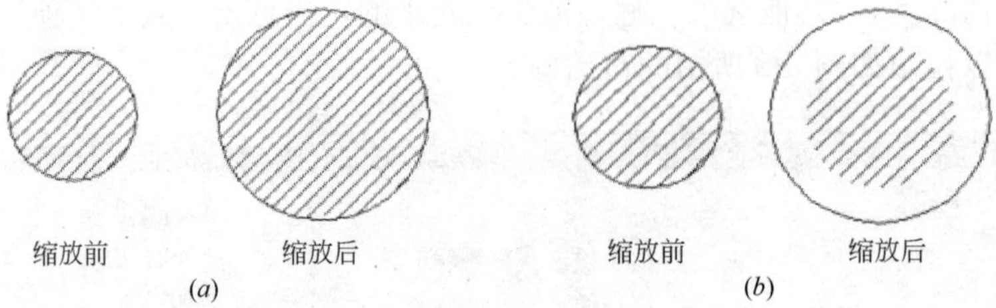


图 5-9　填充图样与边界的关联

(*a*)打开关联；(*b*)关闭关联

**创建独立的图案填充：**对于有多个独立封闭边界的情况下，CAD可以用两种方式创建填充，一种是将几处的图案定义为一个整体，另一种是将各处图案独立定义，如图5-10所示，通过显示对象夹点可以看出，在未选择此项时创建的填充图案是一个整体，而选择此项时创建的是3个填充图案。

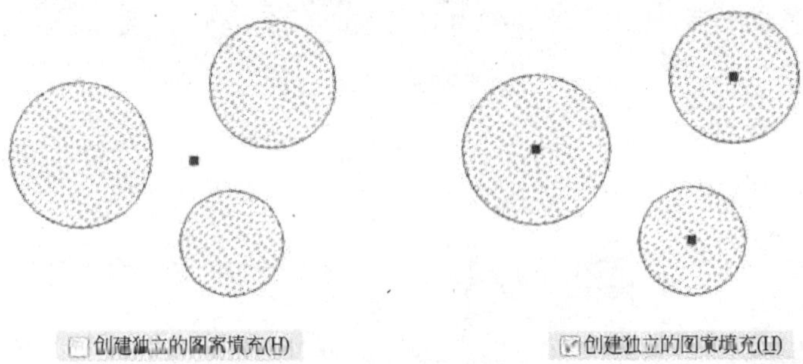


图 5-10　通过显示对象夹点查看图案是否独立

**绘图次序：**当填充图案发生重叠时，用此项设置来控制图案的显示层次，下面的4个示图展现了指定特定设置的效果，如图5-11所示，当选择“不确定”时，则按照实际绘图顺序后绘制的对象处于顶层。

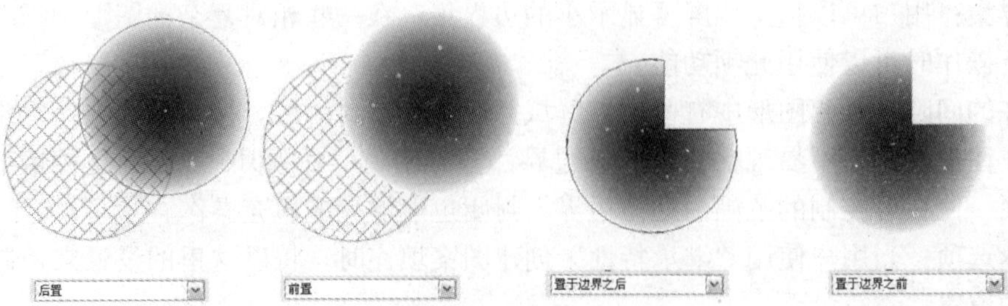


图 5-11　控制图案的显示层次

**继承特性：** 用于将源填充图案的特性匹配到目标图案上，并且可以在继承选项里指定继承的原点。

### 5.1.3　渐变色填充

渐变色填充是以色彩作为填充对象，丰富了图形的表现力，满足更广泛用户的需求。CAD 2010 同时支持单色渐变填充和双色渐变填充，渐变图案包括直线形渐变、圆柱形渐变、曲线渐变、球形渐变、半球形渐变及对应的反转形态渐变。

**1. 命令格式**

渐变色命令格式与上面一节相同，这里不再重复，现在主要讲述渐变色填充界面。

渐变色填充的设置界面如图 5-12 所示，用户可以预览显示渐变颜色的组合效果，共有 9 种效果，右侧的示意图非常清楚的展现其效果。在方向一栏内调整居中和角度，在示意图中选择一种渐变形态，即可完成渐变色填充设置。对于使用单色状态时还可以调节着色的渐浅变化。

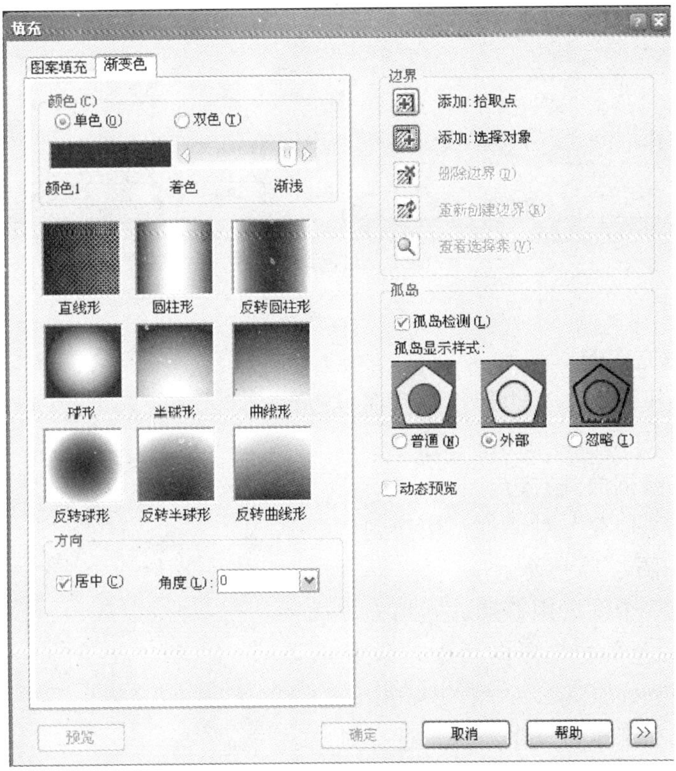


图 5-12　渐变色填充界面

渐变色填充提供了在同一种颜色不同灰度间或两种颜色之间平滑过渡的填充样式，图 5-13 就是双色渐变填充。

不论单色或双色，除开系统所默认的颜色外，读者也可以自己设置其他的颜色，只要点击“单色”下面所选的颜色，系统就会打开如图 5-14 所示的选择颜色对话框，用户可以在此挑选自己喜欢的颜色。

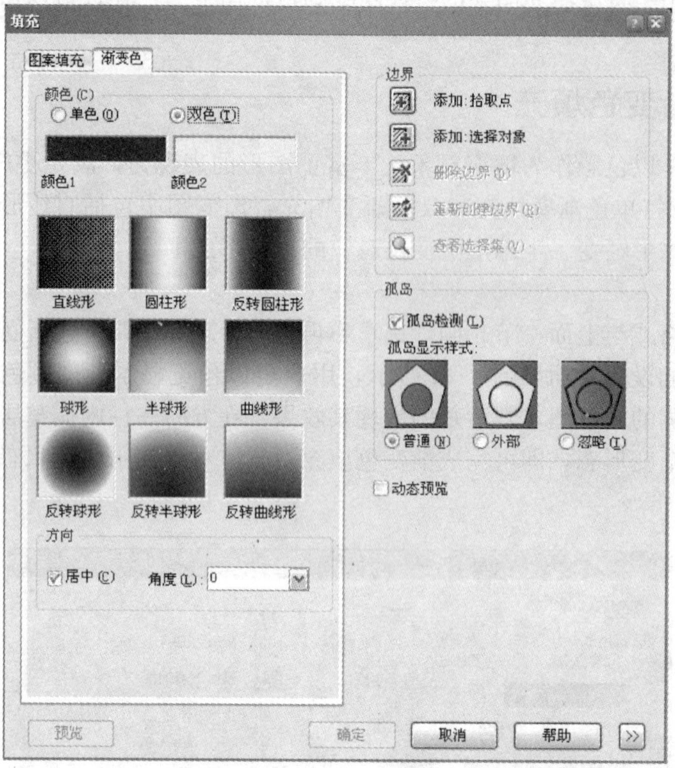


图 5-13　双色渐变填充

**2. 操作步骤**

**渐变色单色填充实例**

(1) 在一个圆里画一个五边形，然后在五边形中再画一圆，如图 5-15 左图所示线框。

(2) 拷贝两个线框放到右边。

(3) 打开“图案填充”对话框，切换到“渐变色”选项卡。如图 5-12 所示。

(4) 对左边第一个图采用普通方式填充，选渐变色选项卡，颜色单色，方向居中，角度 0，直线形填充类型。

(5) 在边界选项卡中，点击添加，选择对象用鼠标拉出一个矩形，把左边第一个图全部选中。

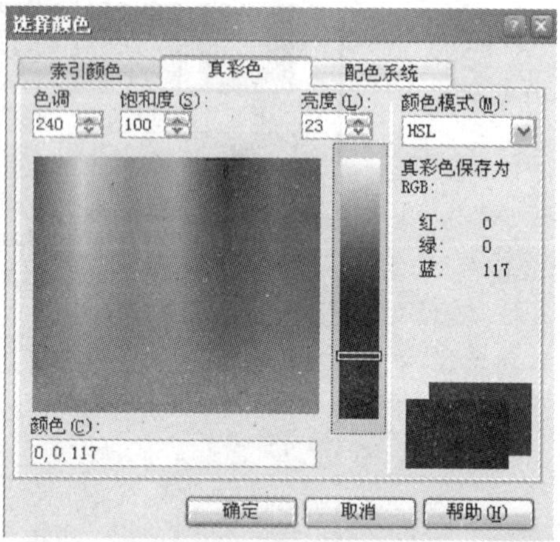


图 5-14　选择颜色对话框

(6) 先预览一下，可以了，点击确定，得到左边第一个图的填充效果。

(7) 依次类似方法作中间和最右边的图，中间选为“外部”方式，右边图选“忽略”方式，其余步骤相同，只是这一点差异，最后得到的效果如图 5-15 所示。

**渐变色双色填充实例**

(1) 绘制一棵树的轮廓，如图 5-16 左图所示。

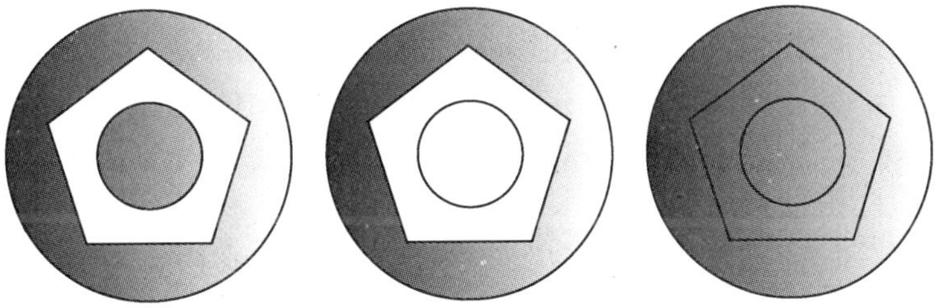

图 5-15　渐变色填充实例

(2) 打开“图案填充”对话框，切换到“渐变色”选项卡。

(3) 选择“双色”，在“选择颜色”对话框中选择“索引颜色”标签，拾取绿和黄。

(4) 选择“半球形”，在树冠区域拾取点，勾选上“动态预览”。预览后满意结果就点【确认】按钮。

(5) 回车重新打开“填充”对话框。选择“单色”，在“选择颜色”对话框中选择棕色。

(6) 选择“反转圆柱形”，在树干区域拾取点，预览后满意结果就点【确认】按钮。

(7) 填充之后的图形如图 5-16 右图。

图 5-16　用“渐变色填充”对图形上色

关于“方向”项各项功能说明如下：

**居中**：控制渐变色是否对称。

**角度**：设置渐变色的填充角度。

## 5.1.4　区域填充

### 1. 命令格式

命令行：Solid(SO)

菜单：[绘图]→[曲面]→[二维填充(2)]

工具栏：[绘图]→[二维填充]

二维填充命令可以绘矩形，三角形或四边形的有色填充区域。

**2. 操作步骤**

用 Solid 命令绘制如图 5-17 所示图形，其具体操作如下：

| | |
|---|---|
| 命令：Solid | 执行 Solid 命令 |
| 矩形(R)/正方形(S)/三角形(T)/<平面第一点>： | 点取 A 点 |
| 第二点： | 点取 B 点 |
| 平面第三点： | 点取 C 点 |
| 第四点： | 点取 D 点 |
| 平面第三点： | 回车完成命令 |

以上各项提示的含义和功能说明如下：

矩形(R)：键入 R 后，绘制矩形。

正方形(S)：键入 S 后，绘制正方形。

三角形(T)：键入 T 后，绘制三角形。

**3. 注意**

1）当系统变量 Fillmode 或 Fill 设置为 OFF 时，则不填充区域；当系统变量 Fillmode 或 Fill 设置为 ON 时，则填充区域。

2）输入点的顺序应按“左、右”、“左、右”、……，依次输入，否则会出现“遗漏”现象，如图 5-18 所示，当然，在某些场合也需要做出这样的图形。Solid 命令是按奇数点连接奇数点，偶数点连接偶数点的规则，只要清楚这一点，就能灵活操作。

3）当提示第三点和第四点时，如果均点击同一点，则合成一个尖点，如图 5-18 所示。

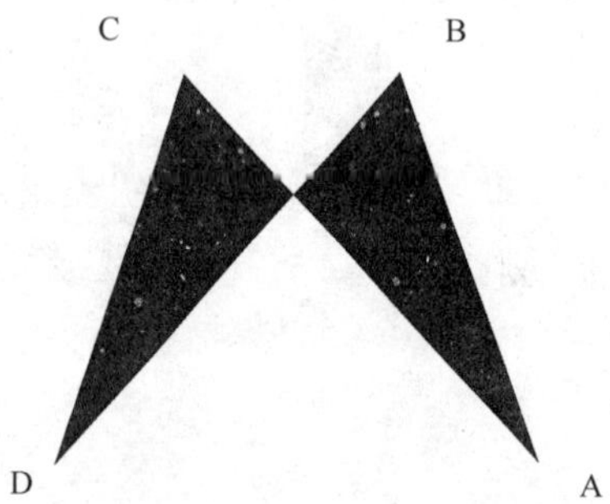


图 5-17　顺着一个方向结果

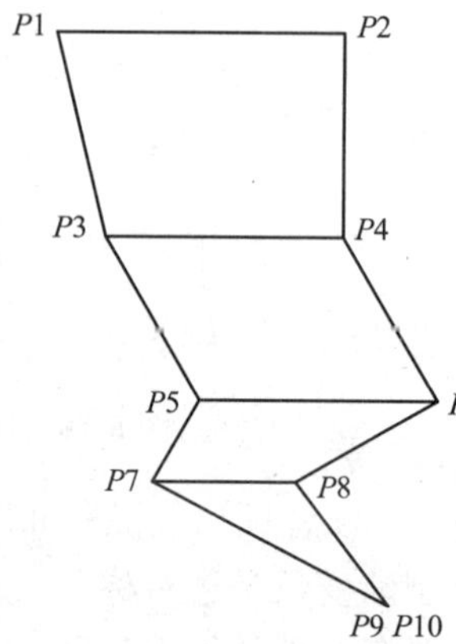


图 5-18　奇偶数分别在一边

## 5.2 面 域 绘 制

面域是指内部可以含有孤岛的具体边界的平面，它不但包含了边的信息，还包含边界内的面的信息。在 CAD 2010 中，能够把由某些对象围成的封闭区域创建成面域，这些封闭区域可以是圆、椭圆、封闭的二维多段线等。

## 5.2.1　创建面域

**1. 命令格式**

命令行：Region（REG）

菜单：［绘图］→［面域(N)］

工具栏：［绘图］→［面域］

在 CAD 2010 中，使用 Region 命令可以创建面域。

**2. 操作步骤**

| | |
|---|---|
| 命令：Region | 执行 Region 命令 |
| 选择对象： | 选择要创建面域的对象 |
| 选择集当中的对象：X | 提示已选中 X 个对象 |
| 选择对象： | 回车完成命令或继续选择对象 |
| 创建了 X 个面域 | 提示已创建了 X 个面域 |

**3. 注意**

1）面域通常是以线框的形式来显示。

2）自相交或端点不连接的对象不能转换成面域。

3）用户可以将面域通过拉伸、旋转等操作绘制成三维实体对象。

## 5.2.2　面域的布尔运算

在 CAD 2010 中，允许用户对面域进行并、差、交集等布尔运算，以创建更复杂的面域对象。

### 5.2.2.1　面域的求并运算

**1. 命令格式**

命令行：Union(UNI)

菜单：［修改］→［实体编辑］→［并集(U)］

工具栏：［实体编辑］→［并集］

并集命令用于将两个或多个面域合并为一个单独的面域。

**2. 操作步骤**

用并集命令将图 5-19(*a*)中两圆形面域合并成图 5-19(*b*)中的效果，具体操作步骤如下.

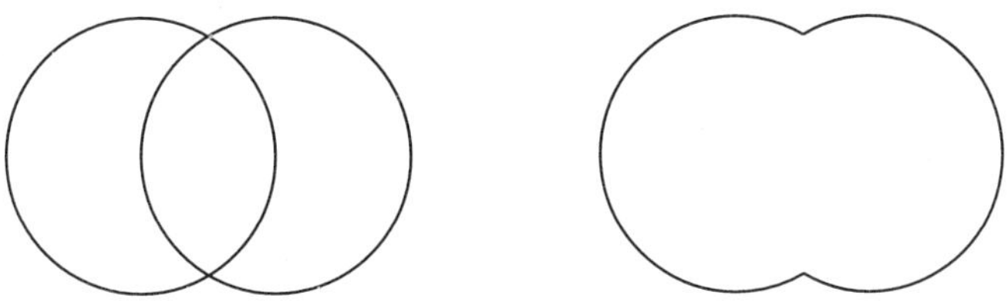

(*a*)　　(*b*)

图 5-19　面域的并集运算

| | |
|---|---|
| 命令：Union | 执行 Union 命令 |
| 选取连接的 ACIS 对象： | 点选左边的圆 |

| 提示 | 操作 |
|---|---|
| 选择集当中的对象：1 | 提示已选中 1 个对象 |
| 选取连接的 ACIS 对象： | 再点选右边的圆 |
| 选择集当中的对象：2 | 提示已选中 2 个对象 |
| 选取连接的 ACIS 对象： | 回车完成命令或继续选择对象 |

**3. 注意**

对面域进行并集运算，如果面域并未相交，那么执行操作后外观上无变化，但实际上参与并集运算的面域已经合并为一个单独的面域。

#### 5.2.2.2　面域的求差运算

**1. 命令格式**

命令行：Subtract(SU)

菜单：[修改]→[实体编辑]→[差集(S)]

工具栏：[实体编辑]→[差集]

差集命令是指从一个或多个面域中减去另一个或多个面域。

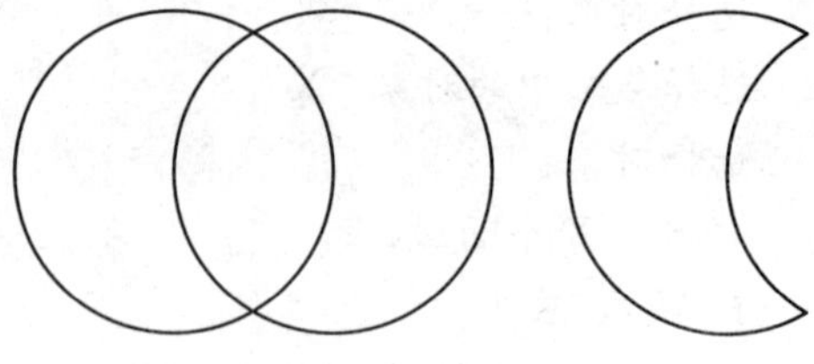

(a)　　(b)

图 5-20　面域的差集运算

**2. 操作步骤**

用差集命令将图 5-20(*a*)中两圆形面域合并成图 5-20(*b*)中的效果，具体操作步骤如下：

| 提示 | 操作 |
|---|---|
| 命令：Subtract | 执行 Subtract 命令 |
| 选择从中减去的 ACIS 对象： | 点选左边的圆回车 |
| 选择集当中的对象：1 | 提示已选中 1 个对象 |
| 选择从中减去的 ACIS 对象： | 再点选右边的圆 |
| 选择用来减的 ACIS 对象： | 回车 |
| 选择集当中的对象：1 | 提示已选中 1 个对象 |
| 选择用来减的 ACIS 对象： | 回车完成命令 |

**3. 注意**

在面域进行差集运算中，参与运算的被减面域必须与减去的一个或多个面域相交，这样差集运算才有实际意义。

#### 5.2.2.3　面域的求交运算

**1. 命令格式**

命令行：Intersect (IN)

菜单：[修改]→[实体编辑]→[交集(S)]

工具栏：[实体编辑]→[交集]

交集命令是指将两个或多个相交面域的公共部分提取出来成为一个对象。

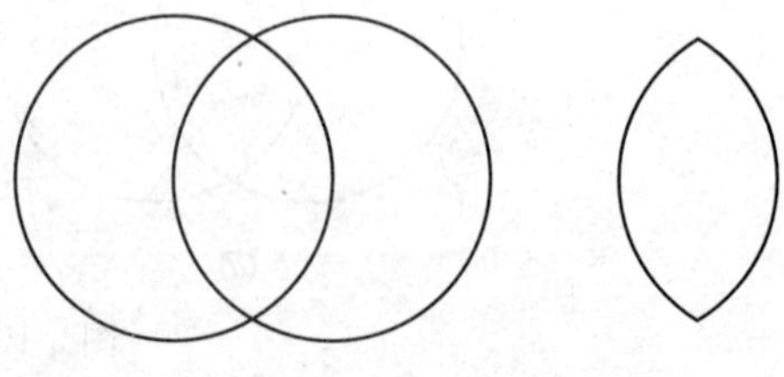

(a)　　(b)

图 5-21　面域的交集运算

**2. 操作步骤**

用交集命令将图 5-21(*a*)中两圆形面域合并成图 5-21(*b*)中的效果，具体操作步骤如下：

| | |
|---|---|
| 命令：Intersect | 执行 Intersect 命令 |
| 选取被相交的 ACIS 对象： | 点选左边的圆 |
| 选择集当中的对象：1 | 提示已选中 1 个对象 |
| 选取被相交的 ACIS 对象： | 再点选右边的圆 |
| 选择集当中的对象：2 | 提示已选中 2 个对象 |
| 选取被相交的 ACIS 对象： | 回车完成命令或继续选择对象 |

**3. 注意**

如果参与交集运算的面域没有相交，进行交集运算后，所选的对象都将被删除。

# 本　章　小　结

1. 本章可用前几章所讲常用命令如 Erase、Zoom、Undo 等来帮助作图。

2. 采用渐变的颜色进行填充，填充区域可呈现类似光照反射效果，使图形的表现形式得到增强。我们可采用渐变色填充创建高质量演示图片而无须渲染。而且，由于这个功能提供了更多的灵活选项，所以还可以用来为图形进行着色。

3. 用户可以为图案填充单独创建一个图层。根据需要可关闭或冻结图案填充图层，以降低视觉干扰或辅助选择对象。

4. 面域是一个对象实体，比对应的线框含有更多的信息，用户可以通过 Massprop 命令把这些信息提取出来用于分析。执行 Massprop 命令时，系统提示“写入文件吗？是(Y)/<否(N)>：”此时输入 Y，可以把相关信息保存成 .mpr 格式，日后可用记事本打开。

# 练　　习

1. 画出下面的图形，并创建成面域。

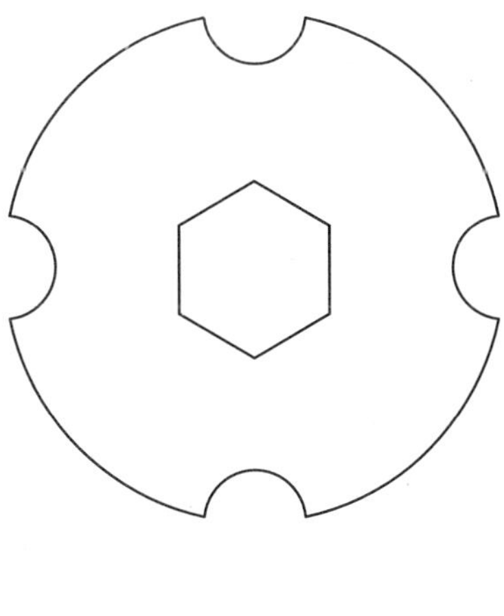

2. 画出下列图形的剖面线。

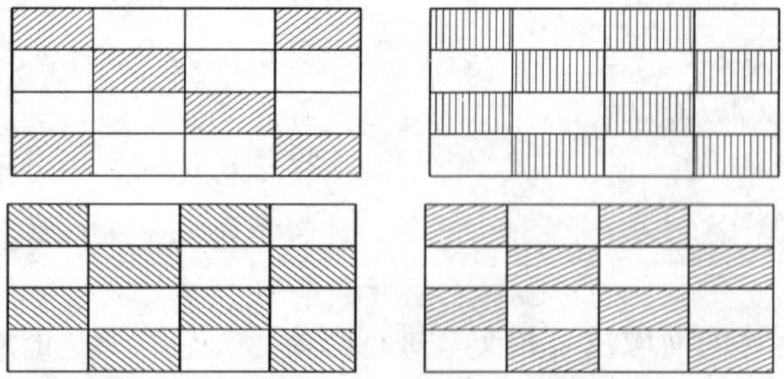

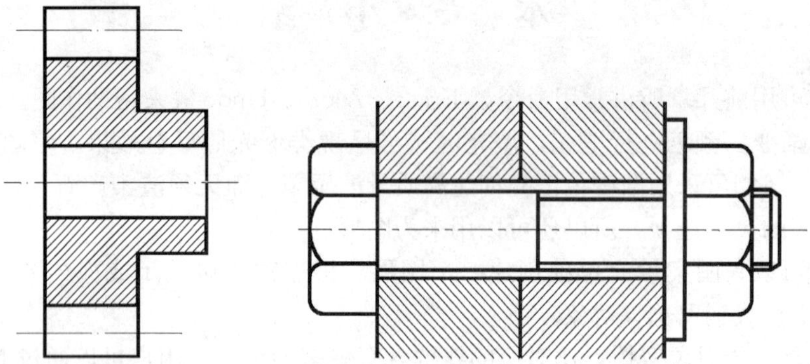

3. 画出下面的奥运五环图案(环的颜色分别为蓝、黄、黑、绿、红五色)。

# 第 6 章　绘图工具与图层线型

**本章要点**

■ 栅格、光标捕捉、正交的设置

■ 对象捕捉

■ 线型

■ 图层

■ 查图形信息

■ 设计中心的使用

绘图参数设置是进行绘图之前的必要准备工作。它可指定在多大的图纸上进行绘制；指定绘图采用的单位、颜色、线宽等，CAD 提供了强大的精确绘图功能，其中包括对象捕捉、对象追踪、极轴、栅格、正交等，通过绘图工具参数的设置，我们可以精确、快速地进行图形定位。

利用精确绘图可以进行图形处理和数据分析，数据结果的精度能够达到工程应用所需的程度，降低大量的工作量，提高设计的效率。

图层概念的引入，将复杂的一个图形分解成简单的几个部分分别进行绘制。这样在绘制和管理大型复杂的工程图时，用户就可以做到有条不紊、快速准确。

本章主要学习、线型、图形范围、图形单位、栅格、光标捕捉、正交、草图设置、坐标系与坐标、对象捕捉、查询、设计中心的使用。

## 6.1　栅　　格

### 1. 命令格式

命令行：Grid

GRID 命令可按用户指定的 X、Y 方向间距在绘图界限内显示一个栅格点阵。栅格显示模式的设置可让用户在绘图时有一个直观的定位参照。当栅格点阵的间距与光标捕捉点阵的间距相同时，栅格点阵就形象地反映出光标捕捉点阵的形状、栅格点阵同时直观地反映出绘图界限。

栅格由一组规则的点组成，虽然栅格在屏幕上可见，但它既不会打印到图形文件上，也不影响绘图位置。栅格只在绘图范围内显示，帮助辨别图形边界，安排对象以及对象之间的距离。可以按需要打开或关闭栅格，也可以随时改变栅格的尺寸。

### 2. 操作步骤

栅格间距的设置可通过执行 settings 命令，或者下拉菜单［工具］→［草图设置］，从弹出的草图设置对话框完成，用户可以为捕捉间距和栅格间距强制指定同一 X 和 Y 间距值，指定主栅格线相对于次栅格线的频率，限制栅格密度和控制栅格是否超出指定区域等功能。如图 6-1 所示。

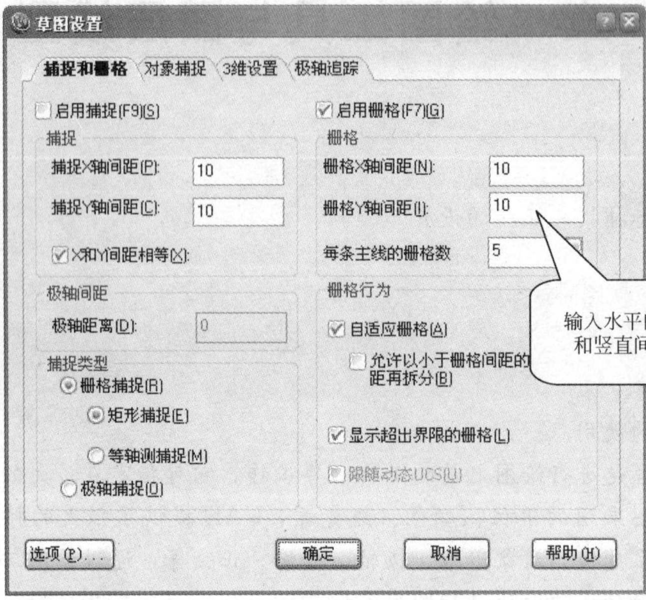


图 6-1　设定栅格间距

CAD 2010 也可以通过执行 GRID 命令来设定栅格间距，并打开栅格显示，结果如图 6-2 所示，其操作步骤如下：

命令：Grid　　　　执行 GRID 命令

栅格关闭：打开(ON)/捕捉(S)/特征(A)/<栅格间距(x 和 y=10)>：a

输入 A　　　　设置间距

水平间距 <10>：10　　　　设置水平间距

竖直间距 <10>：10　　　　设置竖直间距

命令：grid　　　　再执行 GRID 命令

格栅打开：关闭(OFF)/捕捉(S)/特征(A)/<格栅间距(x 和 y=10)>：s

输入 S　　　　设置栅格与光标捕捉点相同

图 6-2　打开栅格显示结果

提示选项介绍如下：

**关闭**(OFF)：选择该项后，系统将关闭栅格显示。

**打开**(ON)：选择该项后，系统将打开栅格显示。

**特征**(A)：设置水平间距和竖直间距。

**3. 注意**

1）在任何时间切换栅格的打开或关闭，可双击状态栏中的【**栅格**】，或单击设置工具条的栅格工具或按 F7。还记得功能键吧？“坐网正捕”，F7 网格。

2）当栅格间距设置得太密时，系统将提示该视图中栅格间距太小不能显示。如果图形缩放太大，栅格点也可能显示不出来。在 CAD 2010 中，只要勾选上“自适应栅格”，栅格即可自动适应缩放，保证栅格都能正常显示。

3）栅格就像是坐标纸，可以大大提高你的作图效率。

4）栅格中的点只是作为一个定位参考点被显示，它不是图形实体，改变 POINT 点的形状、大小设置对栅格点不会起作用，它不能用编辑实体的命令进行编辑，也不会随图形输出。

## 6.2　光　标　捕　捉

**1. 命令格式**

命令行：Snap(SN)

菜单：[工具]→[草图设置(F)]

SNAP 命令可设置光标以用户指定的 X、Y 间距作跳跃式移动。通过光标捕捉模式的设置，可以很好地控制绘图精度，加快绘图速度。

**2. 操作步骤**

执行 Snap 命令后，系统提示：

捕捉关闭，x 和 y=10：打开(ON)/旋转(R)/样式(S)/特征(A)/<捕捉间距>：指定光标捕捉间距，或选择其他选项。其中：

**关闭**(OFF)/**打开**(ON)：关闭/打开光标捕捉模式。单击窗口下方状态栏上的【**捕捉**】按钮，按【F9】键也可打开关闭/打开光标捕捉模式。

**旋转**(R)：该选项可指定一个角度，使十字光标连同捕捉方向以指定基点为轴旋转该角度。

**样式**(S)：设置光标捕捉样式。

**特征**(A)：设置水平间距和竖直间距。

捕捉的设置也可通过草图设置对话框完成：如图 6-3 所示。

**等轴测捕捉/栅格**：可利用等轴测捕捉和栅格操作来生成二维轴测图。利用等轴测操作，你可以用绘制二维平面的方法来绘制三维视图，类似于在纸上作图，不要将轴测图等同于三维制图，只有在三维空间才能生成三维视图。

等轴测方式总是用三个预设平面，称作左、右、顶视图，这些平面的设置是不可改变的，若捕捉角度为 0°，则三个等轴测轴为 30°、90°和 150°。

当选用等轴测捕捉和栅格操作并选择一个等轴测平面时，捕捉间距，栅格及十字光标

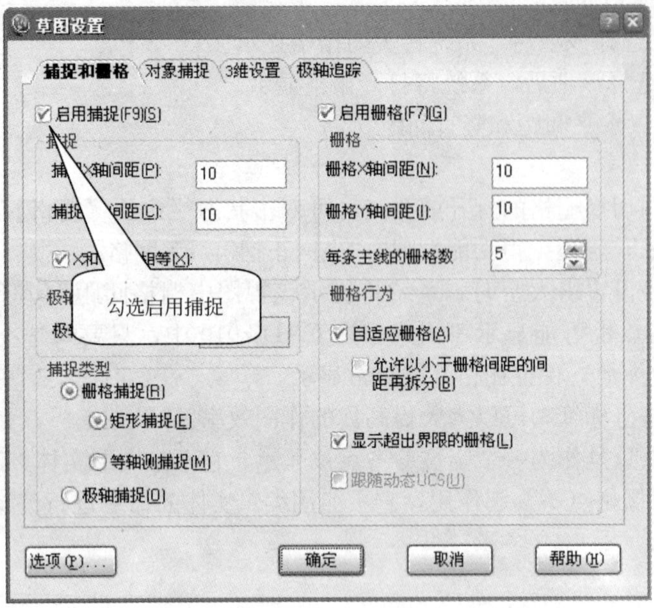

图 6-3　利用草图设置对话框进行捕捉的设置

线均排定在当前等轴测平面；栅格总是显示为等距，并用 Y 坐标来计算栅格尺寸，若同时选择了正交绘图模式，则程序限定只能绘制对象在当前等轴测平面上。

打开等轴测捕捉和栅格操作：

1）执行 settings 命令，或者下拉菜单［工具］→［草图设置］，弹出草图设置对话框。

2）找到对话框左下角的捕捉类型和样式栏，缺省状态下是矩形捕捉。

3）在矩形捕捉下方，单击选择等轴测捕捉。

4）单击草图设置对话框下方的确定按钮。

5）单击 F5，可以转换操作的等轴平面(左、右或顶轴测面)。

**3. 注意**✍

1）用户可将光标捕捉点视为一个无形的点阵，点阵的行距和列距为指定的 X、Y 方向间距，光标的移动将锁定在点阵的各个点位上，因而拾取的点也将锁定在这些点位上。

2）设置光标的捕捉模式可以很好地控制绘图精度。例如：一幅图形的尺寸精度是精确到十位数。这时，用户就可将光标捕捉设置为沿 X、Y 方向间距为 10，打开 SNAP 模式后，光标精确地移动 10 或 10 的整数倍距离，用户拾取的点也就精确地定位在光标捕捉点上。如果是建筑图纸，可设为 500、1000 或更大值。

3）光标捕捉模式不能控制由键盘输入坐标来指定的点，它只能控制由鼠标拾取的点。

4）在任何时候切换捕捉开关，可以单击状态条中的“捕捉”按钮或按 F9。

5）栅格及捕捉设置是保证绘图准确的有效工具。栅格和捕捉是独立的，虽然将栅格尺寸和捕捉尺寸匹配很有帮助，但实际使用中设置并不总是匹配的。

6）等轴测平面间切换，按 F5 或 Ctrl＋E。

# 6.3 正　　交

**1. 命令功能**

命令行：Ortho

直接按 F8 键，F8 键是正交开启和关闭的切换键。

打开正交绘图模式后，可以通过限制光标只在水平或垂直轴上移动，来达到直角或正交模式下的绘图目的。例如在缺省 0°方向时(0°为“3 点位置”或“东”向)，打开正交模式操作，线的绘制将严格地限制为 0°、90°，180°或 270°，在画线时，生成的线是水平或垂直的取决于哪根轴离光标远。当激活等轴测捕捉和栅格时，光标移动将在当前等轴测平面上等价地进行。

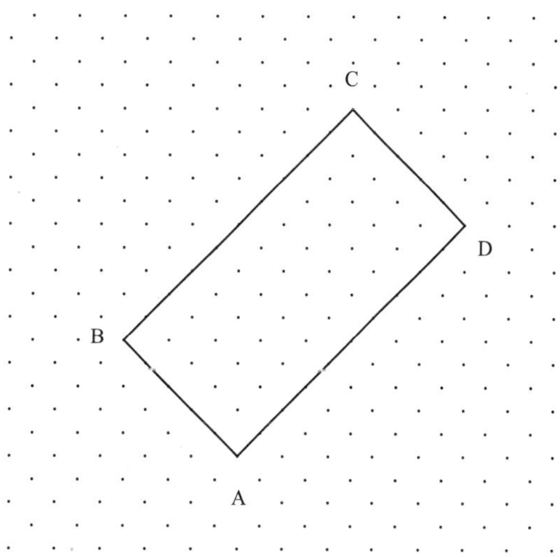


图 6 4　用正交绘图方式绘制结果

**2. 操作步骤**

在设置了光标捕捉和栅格显示的绘图区后，用正交绘图方式绘制如图 6-4 所示的桌面(500×250)。该桌面与 X 轴方向呈 45°夹角。其操作步骤如下：

命令：ORTHO　　执行 ORTHO 命令

ORTHOMODE 已经关闭：打开(ON)/切换(T)/＜关闭＞：ON　　打开正交绘图模式

命令：SNAP　　执行 SNAP 命令

捕捉关闭(x 和 y=10)：打开(ON)/旋转(R)/样式(S)/特征(A) /＜捕捉间距＞：50

将捕捉间距改为 50　　栅格随之改变

命令：SNAP　　再执行 SNAP 命令

捕捉关闭(x 和 y=50)：打开(ON)/旋转(R)/样式(S)/特征(A)/＜捕捉间距＞：r

输入 R　　改变捕捉角度

捕捉栅格基准点 ＜0，0＞：　　直接回车

旋转角度 ＜0＞：45　　输入旋转角度 45

命令：L　　执行 LINE(画线段)命令

线的起始点：在绘图区的左下方拾取 A 点　　指定线段的起点

角度(A)/长度(L)/＜终点＞：在−45°角方向上距 A 点 5 个单位间距处拾取 B 点　　AB 边长为 250 捕捉 5 个单位间距

角度(A)/长度(L)/跟踪(F)/闭合(C)/撤销(U)/＜终点＞：在 45°角方向上距 B 点 10 个单位间距处拾取 C 点　　BC 边长为 500 捕捉 10 个单位间距

同理，拾取图形的 D 点

角度(A)/长度(L)/跟踪(F)/闭合(C)/撤销(U)/＜终点＞：C

让图形闭合并　　　　　　　　　　　　　　　　回车完成图形绘制

命令行提示各选项介绍如下：

**打开**(ON)：打开正交绘图模式。

**关闭**(OFF)：关闭正交绘图模式。

**切换**(T)：指绘图过程中正交绘图模式切换。

**3. 注意**

1）任意时候切换正交绘图，可点击状态栏的【正交】，或按 F8。

2）CAD 在从命令行输入坐标值或使用对象捕捉时将忽略正交绘图。

3）ORTHO 正交方式与 SNAP 光标捕捉方式相似，它只能限制鼠标拾取点的方位，而不能控制由键盘输入坐标确定的点位。

4）Snap 命令中的 Rotate 选项的设置对正交方向同样起作用。例如，当用户将光标捕捉旋转 30°，打开正交绘图模式后，正交方向也旋转 30°，系统将限制鼠标在相对于前一拾取点是呈 30°或呈 120°的方向上拾取点。该设置对于具有一定倾斜角度的正交对象的绘制非常有用。

5）当光标捕捉方式设置了旋转角度后，无论光标捕捉、栅格显示、正交方式是否打开，十字光标都将按旋转了的角度显示。

## 6.4 草 图 设 置

**1. 命令格式**

命令行：Settings

菜单：[工具]→[草图设置(F)]

草图设置中提供的是绘图辅助工具，对话框中包含捕捉和栅格、对象捕捉、3 维设置和极轴追踪。通过这些设置可以提高绘图的速度，更方便使用。

**2. 操作步骤**

执行 SETTINGS 命令后，系统将弹出如图 6-5 所示草图设置对话框，其实就在本章中已多次用过了。从屏幕下方的状态栏中，通过栅格、极轴或对象捕捉这几个按钮单击右键，再点取设置，也可以出现草图设置对话框。该对话框包括四个标签页，即捕捉和栅格页、对象捕捉页、3 维设置页、极轴追踪页。

1）捕捉和栅格页，如图 6-5 所示。

2）对象捕捉页，如图 6-6 所示。

3）3 维设置页，如图 6-7 所示。

4）极轴追踪页，如图 6-8 所示。

该标签页用于极轴追踪设置，如图 6-8 所示。极轴追踪可以追踪更多的角度，可以设置增量角，所有 0°和增量角的整数倍角度都会被追踪到，还可以设置附加角以追踪单独的极轴角。

当把极轴追踪增量角设置成 30°，勾选附加角，添加 45°时，如图 6-9 所示。

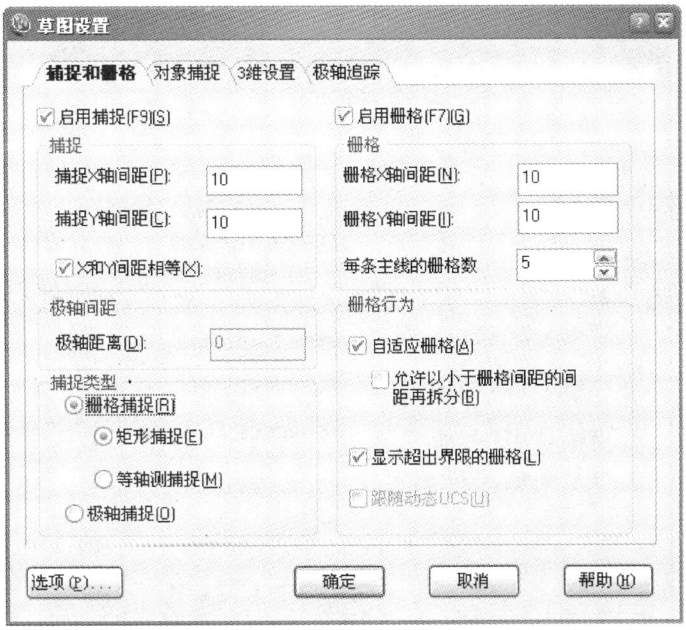


图 6-5　执行 SETTINGS 命令后的草图设置对话框

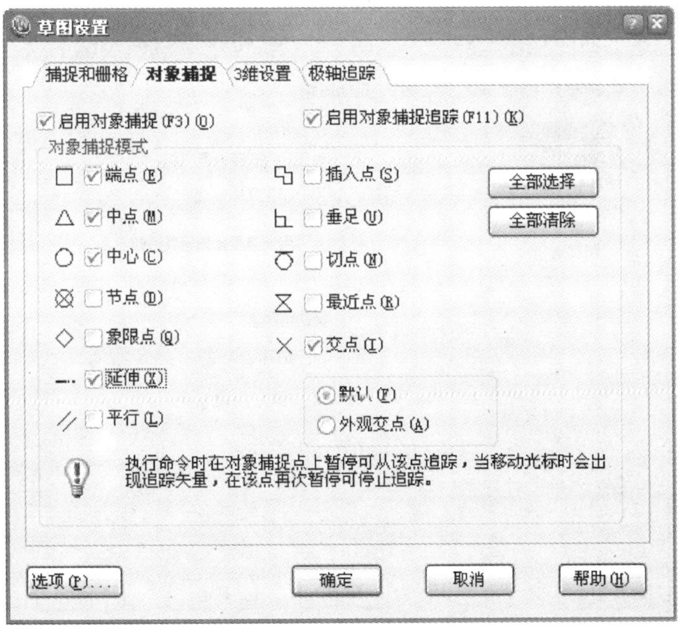


图 6-6　对象捕捉项的设置

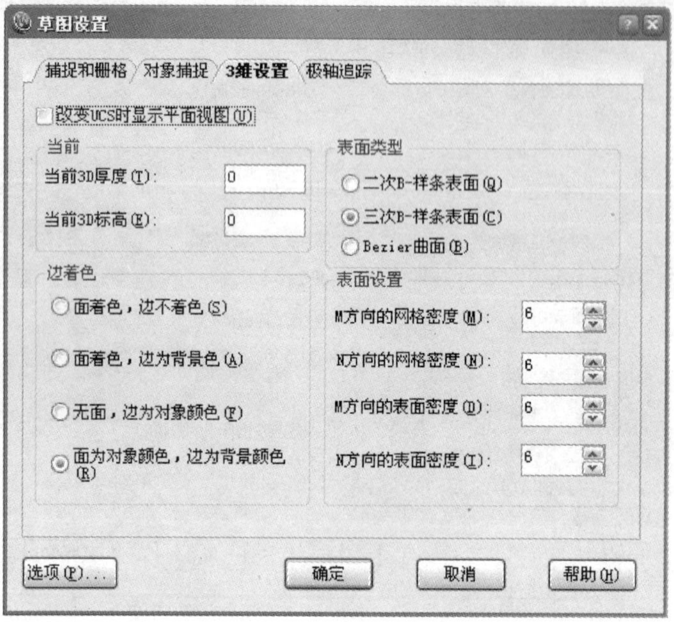


图 6-7 3 维设置(表面类型和表面设置)

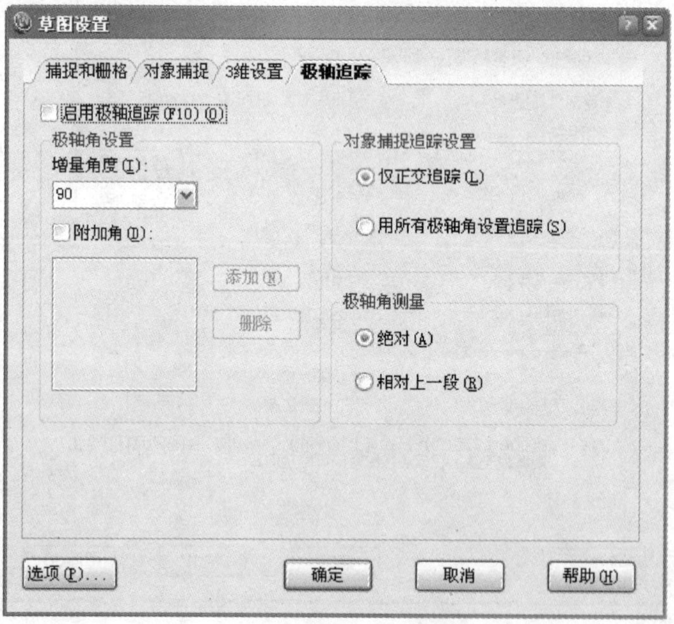


图 6-8 极轴追踪的设置

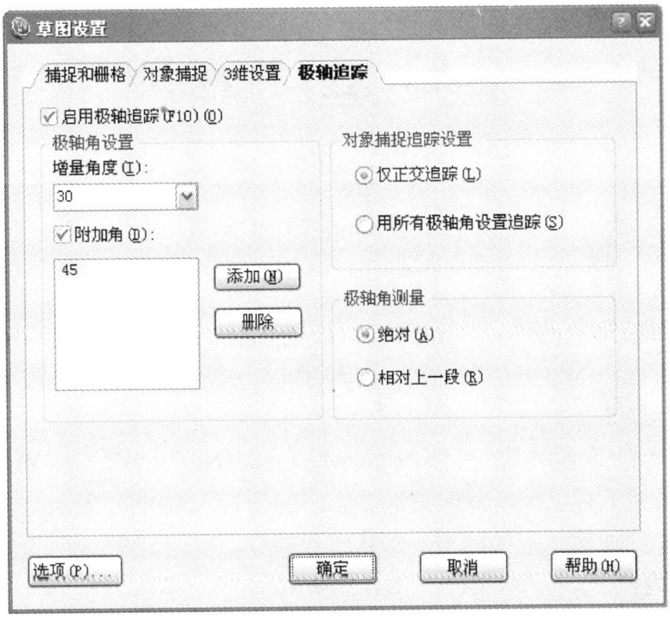


图 6-9　设置增量角，添加附加角

启用极轴追踪功能后，当 CAD 提示用户确定点位置时，拖动鼠标，使鼠标接近预先设定的方向(即极轴追踪方向)，CAD 自动将橡皮筋线吸附到该方向，同时沿该方向显示出极轴追踪的矢量，并浮出一小标签，标签中说明当前鼠标位置相对于前一点的极坐标，所有 0°和增量角的整数倍角度都会被追踪到，如图 6-10 所示。

由于我们设置的增量角为 30°，凡是 30°的整倍数角度都会被追踪到，如图 6-10 所示是追踪到 330°。

当把极轴追踪附加角设置成某一角度，比如按图 6-9 所示的 45°时，在图 6-11 中，当鼠标接近 45°方向时被追踪到，如图 6-11 所示。

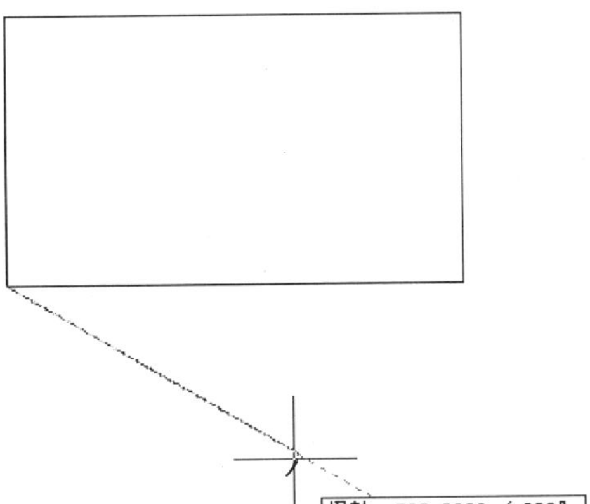


图 6-10　增量角的整数倍角度都会被追踪到

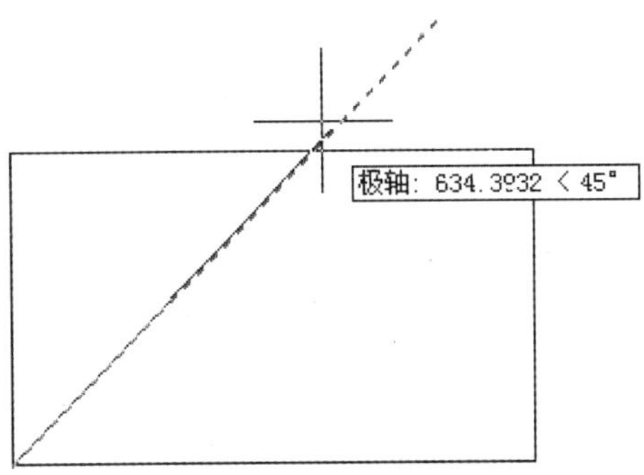


图 6-11　附加角的角度被追踪

这里请注意附加角只是追踪单独的极轴角，因此在135°等处，是不会出现追踪的。

## 6.5 线型

**1. 命令格式**

命令行：Linetype

图形中的每个对象都具有其线型特性。LINETYPE 命令可对对象的线型特性进行设置和管理。

线型是由沿图线显示的线、点和间隔组成的图样，你可以使用不同线型代表特定信息，例如：若你正在画一个工地平面图，可利用一个连续线型画路，或使用含横线与点的界定线型画所有物线条。

每一个图面皆预设至少有三种线型："CONTINUOUS"、"BYLAYER"和"BYBLOCK"。这些线型不可以重新命名或删除，你的图面可能也含无限个额外的线型。你可以从一个线型库文件加载更多的线型，或新建并储存你自己定义的线型。

**2. 设置当前线型**

通常情况下所创建的对象采用的是当前图层中的 BYLAYER 线型。也可以对每一个对象分配自己的线型，这种分配可以覆盖原有图层线型设置。另一种做法是将 BYBLOCK 线型分配给对象，借此你可以使用此种线型直到将这些对象组成一个图块。当对象插入时对象继承当前线型设置。设置当前线型的操作步骤：

1）执行 LINETYPE 命令，或从下拉菜单［格式］→［线型］，弹出如图 6-12 线型管理器。这时可以选择一种线型作当前线型。

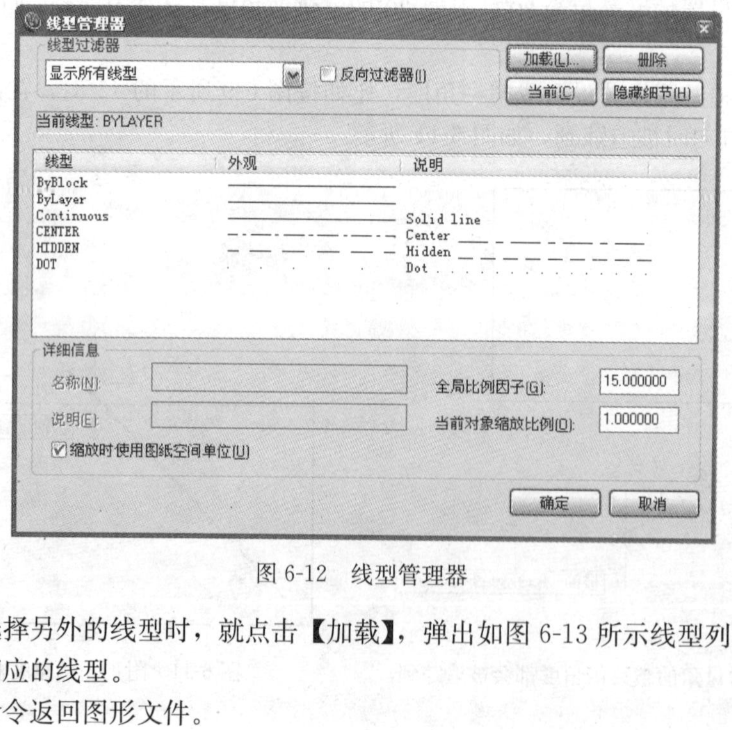


图 6-12　线型管理器

2）当要选择另外的线型时，就点击【加载】，弹出如图 6-13 所示线型列表。

3）选择相应的线型。

4）结束命令返回图形文件。

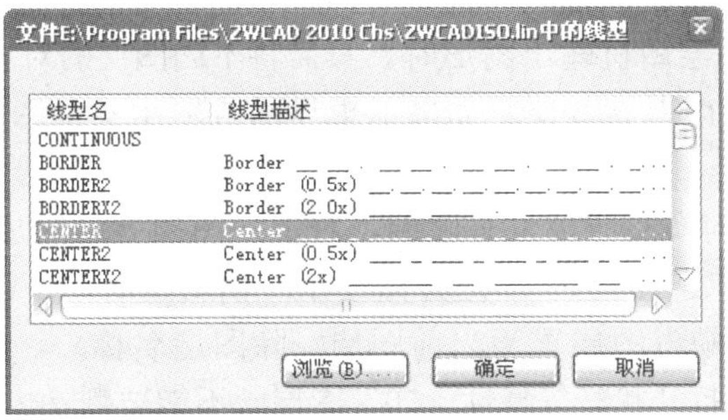


图 6-13　线型列表框

**3. 注意**✍

为了设置当前层的线型，你既可以选择线型列表中的线型，也可以双击线型名称。

**4. 加载附加线型**

在选择一个新的线型到图形文件之前，你必须建立一个线型名称或者从线型文件(*.lin) 中加载一个已命名的线型。CAD 2010 有 ZwCADISO.lin、ZwCADEX.lin、ZwCAD.lin 等线型文件，每个文件包含了很多已命名的线型。

**从线型库中加载新线型**

1) 执行 LINETYPE 命令，弹出线型管理器。

2) 点击“加载”。

3) 点击“浏览”。

4) 选择线型库文件，点击并打开。

5) 选取要加载的线型。

6) 点击确定，关闭窗口。

# 6.6　图　　层

## 6.6.1　图层的概念

在 CAD 中引入了图层的概念。用户可以将图层想象成一叠没有厚度的透明纸，将具有不同特性的对象分别置于不同的图层，然后将这些图层按同一基准点对齐，就可得到一幅完整的图形。通过图层作图，可将复杂的图形分解为几个简单的部分，分别对每一层上的对象进行绘制、修改、编辑，再将它们合在一起，这样复杂的图形绘制起来就变得简单、清晰、容易管理。实际上，使用 CAD 绘图，图形总是绘在某一图层上。这个图层可能是由系统生成的缺省图层，也可能是由用户自己创建的图层。

每个图层均具有线型、颜色和状态等属性。当对象的颜色、线型都设置为 BYLAYER 时，对象的特性就由图层的特性来控制。这样，既可以在保存对象时减少实体数据，节省存储空间；同时也便于绘图、显示和图形输出的控制。例如，在绘制工程图形时，可以创建一个中心线图层，将中心线特有的颜色、线型等属性赋予这个图层。每当需要绘制中心线时，用户只需切换到中心线图层上，而不必在每次画中心线时都必须为中心线对象设置中心线的线型、颜色。这样，不同类型的中心线、粗实线、细实线分别放在不同的图层上，在使用绘图机输出图形时，只需将不同图层的对象定义给不同的绘图笔，不同类型的对象输出变得十分方便。如果不想显示或输出某一图层，用户可以关闭这一图层。

在 CAD 中，系统对图层数虽没有限制，对每一图层上的对象数量也没有任何限制，但每一图层都应有一个唯一的名字。当开始绘制一幅新图时，CAD 自动生成层名为“0”的缺省图层，并将这个缺省图层置为当前图层。除图层名称外，图层还具有可见性、颜色、线型、冻结状态、打开状态等特性。“0”图层既不能被删除也不能重命名。除层名为“0”的缺省图层外，其他图层都是由用户根据自己的需要创建并命名。

## 6.6.2 图层的设置与管理

**1. 命令格式**

命令行：Layer(LA)

菜单：[格式]→[图层(L)]

工具栏：[对象特性]→[图层特性管理器]

LAYER 命令可为图形创建新图层，设置图层的特性。虽然一幅图可有多个图层，但用户只能在当前图层上绘图。

**2. 操作步骤**

新建两个图层，进行相应的图层设置，分别命名为“中心线”和“轮廓线”，用于绘制中心线和轮廓线。

根据中心线和轮廓线的特点，可将中心线设置为红色、“DASHDOT”线型，将轮廓线设置为蓝色、“Continuous”线型。

其具体命令及操作如下：

| | |
|---|---|
| 单击工具栏按钮： | 打开“格式—图层”的对话框 |
| 在对话框中单击“新建”按钮 | 新建图层 |
| 在“名称”输入框中输入“中心线” | 将新建图层命名为“中心线” |
| 单击该图层“颜色”名称，在打开的“选择颜色”对话框中选择“红色”，然后单击“确认”按钮 | 设置图层颜色 |
| 单击该图层“线型”名称，在打开的“选择线型”话框中选择“DASHDOT”线型，单击“确定”按钮 | 设置图层线型 |
| 在对话框中单击“新建”按钮 | 新建图层 |
| 在“名称”输入框中输入“轮廓线” | 将新建图层命名为“轮廓线” |
| 单击该图层“颜色”名称，在打开的“选择颜色”对话框中选择“蓝色”，然后单击“确认”按钮 | 设置图层颜色 |

由于系统缺省线型为“Continuous”，而该图层也是采用连续线型，设置线型可省略。

执行 LA 命令后，系统将弹出如图 6-14 所示对话框。其主要内容如下：

**新建**：该按钮用于创建新图层。单击该按钮，在图层列表框中将出现一个新图层，系统将它定名为“图层 1”。图层创建后可在任何时候更改图层的名称(0 层和外部参照依赖图层除外)。选取某一图层，再单击该图层名，图层名被执行为输入状态后，用户输入新

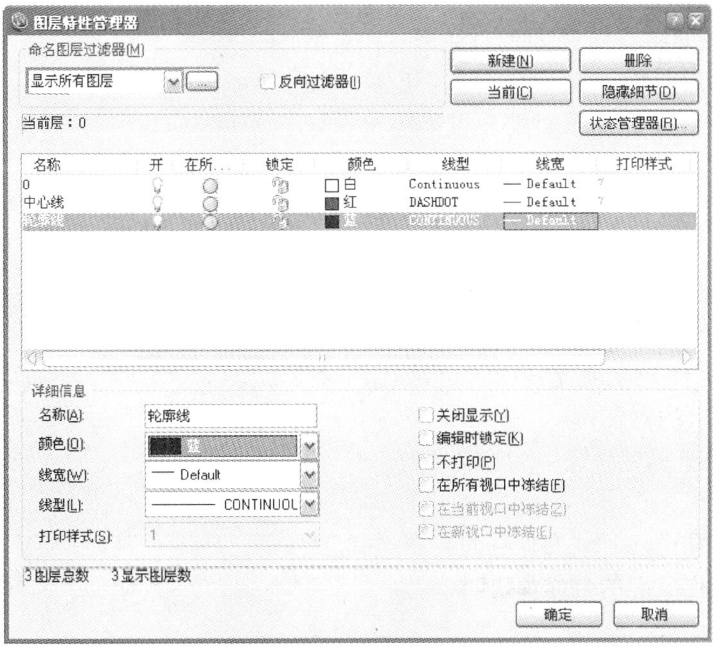


图 6-14　图层对话框

层名，再按【ENTER】键，便完成了图层的更名操作。

**当前：**该按钮用于设置当前图层。虽然一幅图中可以定义多个图层，但绘图只能在当前图层上进行。如果用户要在某一图层上绘图，必须将该图层设置为当前图层。选中该层后，单击该按钮即可将它设置为当前图层。双击图层显示框中的某一图层名称也可将该图层设置为当前图层。

在图层显示窗口中单击鼠标右键，在弹出的快捷菜单中点取［当前］项，也可置此图层为当前图层。

**图层　打开/关闭：**被关闭图层上的对象不能显示或输出，但可随图形重新生成。在你关闭一图层时，该图层上绘制之对象就看不到，而当你再开启该图层时，其上之对象就又可显示出。

例如，你正在绘制一个楼层平面，你可以将灯具配置画在一个图层上，而配管线位置画在另一图层上。选取图层开或关，你可以从同一图形文件中打印出电工图与管路图。

**冻结或解冻图层：**画在冻结图层上的对象，不会显示出来，不能打印，也不能重新生成。冻结一图层时，其对象并不影响其他对象的显示或打印。你不可以在一个冻结的图层上画图，直到解冻之才可，也不可将一冻结的图层设为目前使用的图层，你不可以冻结目前的图层，若要冻结目前的图层，需要先将别的图层置为当前层。

**锁定/解锁：**锁定或解锁图层。锁定图层上的对象是不可编辑的，但图层若是打开的并处于解冻状态，则锁定图层上的对象是可见的。可以将锁定图层置为当前图层并在此图层上创建新对象，但不能对新建的对象进行编辑。在图层列表框中单击某一图层锁定项下的是或否，可将该层锁定或解锁。

单击“命名图层过滤器”下拉列表框右侧的按钮▭，会弹出如图 6-15 所示的对话框。在对话框中，列出了图层名称、颜色、线型、开/关、锁定/解锁、冻结/解冻等设置，用户可以添加、删除、重置图层过滤器的各种参数。

对于图层管理，CAD 2010 增强了图层状态管理器的功能，对已保存的图层状态中的单个图层进行基本属性编辑。在“图层特性管理器”对话框中的右上角单击“状态管理器”或从图层工具栏选择“图层状态管理器”按钮。打开如图 6-16 所示的对话框。

图层状态管理器对话框中的按钮及选项介绍如下：

**新建**：打开如图 6-17“要保存的新图层状态”对话框，创建图层状态的名称和说明。

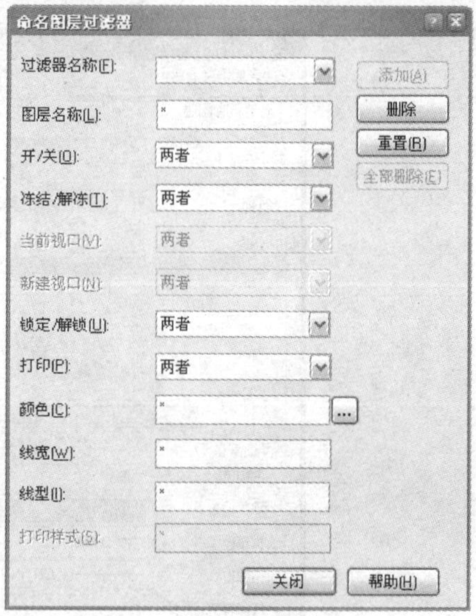


图 6-15　图层对话框

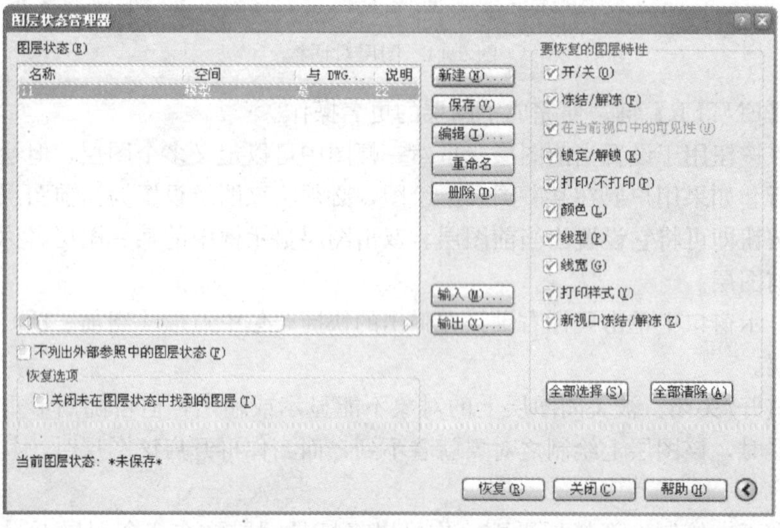


图 6-16　图层状态管理器对话框

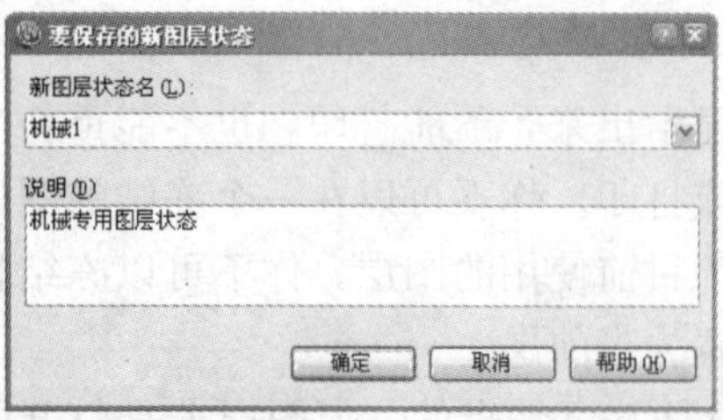


图 6-17　图层状态管理器对话框

**要恢复的图层特性**：选择要保存的图层状态和特性(如果没有看到这一部分，请单击对话框右下角的“更多恢复选项”箭头按钮)。

**恢复**：回复保存的图层状态。

**删除**：删除某图层状态。

**输入**：在 CAD 2010 中可以从 dwg 文件中输入图层状态，输入之前作为 .las 或 .dwg 文件输出的图层状态。在如图 6-18“输入图层状态”对话框中，从“文件类型”下拉列表中选择需要的文件类型。

图 6-18　输入图层状态对话框

**输出：**以 .las 或 .dwg 文件形式保存某图层状态的设置。

使用 CAD 绘图，有些用户习惯使用命令提示进行操作，在使用图层时，除了前面介绍的设置方法外，还可以通过命令提示进行设置，或在快捷工具下拉菜单中选择相应的图层操作命令，下面就通过命令提示设置图层的过程做简单介绍：

**图层匹配**(laymch)：可把源对象上的图层特性复制给目标对象，以改变目标对象的特性。在执行该命令后，选择一个要被复制的对象，选择后 CAD 2010 继续提示选择目标对象，此时拾取目标对象，就把源对象上的图层特性复制给目标对象了。

**改变至当前图层**(laycur)：在实际绘图中，有时绘制完某一图形后，会发现该图形并没有绘制到预先设置的图层上，此时，执行该命令可以将选中的图形，改变到当前图层中。

**改层复制**(copytolayer)：用来将指定的图形一次复制到指定的新图层中。

**图层隔离**(layiso)：执行该命令后，选取要隔离图层的对象，该对象所在图层即被隔离。其他图层中的对象被关闭。

**取消图层隔离**(layuniso)：执行该命令后，打开之前使用 LAYISO 命令隔离的图层。

**图层冻结**(layfrz)：执行该命令后可使图层冻结，并使其不可见，不能重生成，也不能打印。

**图层关闭**(layoff)：执行该命令后可使图层关闭。

**图层锁定**(laylck)：执行该命令可锁定图层。

**图层解锁**(layulk)：执行该命令后，弹出一个“请选择要解锁的层”的对话框，此时选定要解锁的层，该图层即被解锁。

**打开所有图层**(layon)：执行该命令后，可将关闭的所有图层全部打开。

**解冻所有图层**(laythw)：执行该命令后，可以解冻所有的图层。

**图层合并**(laymrg)：用来将指定的图层合并。

**图层删除**(laydel)：用来删除指定的图层。

**3. 注意**

1) 用户可用前面所讲的 COLOR、LINETYPE 等命令为对象实体定义与其所在图层不同的特性值，这些特性相对于 BYLAYER、BYBLOCK 特性来说是固定不变的，它不会随图层特性的改变而改变。对象的 BYBLOCK 特性，将在图块中介绍。

2）当用户绘制的图形较混杂，多重叠交叉，则用户可将妨碍绘图的一些图层冻结或关闭掉。如果不想输出某些图层上的图形，既可冻结或关闭这些图层，使其不可见；冻结图层和外部参照依赖图层不能被置为当前图层。

3）如果用户在创建新图层时，图层显示窗口中存在一个选定图层，则新建图层将沿用选定图层的特性。

4）绘图操作只能在当前图层中进行，但修改、编辑工作可在所有图层上进行。

5）不管是什么专业，什么阶段的图纸，图纸上所有的对象可以用一定的规律来组织整理。比如说，建筑专业的图纸，就平面图而言，可以分为：柱、墙、轴线、尺寸标注、一般标注、门窗看线、家具等。也就是说，建筑专业的平面图，就按照柱、墙、轴线、尺寸标注、一般汉字、门窗看线、家具等来定义图层，然后，在画图的时候，分别把对象放到相应的图层中去。

6）线宽的设置有必要重新强调一下：一张图纸是否好看、是否清晰，其中重要的一条因素之一，就是是否层次分明。一张图里，有 0.13 的细线，有 0.25 的中等宽度线，有 0.35 的粗线，这样就丰富了。打印出来的图纸，一眼看上去，也就能够根据线的粗细来区分不同类型的对象，什么地方是墙，什么地方是门窗，什么地方是标注。

## 6.7 目 标 捕 捉

**1. 命令格式**

命令行：Osnap

在用户绘图时，经常会遇到从直线的端点、交点等特征点开始绘图，单靠眼睛去捕捉这些点是不精确的，CAD 提供了目标捕捉方式来提高精确性。绘图时可通过捕捉功能快速、准确定位。

当定义了一个或多个对象捕捉时，十字光标将出现一个捕捉靶框，另外，在十字光标附近会有一个图标表明激活对象捕捉类型。当选择对象时，程序捕捉距靶框中心最近的捕捉点。

**2. 操作步骤**

用中点捕捉方式绘制矩形各边中点的连线，如图 6-20 所示。

其具体命令及操作如下：

命令：Rectangle(或 rec)　　任意绘制一个矩形

命令：line 线的起始点：设置中点捕捉开

角度(A)/长度(L)/＜终点＞：　　捕捉矩形 AB 边的中点 E

角度(A)/长度(L)/跟踪(F)/闭合(C)/撤销(U)/＜终点＞：　　捕捉矩形 DC 边的中点 F

命令：line 线的起始点：设置中点捕捉开

角度(A)/长度(L)/＜终点＞：　　捕捉矩形 AD 边的中点 G

角度(A)/长度(L)/跟踪(F)/闭合(C)/撤销(U)/＜终点＞：　　捕捉矩形 BC 边的中点 H

结束命令

执行 OSNAP 命令后，系统弹出如图 6-19 所示的对象捕捉对话框：对话框中具体捕捉模式，用户可根据下面的介绍和绘图的需要进行选用。

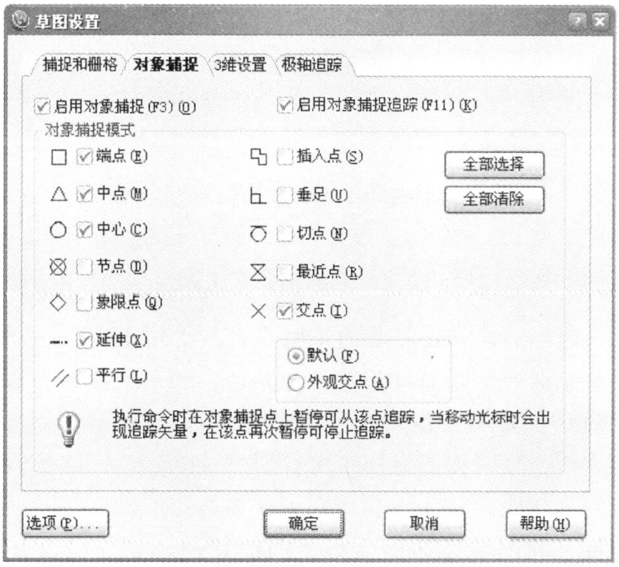


图 6-19　Osnap 命令的对话框

单击“捕捉标记”按钮，系统弹出如图 6-21 所示的对话框：通过此对话框可以改变靶框大小、厚度、颜色、显示状态等。

我们还可用下列方法之一设置对象捕捉：

1）在对象捕捉工具条，选择一个对象捕捉工具。

2）在命令行输入对象捕捉命令。

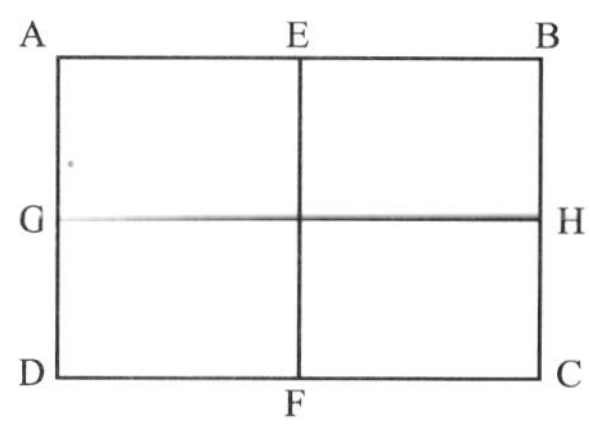


图 6-20　绘制中点的连线

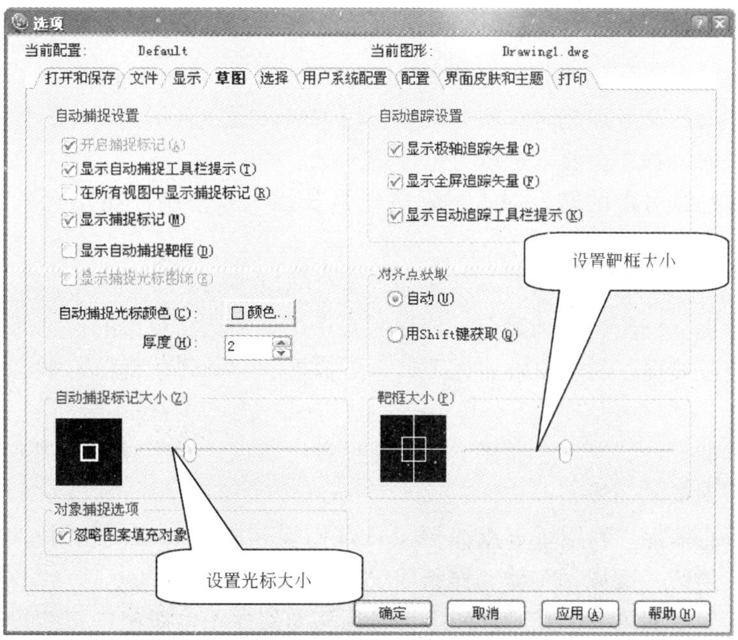


图 6-21　捕捉标记对话框

3）在状态栏，点击“对象捕捉”。

4）按住 shift 键，在图形窗口任意位置单击鼠标右键出现对象捕捉快捷菜单，选择所需对象捕捉。

**对象捕捉工具条**：是临时运行捕捉模式，它只能执行一次。将光标放在任何工具条上点击右键可选择对象捕捉工具条，如图 6-22 所示。

图 6-22　对象捕捉工具条

：临时追踪点，启用后，指定一临时追踪点，其上将出现一个小的加号(+)。移动光标时，将相对于这个临时点显示自动追踪对齐路径，用户在路径上以相对于临时追踪点的相对坐标取点。在命令行输入 tt 也可。

：捕捉自，建立一个临时参照点作为偏移后续点的基点，输入自该基点的偏移位置作为相对坐标，或使用直接距离输入。也可在命令中途用 from 调用。

：设置端点捕捉，利用端点捕捉工具可捕捉其他对象的端点，这些对象可以是圆弧、直线、复合线、射线、平面或三维面，若对象有厚度，端点捕捉也可捕捉对象边界端点。

：设置中点捕捉，利用中点捕捉工具可捕捉另一对象的中间点，这些对象可以是圆弧、线段、复合线、平面或辅助线(infinite line)，当为辅助线时，中点捕捉第一个定义点，若对象有厚度也可捕捉对象边界的中间点。

：设置交点捕捉，利用交点捕捉工具可以捕捉三维空间中任意相交对象的实际交点，这些对象可以是圆弧、圆、直线、复合线、射线或辅助线，如果靶框只选到一个对象，程序会要求选取有交点的另一个对象，利用它也可以捕捉三维对象的顶点或有厚度对象的角点。

：设置设计视图交点捕捉，平面视图交点捕捉工具可以捕捉当前 UCS 下两对象，投射到平面视图时的交点，此时对象的 Z 坐标可忽略，交点将用当前标高作为 Z 坐标，当只选取到一对象时，程序会要求选取有平面视图交点的另一对象。

：当光标经过对象的端点时，显示临时延长线，以便用户使用延长线上的点绘制对象。

：设置中心点捕捉，利用中心点捕捉工具可捕捉一些对象的中心点，这些对象包括圆、圆弧、多维面、椭圆、椭圆弧等，捕捉中心点，必须选择对象的可见部分。

：设置象限捕捉，利用象限捕捉工具，可捕捉圆、圆弧、椭圆、椭圆弧的最近四分圆点。

设置切线捕捉，利用切点捕捉工具可捕捉对象切点，这些对象为圆或圆弧，当和前点相连时，形成对象的切线。

：设置垂直捕捉，利用垂直点捕捉工具可捕捉到圆弧、圆、椭圆、椭圆弧、直线、多线、多段线、射线、面域、实体、样条曲线或参照线的垂足。

：在指定矢量的第一个点后，如果将光标移动到另一个对象的直线段上，即可获得第二点。当所创建对象的路径平行于该直线段时，将显示一条对齐路径，可以用它来创建平行对象。

：设置插入点捕捉，利用插入点捕捉工具可捕捉外部引用，图块，文字的插入点。

：设置点捕捉，利用该工具捕捉点。

：设置最近点捕捉，捕捉到圆弧、圆、椭圆、椭圆弧、直线、多线、点、多段线、射线、样条曲线或参照线的最近点。

：清除对象捕捉，利用清除对象捕捉工具，可关掉对象捕捉，而不论该对象捕捉是通过菜单，命令行，工具条或草图设置对话框设定的。

：设置对象捕捉，即打开如图 6-21 所示的 OSNAP 命令的对话框。

**3. 注意**

1）任何时候都可用对象捕捉，例如当绘制线或其他对象时，你可用以下两种对象捕捉方法之一绘制：

在没有使用其他命令时，选择对象捕捉，将激活对象捕捉模式，只有关掉时它才不起作用。

在执行其他命令时，选择单一对象捕捉激活一次性对象捕捉；也可用一次性实行捕捉去覆盖对象捕捉模式。

2）程序在执行对象捕捉时，只能识别可见对象或对象的可见部分，所以不能捕捉关掉图层的对象或虚线的空白部分。

# 6.8　查　　询

## 6.8.1　查距离与角度

**1. 命令格式**

命令行：Dist

菜单：[工具]→[查询(Q)]→[距离(D)]

DIST 命令可以计算任意选定两点间的距离。得到如下信息：

以当前绘图单位表示的点间距。

在 xy 平面上的角度。

与 xy 平面的夹角。

两点间在 x、y、z 轴上的增量 Δx，Δy，Δz。

**2. 操作步骤**

执行 DIST 命令后，系统提示：

**距离起始点：**指定所测线段的起始点。

**终点：**指定所测线段的终点。

用 DIST 命令查询图 6-23 中 BC 两点间的距离及夹角 D。

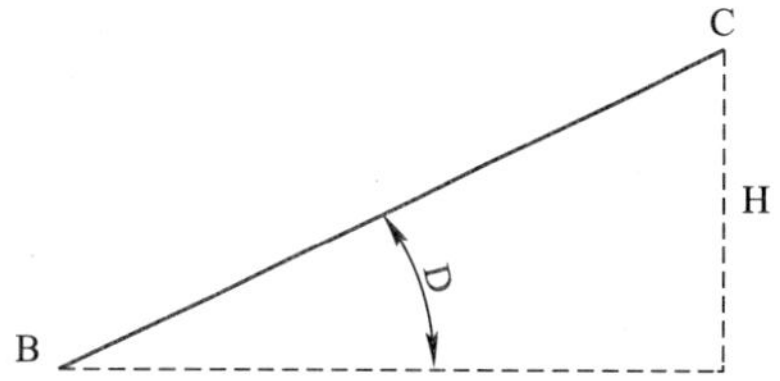


图 6-23　用 DIST 命令查询

命令：DIST　　执行 DIST 命令

距离起始点：　　捕捉起始点 B

终点：　　捕捉终点 C，回车

| 距离等于=150，XY 面上角=30，与 XY 面夹角=0 | 结果：BC 两点间的距离为 150 |
|---|---|
| Delta X=129.9038，Delta Y=75，Delta Z=0 | 夹角 D 为 30°，H 为 75 |

**3. 注意**✍

选择特定点，最好使用对象捕捉来精确定位。

## 6.8.2 查面积

**1. 命令格式**

命令行：Area

菜单：[工具]→[查询(Q)]→[面积(A)]

AREA 命令可以测量：

1) 用一系列点定义的一个封闭图形的面积和周长。

2) 用圆、封闭样条线、正多边形、椭圆、或封闭多段线所定义的一个面积和周长。

3) 由多个图形组成的复合面积。

**2. 操作步骤**

用 AREA 命令测量如图 6-24 所示带一个孔的垫圈的面积。

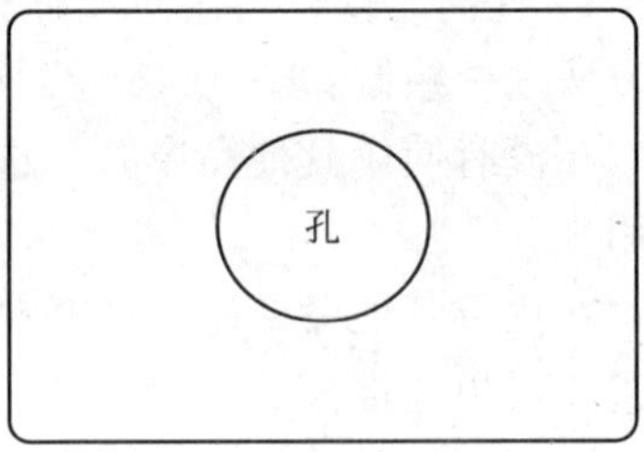


图 6-24 用 AREA 命令测量面积

| 命令：AREA | 执行 AREA 命令 |
|---|---|
| 对象(E)/添加(A)/减去(S)/<第一点>：a | 键入 A，选择添加 |
| 添加(A)：对象(E)/减去(S)/<第一点>：e | 键入 E，选择对象模式 |
| 添加面积(A) <选取对象>： | 选取对象“矩形” |
| 面积(A)=15858.0687sq. units，周长(P)=501.3463 | |
| 总长度(T)=501.3463 | |
| 总面积(T)=15858.0687sq. units | 确定图形的总面积 |
| 添加面积(A) <选取对象>： | 回车结束添加模式 |
| 添加(A)：对象(E)/减去(S)/<第一点>：s | 键入 S 选择减去模式 |
| 减去(S)：对象(E)/添加(A)/<第一点>：e | 键入 E 选择对象模式 |
| 减去面积(S) <选取对象>： | 选取对象“圆孔” |
| 面积(A)=1827.4450 sq. units，圆周(C)=151.5399 | |
| 总长度(T)=349.8064 | |
| 总面积(T)=14030.6237 sq. units | 显示测量结果 |

执行 AREA 命令后，命令行提示选项介绍如下：

**对象**(E)：键入 E 后系统提示，选取对象进行面积计算(S)，选取对象后，系统将提示所测：面积(A)和周长(P) 的数值。

**添加**(A)：键入 A 后系统提示，添加(A)：对象(E)/减去(S)/<第一点>：键入 E 后，系统接着提示：添加面积(A) <选取对象>：选取对象后，系统将提示所测添加面积：面积(A)和周长(P)的数值。

**减去**(S)：键入 S 后系统提示，减去(S)：对象(E)/添加(A)/<第一点>：键入 E 系统接着提示：减去面积(S) <选取对象>：选取对象后，系统将提示所测减去面积：面积

(A)和周长(P)的数值。

**＜第一点＞：**可以对由多个点定义的封闭区域的面积和周长进行计算。程序依靠连接每个点所构成的虚拟多边形围成的空间来计算面积和周长。

**3. 注意**

选择点时，可在已有图线上使用对象捕捉方式。

### 6.8.3　查图形信息

**1. 命令格式**

命令行：List

菜单：[工具]→[查询(Q)]→[列表显示(L)]

LIST 命令可以列出选取对象的相关特性，包括对象类型、所在图层、颜色、线型和当前用户坐标系统(UCS)的 x、y、z 位置。其他信息的显示，视所选对象的种类而定。

上述信息会显示于“ZWCAD 文本窗口”与命令行中。你可以显示所选对象的信息。该信息会依你选的对象类型而异，全部的清单皆会显示下列信息：对象类型、图层、颜色、线型、该对象位置（其相对于目前使用者坐标系统 [UCS] 的 xyz 坐标）、目前空间（模型空间或图纸空间）、对象尺寸（会依对象类型而异）。

**2. 操作步骤**

执行 LIST 命令后，系统提示：

*滚动(SC)/分类(SO)/追踪(T)/＜列出选取对象＞：*

**滚动**(SC)：按滚动方式显示图形信息

**编页码**(PA)：按编页码方式显示图形信息

**分类**(SO)：分类显示图形信息

**顺序**(SE)：按顺序显示图形信息

**追踪**(T)：键入 T 后，系统提示，键入追踪的命令行数。

## 6.9　设　计　中　心

**1. 命令格式**

命令行：Adcenter

菜单：[工具]→[设计中心(G)]

工具栏：[标准]→[设计中心]

CAD 2010“设计中心”为用户提供一个方便又有效率的工具，它与 Windows 资源管理器类似。利用此设计中心，不仅可以浏览、查找、预览和管理 CAD 图形、块、外部参照及光栅图像等不同的资源文件，而且还可以通过简单的拖放操作，将位于本地计算机或“网上邻居”中文件的块、图层、外部参照等内容插入到当前图形。如果打开多个图形文件，在多文件之间也可以通过简单的拖放操作实现图形的插入。所插入的内容除包含图形本身外，还包括图层定义、线型及字体等内容。从而使已有资源得到再利用和共享，提高了图形管理和图形设计的效率。

**2. 操作步骤**

利用设计中心，可以很方便地打开所选的图形文件，也可以方便地把其他图形文件中的图层、图块、文字样式和标注样式等复制到当前图形中。

执行 ADCENTER 命令后，系统弹出如图 6-25 所示对话框：

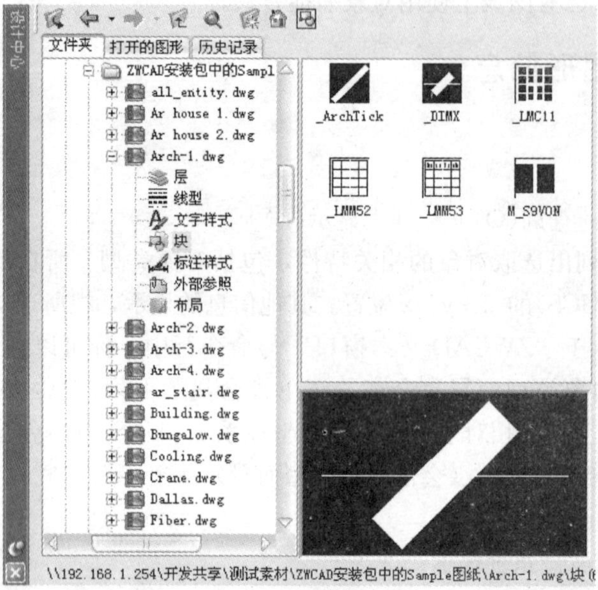

图 6-25　设计中心对话框

对话框中各个页面介绍如下：

**文件夹**：显示计算机或网络驱动器(包括“我的电脑”和“网上邻居”)中文件和文件夹的层次结构。

**打开的图形**：显示当前工作任务中打开的所有图形，包括最小化的图形。

**历史记录**：显示最近在设计中心打开的文件的列表。显示历史记录后，在一个文件上单击鼠标右键显示此文件信息或从“历史记录”列表中删除此文件。

**树状图**：显示用户计算机和网络驱动器上的文件与文件夹的层次结构、打开图形的列表、自定义内容以及上次访问过的位置的历史记录。

选择树状图中的项目以便在内容区域中显示其内容。

**内容区域**：显示树状图中当前选定“容器”的内容。容器是包含设计中心可以访问的信息的网络、计算机、磁盘、文件夹、文件或网址（URL）。

根据树状图中选定的容器，内容区域的典型显示如下：

**含有图形或其他文件的文件夹**

**图形**

**图形中包含的命名对象**(命名对象包括块、线型、层、标注样式和文字样式)

**图像或图标表示块或填充图案**

在内容区域中，通过拖动、双击或单击鼠标右键并选择“插入为块”，可以在图形中插入块。可以通过拖动或单击鼠标右键向图形中添加其他内容(例如图层、标注样式)。

**3. 注意**✍

1）当处于“文件夹”和“打开的图形”选项卡时，整个窗口分为两部分，树状图(左侧)和内容区域(右侧)。

2）通过在树状图或内容区域中单击鼠标右键，可以访问快捷菜单上的相关内容区域或树状图选项。

# 本 章 小 结

1. 本章主要介绍了设置绘图环境和图层控制，介绍了 CAD 提供的目标捕捉方式等，同时也介绍了有关的概念和名词，通过本章的学习，可以更迅速、更准确地绘制和编辑图形。有些概念和功能初学者可能一时还难以理解和掌握。但随着 CAD 2010 绘图和编辑方法的逐渐深入，加强训练，相信读者对本章内容和概念将会有进一步的认识和了解。

2. 图层，也称为层，是图形软件中极具特色且十分重要的概念，这一概念几乎贯穿了所有图形图像软件，如著名的 Adobe 公司的 Photoshop，加拿大 Corel 公司的 CorelDraw 和 Painter，还有网页设计软件等等。在图形图像处理中，图层的作用非常重要。CAD 的层可以简单而形象地理解为：一层挨一层放置的透明的电子纸。每一层上有图形，文字和图像等，把他们依次整齐地叠放在一起，显现出整体效果。如果关掉某一层，在那一层上的内容就不会显现，也不会打印。我们可以根据需要增加或删除某一层或多个层。在每一层上，都可以进行图形绘制，能够设置任意的线型与颜色。为了便于使用，最好先创建几个层，可一次定义多个层名，对于新建的层，其颜色和线型将自动定义为 White 和 CONTINUOUS，状态为打开。

3. 在层的使用过程中，我们可以根据需要设置层的特性。CAD 支持 255 种颜色选择，线型库中包括了多种待选线型。选择设置不同的颜色和线型，可以使得屏幕上的图形美观且便于区分。线型的设置比较简单，颜色的设置根据个人喜好，选择各种颜色。

4. 在 CAD 的使用中，绘制各种图形，不管繁简与否，都将会使用到层。图形越复杂，所涉及到的层也越多。层虽说是 CAD 中较简单的工具，但也是最有效的工具之一。切实理解层的概念，合理运用层的各项操作，都将会直接影响图形绘制的质量。同时，也可使繁琐的工作变得简单而有趣。

5. 总的说来 CAD 图层可用大小相同的透明胶片来理解，而与叠放次序无关。读者深入研究，在其他各种软件中，图层又有它的特殊含义，只有把图层问题搞透了，才能灵活运用。

6. 目标捕捉(Osnap)是捕捉绘图区中对象实体的特征点，如端点、圆心点、交叉点等。而捕捉(SNAP)是捕捉绘图区的辅助栅格点。它们的作用是将十字光标强制性地准确定位在已存在的对象特定点或特定位置上。利用这一功能，可以绘制出很精确的工程图。需要强调的是，在发出对象捕捉命令前，首先必须要执行绘图和修改命令，然后才能使用对象捕捉和对象追踪命令来精确定位点。

7. 网点捕捉和目标捕捉为绘图编辑带来快捷准确的方式，但在教学中，编者总是见到不少初学者未理解掌握。有学生经常举手问老师：为什么光标总不能到达我指的点？其实要掌握好，注意对象捕捉的开关是 F3，网格捕捉的开关是 F9，打开是捕捉，关闭无捕捉，光标也就自由了。也有学生问老师：我为什么不能画斜线了，显然是打开了正交开关，点一下 F8，正交开关就关闭了。

8. CAD 具有各种查询功能。通过本章的介绍，用户可以根据需要随时查询了解任意两点的距离、对象目标的面积、对象的属性、当前图形文件属性信息、定点坐标及作图过程中的时间信息。

# 练　　习

1. 填空题

(1) 按住________键，在图形窗口任意位置单击鼠标右键出现对象捕捉快捷菜单，选择所需对象捕捉。

(2) CAD 中的___________命令可查询当前图形文件中任意两点之间的直线距离，点之间相对位置的夹角，以及点的 X、Y 坐标值的差。

2. 选择题

(1) 线型是由短线、点和________组成的图案的重复。

A. 长线　　B. 空格　　C. 多义线

(2) 如果图层被________，该层上的图形对象将不能被显示出来或绘制出来，而且也不参加图形之间的运算。

A. 冻结　　B. 关闭　　C. 锁定

(3) CAD2010 中提供的________命令可查询由若干点所确定区域(或由指定对象所围成区域)的周长。

A. Area

B. Length 命令

C. Dist 命令

3. 建立 2 种新的线型，并应用到图形中。

4. 制作如练习图 1 所示的图形并查询相关信息，并回答下列五个问题。

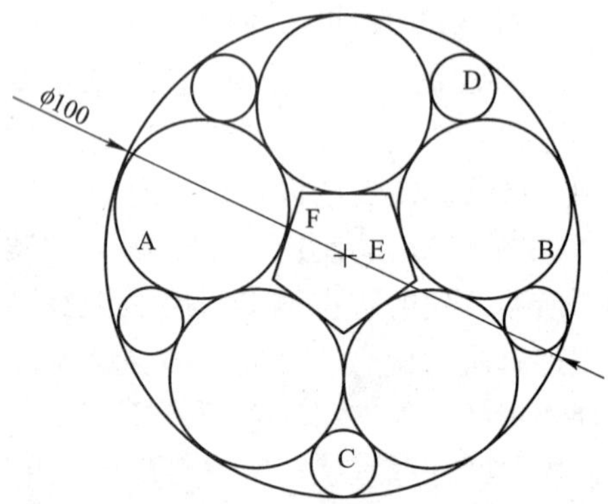


练习图 1

(1) A 圆的面积是多少?

A. 1074.326　　B. 1075.326

C. 1076.326　　D. 1077.326

(2) C 圆的面积为____________ $mm^2$。

(3) C 圆心至 D 圆心的直线距离为___________ mm。

(4) E 点至 D 圆心的距离为___________ mm。

(5) 正五边形 F 的周长是___________ mm。

# 第7章　图　形　显　示

**本章要点**

■ 图形的重画与重新生成

■ 图形的缩放与平移

■ 鸟瞰视图

■ 绘图空间控制与多视口操作

■ 控制图像的显示

在用CAD软件绘制图形过程中，可以任意的放大、缩小或移动屏幕上的图形，或者同时从不同的角度、不同的方位来显示图形。

CAD软件一般可以提供多种观察图形的工具，如利用鸟瞰视图进行平移和缩放、视图处理和视口创建等，利用这些命令，用户可以轻松自如地控制图形的显示来满足各种绘图需求和提高工作效率。

## 7.1　图形的重画与重新生成

图形重画(Redraw/Redrawall)和图形重生(Regen/Regenall)命令都能够实现视图的重显。

### 7.1.1　图形的重画

**命令格式**

命令行：Redraw/Redrawall

菜单：[视图]→[重画(R)]

快速访问计算机内存中的虚拟屏幕，这被称为重画(Redraw命令)。

在绘图过程中有时会留下一些无用的标记，重画命令用来刷新当前视口中的显示，清除残留的点痕迹，比如删除多个对象图纸中的一个对象，但有时看上去被删除的对象还存在，在这种情况下可以使用重画命令来刷新屏幕显示，以显示正确的图形。图形中某一图层被打开或关闭、或者栅格被关闭后系统自动对图形刷新并重新显示。栅格的密度会影响刷新的速度。

### 7.1.2　重新生成

**1. 命令格式**

命令行：Regen/Regenall

菜单：[视图]→[重生成(G)]/[全部重生成(A)]

重新计算整个图形的过程被称为重生成。

重生成命令不仅删除图形中的点记号、刷新屏幕，而且更新图形数据库中所有图形对象的屏幕坐标，使用该命令通常可以准确地显示图形数据。

**Redraw 和 Regen 命令的对比表**

| 命令 | Redraw 命令 | Regen 命令 |
|---|---|---|
| 作用 | ① 快速刷新显示<br>② 清除所有的图形轨迹点，例如：亮点和零散的像素 | ① 重新生成整个图形<br>② 重新计算屏幕坐标 |

**2. 注意**

1）从上面对比表格可以看出，Redraw 命令比 Regen 命令快得多。

2）Redraw 和 Regen 只刷新或重生成当前视口；Redrawall 和 Regenall 可以刷新或重生成所有视口。

# 7.2　图形的缩放与平移

## 7.2.1　图形的缩放

**1. 命令格式**

命令行：Zoom(Z)

菜单：[视图]→[缩放(Z)]

工具栏：[标准]→[窗口缩放]

在绘图过程中，为了方便地进行对象捕捉、局部细节显示，需要使用缩放工具放大或缩小当前视图或放大局部，当绘制完成后，再使用缩放工具缩小图形来观察图形的整体效果。使用 Zoom 命令并不影响实际对象的尺寸大小。

**2. 操作步骤**

以…\ZWCAD 2010 Chs\Sample\Building. dwg 为例，使用 Zoom 的三种方式来观察图纸的不同显示效果，按如下步骤操作，如图 7-1 所示：

命令：Open　　打开图纸显示为图 7-1(*a*)

命令：Zoom　　执行 Zoom 命令

输入比例因子 (nX 或 nXP)，或者缩放：放大(I)/缩小(O)/全部(A)/动态(D)/中心(C)/范围(E)/左边(L)/前次(P)/右边(R)/窗口(W)/对象(OB)/比例(S)/<实时>：E

输入 E　　以范围方式缩放图纸

命令：　　点击回车键，显示图 7-1(*b*)

ZOOM　　重复执行 Zoom 命令

输入比例因子 (nX 或 nXP)，或者缩放：放大(I)/缩小(O)/全部(A)/动态(D)/中心(C)/范围(E)/左边(L)/前次(P)/右边(R)/窗口(W)/对象(OB)/比例(S)/<实时>：OB

输入 OB　　以对象方式缩放图纸

选择需要缩放的实体：　　按图 7-1(*b*)选择外图框

选择集当中的对象：1

| | |
|---|---|
| 选择需要缩放的实体： | 右击鼠标结束对象选择 |
| 命令： | 点击回车键，显示图 7-1(*c*) |
| ZOOM | 重复执行 Zoom 命令 |

输入比例因子（nX 或 nXP)，或者缩放：放大(I)/缩小(O)/全部(A)/动态(D)/中心(C)/范围(E)/左边(L)/前次(P)/右边(R)/窗口(W)/对象(OB)/比例(S)/<实时>：W

| | |
|---|---|
| 输入 W | 以窗口方式缩放图纸 |
| 第一点： | 拾取图 7-1(*c*)中图框的一个对角点 |
| 对角点： | 拾取图 7-1(*c*)中图框的另一对角点 |

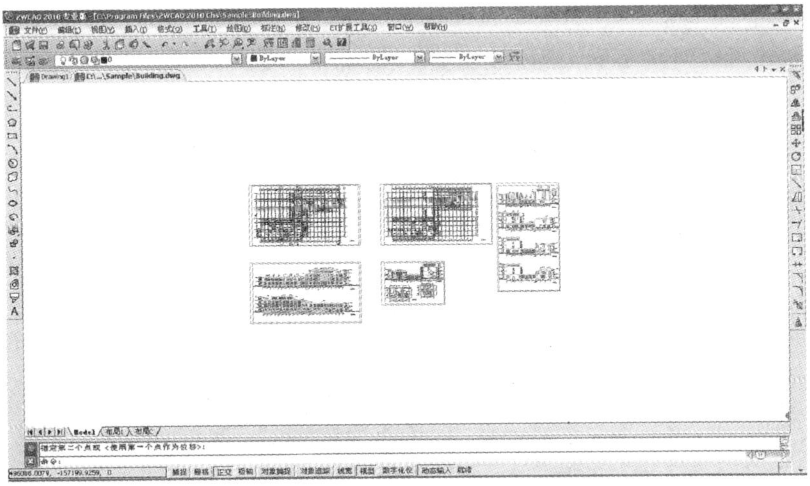

(*a*)

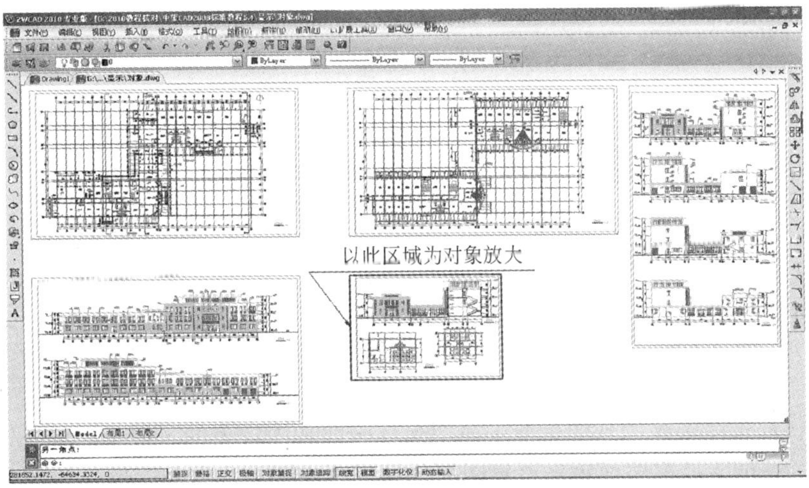


(*b*)

图 7-1(一)

(*a*)打开图纸效果；(*b*)范围缩放效果

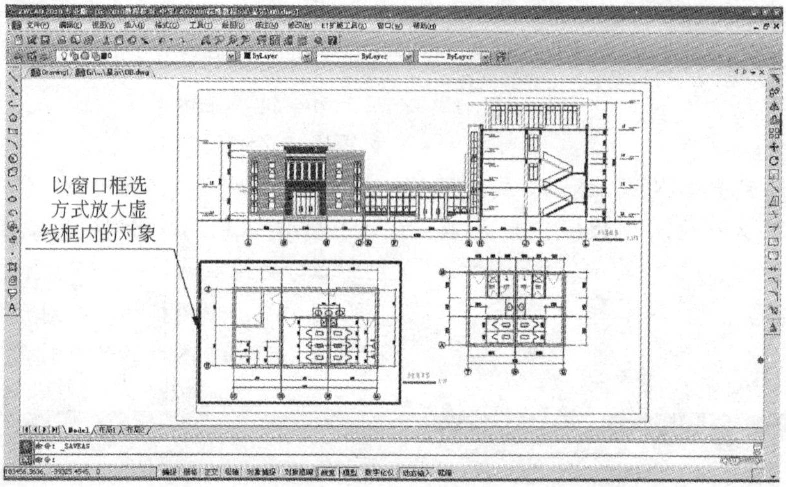


(*c*)

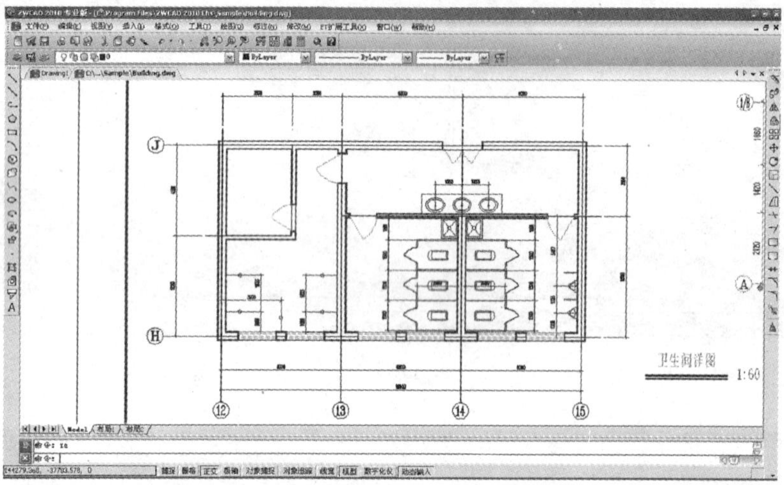


(*d*)

图 7-1(二)

(*c*)对象缩放效果；(*d*)窗口缩放效果

缩放命令的选项介绍如下：

**放大**(I)：将图形放大一倍。在进行放大时，放大图形的位置取决于目前图形的中心在视图中的位置。

**缩小**(O)：将图形缩小一半。在进行缩小时，图形的位置取决于目前图形的中心在视图中的位置。

**全部**(A)：将视图缩放到图形范围或图形界限两者中较大的区域。

**中心**(C)：可通过该选项重新设置图形的显示中心和放大倍数。

**范围**(E)：使当前视口中图形最大限度地充满整个屏幕，此时显示效果与图形界限无关。

**左边**(L)：在屏幕的左下角缩放所需视图。

**前次**(P)：重新显示图形上一个视图，该选项在标准工具栏上有单独的按钮。

**右边**(R)：在屏幕的右上角缩放所需视图。

**窗口**(W)：分别指定矩形窗口的两个对角点，将框选的区域放大显示。

**动态**(D)：可以一次操作中完成缩放和平移。

**比例**(nX/nXP)：可以放大或缩小当前视图，视图的中心点保持不变。输入视图缩放系数的方式有三种：①相对缩放：即输入缩放系数后再输入一个“X”，即是相对于当前可见视图的缩放系数。②相对图纸空间单元缩放：即输入缩放系数后，再输入一个“XP”，使当前视区中的图形相对于当前的图纸空间缩放。③绝对缩放：即直接输入数值，则CAD软件通常以该数值作为缩放系数，并相对于图形的实际尺寸进行缩放。

### 7.2.2　实时缩放

**1. 命令格式**

命令行：Rtzoom

菜单：[视图]→[缩放(Z)]→[实时缩放(R)]

工具栏：[标准]→[实时缩放]

**2. 操作步骤**

执行实时缩放命令，按住鼠标左键，屏幕出现一个放大镜图标，移动放大镜图标即可实现即时动态缩放。按住鼠标左键，向下移动，图形缩小显示；向上移动，图形放大显示；水平左右移动，图形无变化。按下【Esc】键退出命令。

通过滚动鼠标中键(滑轮)，即可实现缩放图形。除此之外鼠标中键还有其他功效，请查看以下列表：

| 鼠标中键(滑轮)操作 | 功能描述 |
| --- | --- |
| 滚动滑轮 | 放大(向前)或缩小(向后) |
| 双击滑轮按钮 | 缩放到图形范围 |
| 按住滑轮按钮并拖动鼠标 | 实时平移(等同于Pan命令功能) |

### 7.2.3　平移

**1. 命令格式**

命令行：Pan(P)

菜单：[视图]→[缩放(Z)]→[实时平移(T)]

工具栏：[视图]→[平移]

平移命令用于指定位移来重新定位图形的显示位置。在有限的屏幕大小中，显示屏幕外的图形使用Pan命令要比Zoom快很多，操作直观且简便。

**2. 操作步骤**

执行该命令，实时位移屏幕上图形，操作过程中，点击鼠标右键显示快捷菜单，可直接切换为缩放、三维动态观察器、窗口缩放、缩放为原窗口和满屏缩放方式，这种切换方式称之为“透明命令”(透明命令指能在其他命令执行过程中执行的命令，透明命令前有一单引号)。

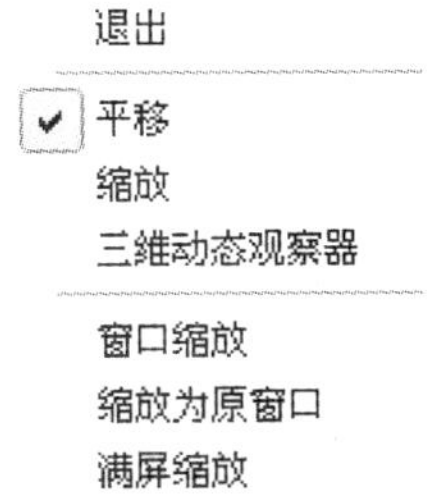


图7-2　执行Pan命令时，右击鼠标的快捷菜单

**3. 注意**

按住鼠标中键(滑轮)即可实现平移，不需要按 Esc 键或者回车键退出平移模式。

## 7.3 鸟 瞰 视 图

**1. 命令格式**

命令行：Dsviewer

菜单：[视图]→[鸟瞰视图(W)]

鸟瞰视图是一种可视化平移和缩放当前视图的方法，像是一个动态缩放功能的加强版。鸟瞰视图是一个与绘图窗口相对独立的窗口，但彼此的操作结果都将在两个窗口中同步显示。

**2. 操作步骤**

在鸟瞰视图窗口中光标呈窗口状，显示缩放的窗口内有一个指明窗口扩展方向的箭头；平移的窗口内是一个“+”标记，操作时可通过点击鼠标左键在两个窗口之间切换，如图 7-3(*a*)；进行框选显示缩放时，在鸟瞰视图视窗内移动鼠标，使光标窗口框住需要放大的区域，点击鼠标右(或按 Enter)键，该区域将在绘图区全屏放大显示，如图 7-3(*b*)所示：

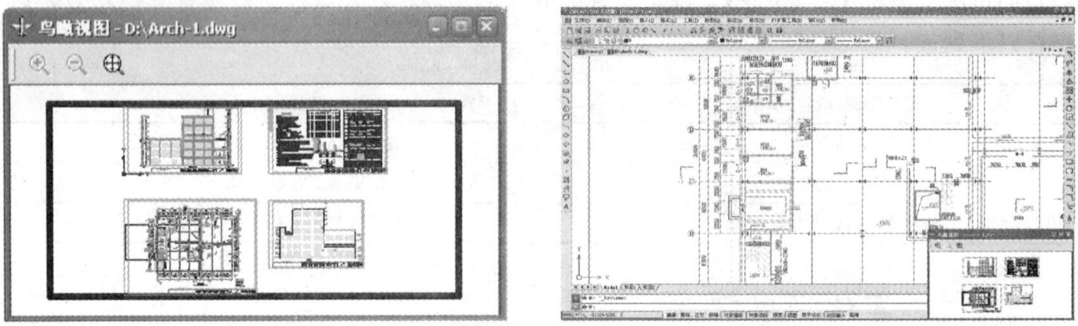


(*a*) (*b*)

图 7-3

(*a*)鸟瞰视图窗口；(*b*)绘图区域新视图显示

鸟瞰视图窗口可以任意移动到绘图区域的任何位置，也能够调整鸟瞰视图窗口的大小，一般使用默认的大小。利用鸟瞰视图可方便、快速定位到需要显示和缩放的部位，常常用于观察大型地形图或复杂图纸的局部细节。

## 7.4 平铺视口与多窗口排列

CAD 软件提供了：模型空间(Model Space)和布局空间(Paper Space)。

模型空间可以绘制二维图形和三维模型，并带有尺寸标注。用 Vports 命令创建视口和视口设置，并可以保存起来，以备日后使用。并且只能打印激活的视口，如果 UCS 图标设置为 ON，该图标就会出现在激活的视口中。

布局空间提供了真实的打印环境，可以即时预览到打印出图前的整体效果，布局空间只能是二维显示。在布局空间中可以创建一个或多个浮动视口，每个视口的边界是实体，可以删除、移动、缩放、拉伸编辑；可以同时打印多个视口及其内容。

## 7.4.1 平铺视口

**1. 命令格式**

命令行：Vports

菜单：[视图]→[视口(V)]

平铺视口可以将屏幕分割为若干个矩形视口，与此同时，可以在不同视口中显示不同角度不同显示模式的视图。

**2. 操作步骤**

用平铺视口将魔方在模型空间中建立三个视口，按如下步骤操作，如图 7-4 所示：

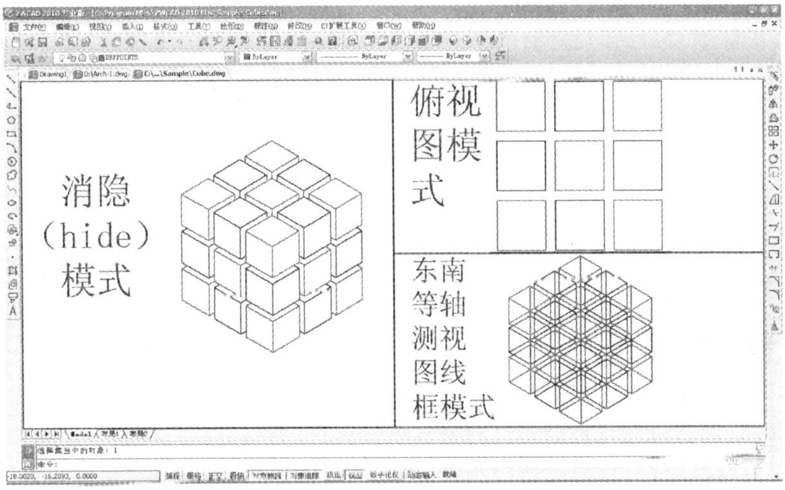


图 7-4 魔术方块的三个平铺视口分别显示的三种不同效果

命令：Vports　　执行 Vports 命令

视口：? 列出/保存(S)/还原(R)/删除(D)/单个(SI)/连结(J)/2/3/4/<3>：3

输入 3　　设置平铺视口数量

三个视口：水平(H)/竖向(V)/上方(A)/下方(B)/左边(L)/<右边(R)>：L

输入 L　　平铺视口配置左边方式

视口命令的选项介绍如下：

列出：列出当前活动视口的视口名以及各个视口的屏幕位置(左上角和右下角坐标值)。

**保存**(S)：将当前视口配置以指定的名称保存，以备日后调用。

**还原**(R)：恢复先前保存过的视口。

**删除**(D)：删除已命名保存的视口设置。

**单个**(SI)：将当前的多个视口合并为单一视口。

**连结**(J)：将两个相邻视口合并成一个。

**2/3/4/**：分别在模型空间中建立 2、3、4 个视口。

### 7.4.2 多窗口排列

**1. 命令格式**

命令行：Syswindows

菜单：［窗口］

窗口排列方式有层叠、水平和垂直平铺、排列图标等方式。

**2. 操作步骤**

当打开了多张图纸时，可以使用层叠、横向排列和竖向排列来布置视图在屏幕中的布局。如果需要查看每个图纸的所在路径或文件名，可以选择下拉菜单“【窗口】→【层叠】”。为了将所有窗口垂直排列，以使它们从左向右排列，可以选择下拉菜单“【窗口】→【垂直平铺】”，窗口的大小将自动调整以适应所提供的空间。如图 7-5 所示：

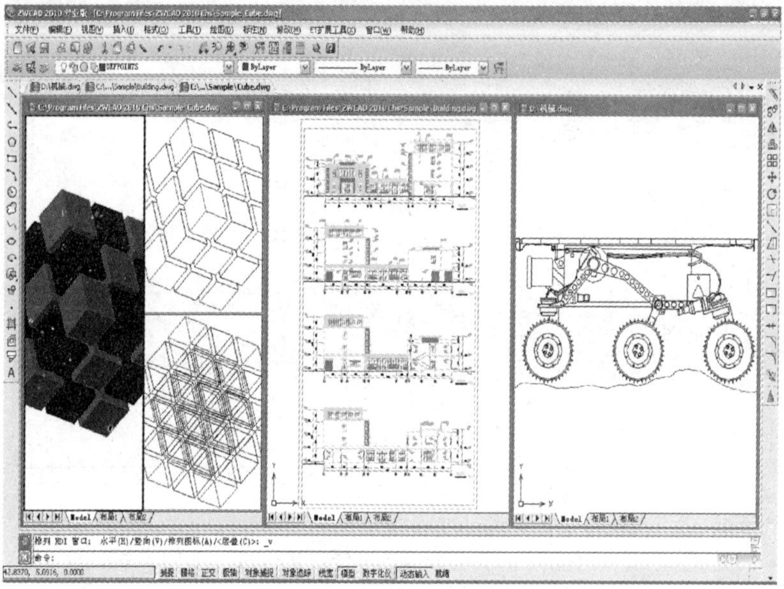

图 7-5　多个图形垂直平铺

**3. 注意**

1）多个视口时，只能对激活的视口进行编辑，激活的视口边框会变宽加粗。

2）可以分别为每一个视图作栅格、实体捕捉、视点方向的设置，还可以为其中的某个视图重新命名，或者在各个视图之间进行操作，甚至为某个视图命名以方便以后使用。

3）可以在一个视口中执行一个命令，切换到另一个视口中结束此命令。

## 7.5 图　　像

用扫描仪、数码相机、航拍所得图片都为光栅图像，光栅图像由于是像素点组成，所以也称为“点阵图或位图”。还有一种类型图像是矢量图，矢量图像也称为“面向对象的图像或绘图图像”，在数学上定义为一系列由线连接的点。因光栅图像文件通常比矢量图形文件小，所以光栅图像相比矢量图缩放和平移速度快。

## 7.5.1　插入光栅图像

### 1. 命令格式

命令行：Imageattach(IAT)

菜单：[插入]→[光栅图像(I)]

CAD 软件支持常见的光栅图像文件，如 bmp、jpg、gif、png、tif、pcx、tga 等类型的光栅图像文件。

### 2. 操作步骤

执行 Imageattach 命令后，打开“选择图像文件”对话框，如图 7-6 所示。

选择所需图像文件后，点击【打开】按钮，弹出“图像”对话框，如图 7-7 所示。

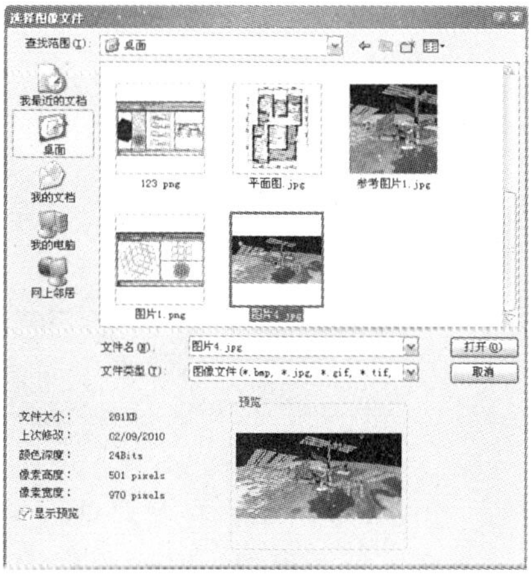


图 7-6　选择图像文件对话框

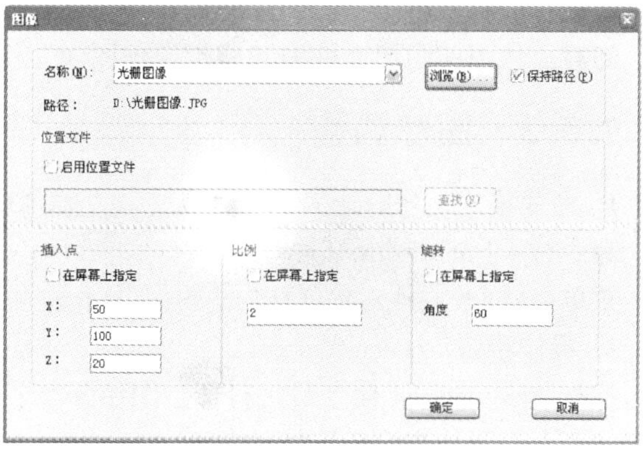


图 7-7　图像(Image)对话框

“图像”对话框的功能选项和操作都与“外部参照”对话框相似。点击【确定】按钮后根据命令行的提示可确定图像的大小。

### 3. 注意✍

光栅图像如果放得太大，就会出现马赛克状的像素点，如果需要放很大的话，需要高质量的分辨率图像。

## 7.5.2　图像管理

### 1. 命令格式

命令行：Image(IM)

菜单：[插入]→[图像管理器(M)]

### 2. 操作步骤

图像管理器可对当前图形中插入的光栅图像进行查看、更新、删除等操作。执行该命令后，打开“图像管理器”对话框，如图 7-8 所示。

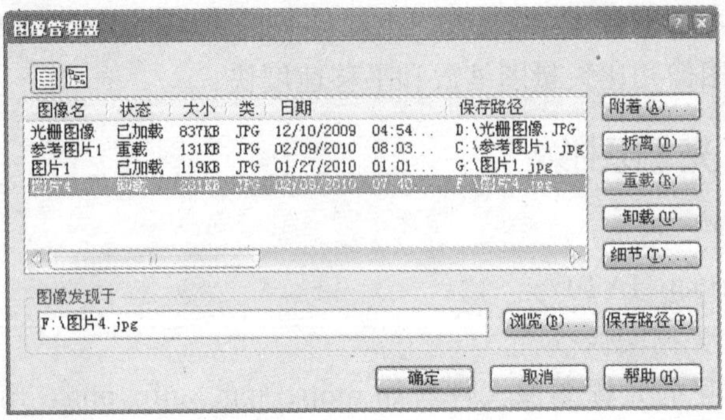


图 7-8 图像管理对话框

列表框中显示当前图形中所有图像名、状态、大小、类型、日期和保存路径等信息。图像管理器的选项介绍如下：

**附着：** 用户可从中选择需要的图像插入到当前绘图区域中。

**拆离：** 从当前图形文件中删除指定的图像文件。

**重载：** 加载最新版本的图像文件，或重载以前被卸载的图像文件。

**卸载：** 从当前图形文件中卸载指定的图像文件，但图像对象不从图形中删除。

## 7.5.3 图像调整

**1. 命令格式**

命令行：Imageadjust(IAD)

菜单：[修改]→[对象(O)]→[图像(I)]→[调整(A)]

**2. 操作步骤**

执行 Imageadjust 命令后，打开“图形调整”对话框，如图 7-9 所示。在此对话框中，可以使用左右滑块来调整图像的亮度、对比度、褪色度。在预览框中可以即时预览到相应效果。此命令只影响图像的显示和打印输出的结果，而不影响原来的光栅图像文件。

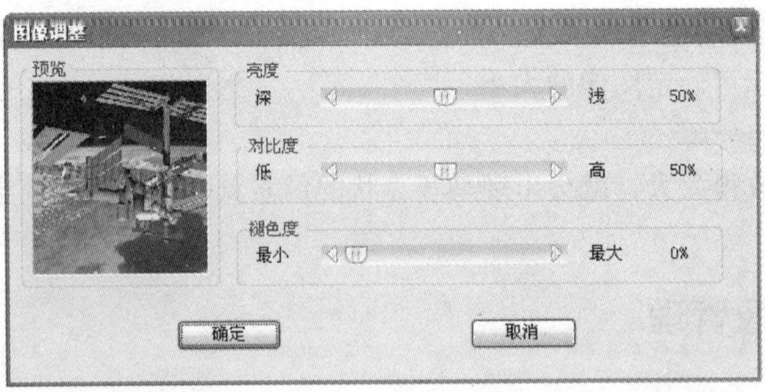


图 7-9 图像调整(Imageadjust)对话框

## 7.5.4 图像质量

**命令格式**

命令行：Imagequality

菜单：[修改]→[对象(O)]→[图像(I)]→[质量(Q)]

图像质量控制图像显示的质量。图像显示的质量将直接影响显示性能，高质量图像降低程序性能。改变此设置后不必重新生成，此命令的改变将影响到图形中所有图像的显示，在打印时都是使用高质量的显示。

## 7.5.5 图像边框

**1. 命令格式**

命令行：Imageframe

菜单：[修改]→[对象(O)]→[图像(I)]→[边框(F)]

图像边框控制当前图纸中的图像边框是否显示和打印。光栅图像不带边框也可显示。一般情况下，用户选择光栅图像是通过点击图像边框来选择的。为了避免意外选择图像，所以需要关闭图像边框。

**2. 注意**

根据不同情况来选择不同的图像边框显示方式，以满足不同的绘图需求。

| Imageframe 参数值 | 对应参数值描述 |
|---|---|
| Imageframe=0 | 不显示也不打印图像边框，此时，不可对图像对象进行选择 |
| Imageframe=1 | 显示并打印图像边框，以便用户选择图像 |
| Imageframe=2 | 显示但不打印边框 |

## 7.5.6 图像剪裁

**1. 命令格式**

命令行：Imageclip(ICL)

菜单：[修改]→[剪裁(C)]→[图像(I)]

为选取的图像对象创建新的剪裁边界。必须在与图像对象平行的平面中指定边界。

**2. 操作步骤**

把图 7-10(*a*)编辑为图 7-10(*b*)，按如下步骤操作，如图 7-10(*b*)所示：

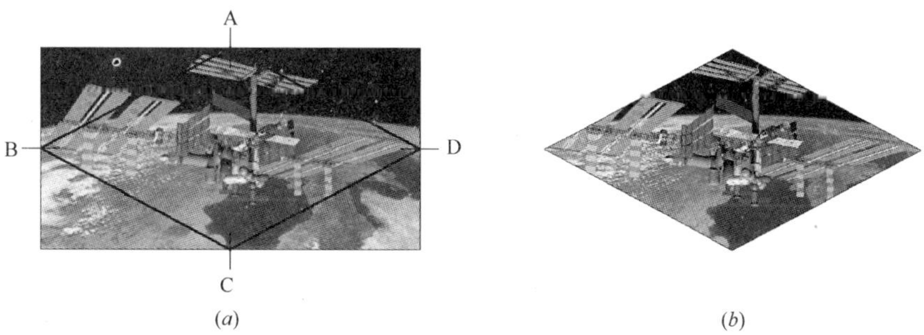


图 7-10

(*a*)图像剪裁前；(*b*)图像剪裁后

命令：Imageclip　　执行 Imageclip 命令

请选择一个图像实体：　　选取图 7-10(*a*)图像

输入图像剪裁选项 开(ON)/关(OFF)/删除(D)/<新建边界(N)>：N
输入 N　　新建一个四边形
请选择剪切边界类型 多边形(P)/<矩形(R)>：p　　输入 P
选择第一个边界点：　　拾取 A 点
指定下一点或［放弃(U)］　　拾取 B 点
指定下一点或［放弃(U)］　　拾取 C 点
指定下一点或：［闭合(C)/放弃(U)］　　拾取 D 点
指定下一点或：［闭合(C)/放弃(U)］：C　　输入 C，闭合 A 和 D 点

## 7.6 绘图顺序

**1. 命令格式**

命令行：Draworder

菜单：［工具］→［绘图顺序(O)］

默认情况下，对象绘制的先后顺序，就决定了对象的显示顺序，Draworder 命令可修改对象的显示顺序，例如把一个对象移到另一个之后。当两个或更多对象相互覆盖时，图形顺序将保证正确的显示和打印输出。例如，如果将光栅图像插入到现有对象上面，就会遮盖现有对象，这时就有必要调整图形顺序。

**2. 操作步骤**

使用 Draworder 命令把图 7-11(*a*)的绘图顺序改为图 7-11(*b*)的显示效果，按如下步骤操作：

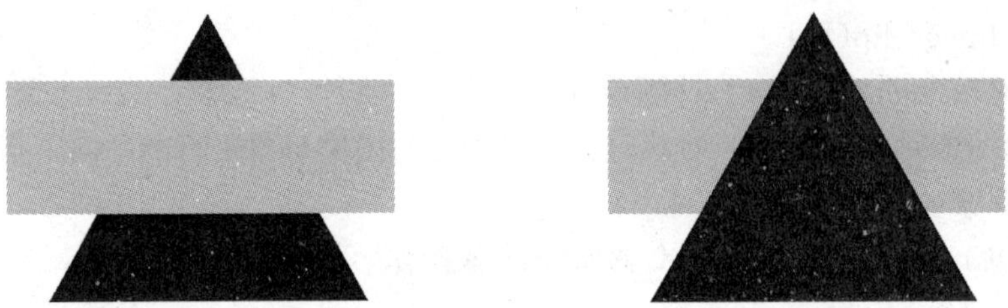

(*a*)　　(*b*)

图 7-11

(*a*)先绘制实心填充三角形后绘制矩形；(*b*)使矩形置于三角形之下

命令：Draworder　　执行 Draworder 命令
选择要改变绘制顺序的对象：　　选择矩形
选择集当中的对象：1
选择要改变绘制顺序的对象：　　右击鼠标
输入对象顺序选项［对象上(A)/对象下(U)/最前(F)/最后(B)］<最后>：U
输入 U　　置于对象之下
选择参照对象：　　选择三角形
选择集当中的对象：1
选择参照对象：　　右击鼠标

# 本　章　小　结

熟练掌握图形的快速缩放、移动来定位图纸对象的显示。灵活应用不同的控制图形显示的工具，学会如何管理图像和控制图像的显示。

# 练　　习

1. 选择题：

(1) 关于 Zoom(缩放)和 Pan(平移)的几种说法，哪一个正确(　　)

A. Zoom 改变实体在屏幕上的显示大小，也改变实体的实际尺寸

B. Zoom 改变实体在屏幕上的显示大小，但不改变实体实际的尺寸

C. Pan 改变实体在屏幕上的显示位置，也改变实体的实际位置

D. Pan 改变实体在屏幕上的显示位置，且坐标值随之改变

(2) 控制是否显示图像边界的命令是？(　　)

A. Imageadjust　　B. Imageclip　　C. Image　　D. Imageframe

(3) 可以将光栅图像的边界剪裁成？(　　)

A. 圆　　B. 椭圆

C. 多边形　　D. 样条线构成的封闭形状

2. 操作题：

打开……\ZWCAD 2010 Chs\Sample\Cube.dwg 例图，先用 vports 命令将现有的三个视口转换为两个竖向视口，并指定左侧以俯视图显示和右侧以西南等轴测视图显示。

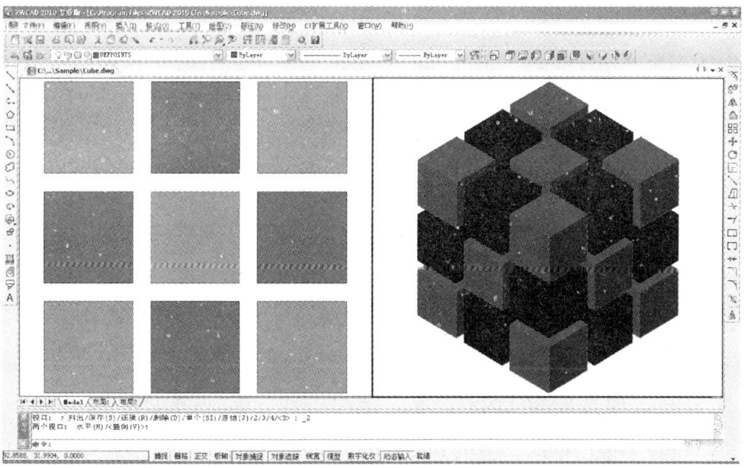

图 7-12　左侧为俯视图，右侧为西南等轴测视图

# 第8章 绘 制 文 字

**本章要点**

- ■ 文字样式的设置
- ■ 单行文本标注
- ■ 多行文本标注
- ■ 特殊字符输入
- ■ 文本编辑
- ■ 快显文本
- ■ 调整文本
- ■ 文本屏蔽
- ■ 对齐旋转加框文本

在绘图过程中，有时需要给图形标注一些恰当的文本说明，使图形更加明白、清楚，从而完整地表达其设计意图。

本章主要学习如何设置字体与样式、输入特殊字符、标注文本、文本编辑等知识，使用户能熟练地在图形中加入文本说明。

## 8.1 文字样式的设置

在CAD 2010中标注的所有文本，都有其文字样式设置。本节主要讲述什么是字体、文字样式以及如何设置文字样式等知识。

### 8.1.1 字体与文字样式

字体是由具有相同构造规律的字母或汉字组成的字库。例如：英文有Roman、Romantic、Complex、Italic等字体；汉字有宋体、黑体、楷体等字体。软件中提供了多种可供定义样式的字体，包括Windows系统Fonts目录下的*.ttf字体和软件中的Fonts目录下支持大字体及西文的*.shx字体。

用户可根据自己需要而定义具有字体、字符大小、倾斜角度、文本方向等特性的文字样式。在CAD软件绘图过程中，所有的标注文本都具有其特定的文字样式，字符大小由字符高度和字符宽度决定。

### 8.1.2 设置文字样式

**1. 命令格式**

命令行：Style/Ddstyle (ST)

菜单：[格式]→[文字样式]

Style 命令用于设置文字样式，包括字体、字符高度、字符宽度、倾斜角度、文本方向等参数的设置。

**2. 操作步骤**

执行 Style 命令后，将出现“字体样式”对话框。

设置新样式为仿宋字体，如图 8-1 所示，其操作步骤如下：

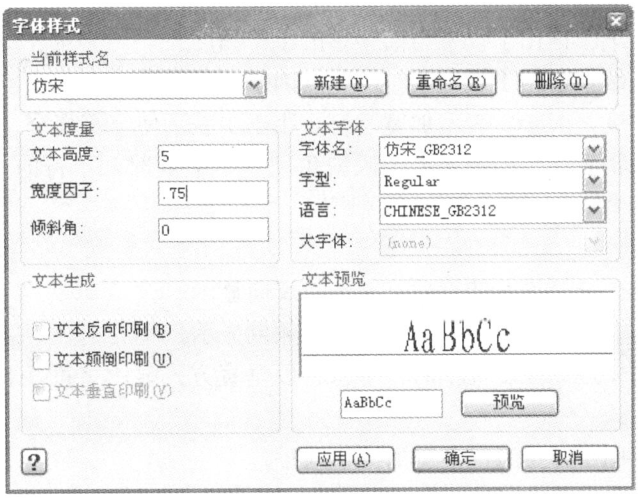


图 8-1　字体样式对话框

| | |
|---|---|
| 命令：Style | 执行 style 命令 |
| 单击“当前样式名”对话框的【新建】按钮 | 系统弹出“新文字样式”对话框 |
| 在对话框中输入“仿宋”，单击【确定】按钮 | 设定新样式名仿宋并回到主对话框 |
| 在文本字体框中选仿宋 _ GB 2312 | 设定新字体仿宋 |
| 在文本度量框中填写 | 设定字体的高度、宽度、角度 |
| 单击【应用】按钮 | 将新样式仿宋加入图形 |
| 单击【确定】按钮 | 完成新样式设置，关闭对话框 |

读者可以自行设置其他的文字样式。图 8-1 对话框中各选项的含义和功能介绍如下：

**当前样式名：**该区域用于设定样式名称，用户可以从该下拉列表框选择已定义的样式或者单击【新建】按钮创建新样式。

**新建：**用于定义一个新的文字样式。单击该按钮，在弹出的“新文字样式”对话框的“样式名称”编辑框中输入要创建的新样式的名称，然后单击【确定】按钮。

**重命名：**用于更改图中已定义的某种样式的名称。在左边的下拉列表框中选取需更名的样式，再单击【确定】按钮，在弹出的“重命名文字样式”对话框的“样式名称”编辑框中输入新样式名，然后单击【确定】按钮即可。

**删除：**用于删除已定义的某样式。在左边的下拉列表框选取需要删除的样式。然后单击【删除】按键按钮，系统将会提示是否删除该样式，单击【确定】按钮表示确定删除，单击【取消】按钮表示取消删除。

**文本字体**：该区域用于设置当前样式的字体、字体格式、字体高度。其内容如下：

**字体名**：该下拉列表框中列出了 Windows 系统的 TrueType(TTF)字体与 CAD 本身所带的字体。用户可在此选一种需要的字体作为当前样式的字体。

**字型**：该下拉列表框中列出了字体的几种样式，比如常规、粗体、斜体等字体。

用户可任选一种样式作为当前字型的字体样式。

**大字体**：选用该复选框，用户可使用大字体定义字型。

**文本度量**：

**文本高度**：该编辑框用于设置当前字型的字符高度。

**宽度因子**：该编辑框用于设置字符的宽度因子，即字符宽度与高度之比。取值为 1 表示保持正常字符宽度，大于 1 表示加宽字符，小于 1 表示使字符变窄。

**倾斜角**：该编辑框用于设置文本的倾斜角度。大于 0°时，字符向右倾斜；小于 0°时，字符向左倾斜。

**文本生成**：

**文本反向印刷**：选择该复选框后，文本将反向显示。

**文本颠倒印刷**：选择该复选框后，文本将颠倒显示。

**文本垂直印刷**：选择该复选框后，字符将以垂直方式显示字符。True Type 字体不能设置为垂直书写方式。

**预览**：该区域用于预览当前字型的文本效果。

设置完样式后可以单击【应用】按钮将新样式加入当前图形。完成样式设置后，单击【确定】按钮，关闭字体样式对话框。

**3. 注意**✍

1) CAD 2010 中，软件的图形所有的文本都有其对应的文字样式。系统缺省样式为 Standard 样式，用户需预先设定文本的样式，并将其指定为当前使用样式，系统才能将文字按用户指定的文字样式写入字形中。

2) 更名(Rename)和删除(Delete)选项对 Standard 样式无效。图形中已使用样式不能被删除。

3) 对于每种文字样式而言，其字体及文本格式都是唯一的，即所有采用该样式的文本都具有统一的字体和文本格式。如果想在一幅图形中使用不同的字体设置，则必须定义不同的文字样式。对于同一字体，可将其字符高度、宽度因子、倾斜角度等文本特征设置为不同，从而定义成不同的字型。

4) 可用 Change 或 Ddmodify 命令改变选定文本的字型、字体、字高、字宽、文本效果等设置，也可选中要修改的文本后单击鼠标右键，在弹出的快捷菜单中选择属性设置，改变文本的相关参数。

## 8.2 单行文本标注

**1. 命令格式**

命令行：Text

菜单：[绘图]→[文字]→[单行文字]

工具栏：［文字］→［单行文字］

Text 可为图形标注一行或几行文本，每一行文本作为一个实体。该命令同时可以设置文本的当前样式、旋转角度(Rotate)、对齐方式(Justify)和字高(Resize)等。

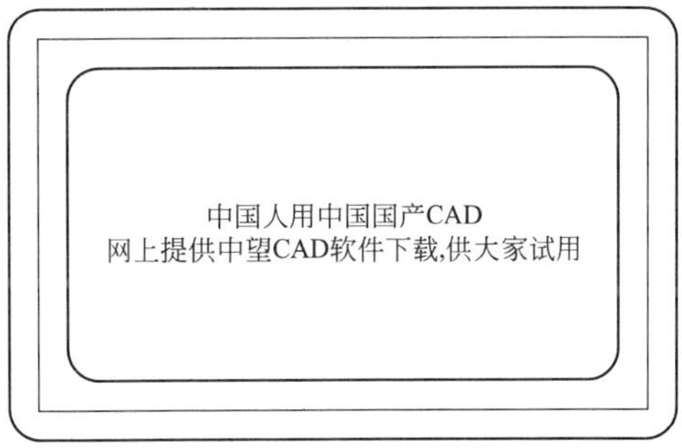


图 8-2 用 Text 命令标注文本

**2. 操作步骤**

用 Text 命令在图 8-2 中标注文本，采用 8.1.2 节设置新字体的方法，中文采用仿宋字型，其操作步骤如下：

命令：Text　　执行 Text 命令

文字：对正(J)/样式(S)/＜起点＞：s　　选择样式选项

? 列出有效的样式/＜文字样式＞ ＜STYLE1＞：仿宋　　设定当前字型为仿宋

文字：样式(S)/对齐(A)/拟合(F)/中心(C)/中间(M)/右边(R)/调整(J)/＜起点＞：J

输入 J　　选择调整选项

文字：样式(S)/对齐(A)/拟合(F)/中心(C)/中间(M)/右边(R)/左中(TL)/顶部中心(TC)/右中(TR)/左中(ML)/中心(MC)/右中(MR)/左下(BL)/底部中心(BC)/右下(BR)/＜起点＞：MC

输入 MC　　选择 MC(中心)对齐方式

文字中心点：

拾取文字中心点　　设置文本中心点与拾取中心对齐

文字旋转角度 ＜180＞：0　　设置文字旋转角度为 0°

文字：中国人用中国国产 CAD……　　输入标注文本

命令：　　按回车键结束文本输入

以上各项提示的含义和功能说明如下：

**样式**(S)：此选项用于指定文字样式，即文字字符的外观。执行选项后，系统出现提示信息“? 列出有效的样式/＜文字样式＞ ＜Standard＞:”输入已定义的文字样式名称或单击回车键选用当前的文字样式；也可输入“?”，系统提示“输入要列出的文字样式 ＜*＞:”，单击回车键后，屏幕转为文本窗口列表显示图形定义的所有文字样式名、字体文件、高度、宽度比例、倾斜角度、生成方式等参数。

**拟合**(F)：标注文本在指定的文本基线的起点和终点之间保持字符高度不变，通过调整字符的宽度因子来匹配对齐。

**对齐**(A)：标注文本在用户的文本基线的起点和终点之间保持字符宽度因子不变，通过调整字符的高度来匹配对齐。

**中心**(C)：标注文本中点与指定点对齐。

**中间**(M)：标注文本的文本中心和高度中心与指定点对齐。

**右边**(R)：在图形中指定的点与文本基线的右端对齐。

**左上**(TL)：在图形中指定的点与标注文本顶部左端点对齐。

**中上**(TC)：在图形中指定的点与标注文本顶部中点对齐。

**右上**(TR)：在图形中指定的点与标注文本顶部右端点对齐。

**左中**(ML)：在图形中指定的点与标注文本左端中间点对齐。

**正中**(MC)：在图形中指定的点与标注文本中部中心点对齐。

**右中**(MR)：在图形中指定的点与标注文本右端中间点对齐。

**左下**(BL)：在图形中指定的点与标注文本底部左端点对齐。

**中下**(BC)：在图形中指定的点与字符串底部中点对齐。

**右下**(BR)：在图形中指定的点与字符串底部右端点对齐。

ML、MC、MR 三种对齐方式中所指的中点均是文本大写字母高度的中点，即文本基线到文本顶端距离的中点；Middle 所指的文本中点是文本的总高度(包括如 j、y 等字符的下沉部分)的中点，即文本底端到文本顶端距离的中点，如图 8-3 所示。如果文本串中不含 j、y 等下沉字母，则文本底端线与文本基线重合，MC 与 Middle 相同。

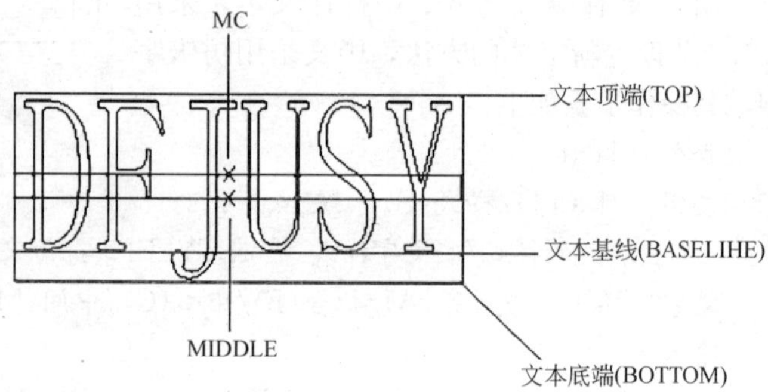


图 8-3　文本底端到文本顶端距离的中点

**3. 注意**

1) 在“? 列出有效的样式/<文字样式> <Standard>：”提示后输入“?”，需列出清单的直接回车，系统将在文本窗口中列出当前图形中已定义的所有字型名及其相关设置。

2) 用户在输入一段文本并退出 Text 命令后，若再次进入该命令(无论中间是否进行了其他命令操作)将继续前面的文字标注工作，上一个 Text 命令中最后输入的文本将呈高亮显示，且字高、角度等文本特性将沿用上次的设定。

## 8.3　多行文本标注

**1. 命令格式**

命令行：Mtext(MT、T)

菜单：[绘图]→[文字]→[多行文字]

工具栏：[绘图]→[多行文字] A

MTEXT 可在绘图区域用户指定的文本边界框内输入文字内容，并将其视为一个实体。此文本边界框定义了段落的宽度和段落在图形中的位置。

**2. 操作步骤**

在绘图区标注一段文本，结果如图 8-4 所示，其操作步骤如下：

命令：Mtext　　执行 Mtext 命令

多行文字：字块第一点：在屏幕上拾取一点　　选择段落文本边界框的第一角点

对齐方式(J)/旋转(R)/样式(S)/字高(H)/方向(D)/字宽(W)/<字块对角点>：s

输入 S　　重新设定样式

字型(或‘?’)<Standard>：仿宋　　选择仿宋为当前样式

对齐方式(J)/旋转(R)/样式(S)/字高(H)/方向(D)/字宽(W)/<字块对角点>：拾取另一点

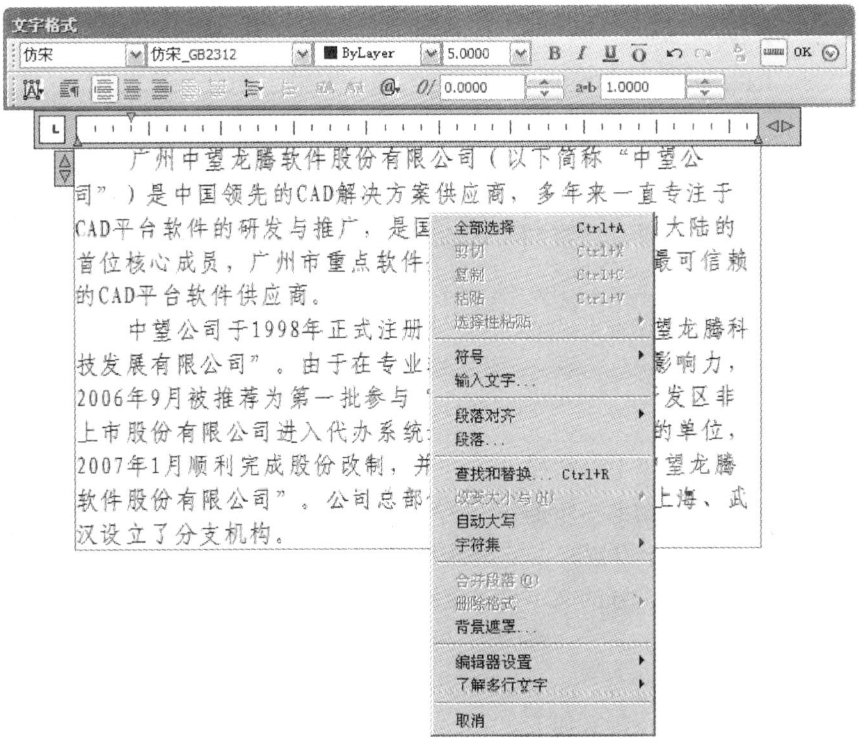

图 8-4 多行文字编辑对话框及右键菜单

选择字块对角点，弹出对话框输入汉字“广州中望龙腾股份有限公司……”(此处略)。

单击【OK】按钮结束文本输入。

软件还支持多行文字的“所见即所得”效果。也就是说在编辑对话框中看到显示效果与图形中文字的实际效果完全一致，并支持在编辑过程中使用鼠标中键进行缩放和平移。

由以往的多行文字编辑器改造为在位文字编辑器，对文字编辑器的界面进行了重新部署。新的在位文字编辑器包括三个部分：文字格式工具栏、菜单选项和文字格式选项栏。增强了对多行文字的编辑功能，比如上划线、标尺、段落对齐、段落设置等。

对话框中部分按钮和设置的简单说明如图 8-5 所示。其他主要选项的含义和功能说明如下：

**样式：**为多行文字对象选择文字样式。

**字体：**用户可以从该下拉列表框中任选一种字体修改选定文字或为新输入的文字指定字体。

**颜色：**用户可从颜色列表中为文字任意选择一种颜色，也可指定 BYLAYER 或 BYBLOCK 的颜色，使之与所在图层或所在块相关联。或在颜色列表中选择“其他颜色”开启“选择颜色”对话框，选择颜色列表中没有的颜色。

**字高：**设置当前字体高度。可在下拉列表框中选取，也可直接输入。

**【B】【I】【U】【O】加黑/倾斜/加下划线/加上划线：**三个开关按钮用于设置当前标注文本是否加黑、倾斜、加下划线、加上划线。

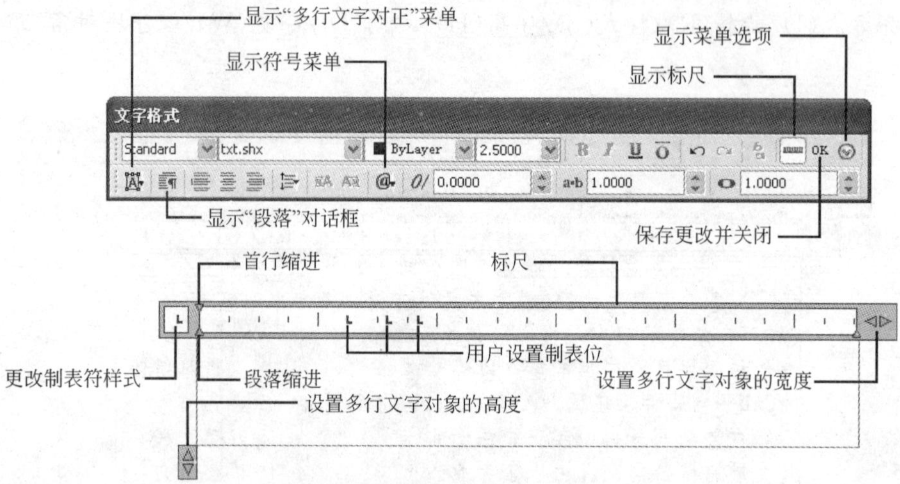


图 8-5　多行文字编辑对话框

**撤消**：该按钮用于撤消上一步操作。

**重做**：该按钮用于重做上一步操作。

**(堆叠)**：该按钮用于设置文本的重叠方式。只有在文本中含有"/"、"^"、"#"三种分隔符号，且含这三种符号的文本被选定时，该按钮才被执行。

在文字输入窗口中右击鼠标，将弹出一个快捷菜单，利用它可以对多行文本进行更多的设置，如图 8-4 所示。

该快捷菜单中的各命令意义如下：

**全部选择**：选择"在位文字编辑器"文本区域中包含的所有文字对象。

**选择性粘贴**：粘贴时可以会清除某些格式。用户可以根据需要，将粘贴的内容做出相应的格式清除，以达到期望的结果。

**无字符格式粘贴**：清除粘贴文本的字符格式，仅粘贴字符内容和段落格式，无字体颜色，字体大小，粗体，斜体，上下划线等格式。

**无段落格式粘贴**：清除粘贴文本的段落格式，仅粘贴字符内容和字符格式，无制表位，对齐方式，段落行距，段落间距，左右缩进，悬挂等段落格式。

**无任何格式粘贴**：粘贴进来的内容只包含可见文本，既无字符格式也无段落格式。

**符号**：选择该命令中的子命令，可以在标注文字时输入一些特殊的字符，例如"∅"、"°"等。

**输入文字**：选择该命令，可以打开"选择文件"对话框，利用该对话框可以导入在其他文本编辑中创建的文字。

**段落对齐**：设置多行文字对象的对齐方式。

**段落**：设置段落的格式。

**查找和替换**：在当前多行文字编辑器中的文字中搜索指定的文字字段并用新文字替换。但要注意的是，替换的只是文字内容，字符格式和文字特性不变。

**改变大小写**：改变选定文字的大小写。可以选择"大写"和"小写"。

**自动大写**：设置即将输入的文字全部为大写。该设置对已存在的文字没有影响。

**字符集：**字符集中列出了平台所支持的各种语言版本。用户可根据实际需要，为选取的文字指定语言版本。

**合并段落：**选择该命令，可以合并多个段落。

**删除格式：**选择该命令，可以删除文字中应用的格式，例如：加粗、倾斜等。

**背景遮罩：**打开“背景遮罩”对话框，为多行文字对象设置不透明背景。

**堆叠/非堆叠：**为选定的文字创建堆叠，或取消包含堆叠字符文字的堆叠。此菜单项只在选定可堆叠或已堆叠的文字时才显示。

**堆叠特性：**打开“堆叠特性”对话框。编辑堆叠文字、堆叠类型、对齐方式和大小。此菜单项只在选定已堆叠的文字时才显示。

**编辑器设置：**显示“文字格式”工具栏的选项列表。

**始终显示为 WYSIWYG**(所见即所得)**：**控制在位文字编辑器及其中文字的显示。

**显示工具栏：**控制“文字格式”工具栏的显示。要恢复工具栏的显示，请在“在位文字编辑器”的文本区域中点击鼠标右键，并依次单击“编辑器设置”→“显示工具栏”。

**显示选项：**控制“文字格式”工具栏下的“文字格式”选项栏的显示。选项栏的显示是基于“文字格式”工具栏的。

**显示标尺：**控制标尺的显示。

**不透明背景：**设置编辑框背景为不透明，背景色与界面视图中背景色相近，用来遮挡编辑器背后的实体。默认情况下，编辑器是透明的。

**注意**　选中“始终显示为 WYSIWYG”项时，此菜单项才会显示。

**弹出切换文字样式提示：**当更改文字样式时，控制是否显示应用提示对话框。

**弹出退出文字编辑提示：**当退出在位文字编辑器时，控制是否显示保存提示的对话框。

**了解多行文字：**显示在位文字编辑器的帮助菜单，包含多行文字功能概述。

**取消：**关闭“在位文字编辑器”，取消多行文字的创建或修改。

**3. 注意**✍

1）Mtext 命令与 Text 命令有所不同，Mtext 输入的多行段落文本是作为一个实体，只能对其进行整体选择、编辑；Text 命令也可以输入多行文本，但每一行文本单独作为一个实体，可以分别对每一行进行选择、编辑。Mtext 命令标注的文本可以忽略字型的设置，只要用户在文本标签页中选择了某种字体，那么不管当前的字型设置采用何种字体，标注文本都将采用用户选择的字体。

2）用户若要修改已标注的 Mtext 文本，可选取该文本后，单击鼠标右键，在弹出的快捷菜单中选“参数”项，即弹出“对象属性”对话框进行文本修改。

3）输入文本的过程中，可对单个或多个字符进行不同的字体、高度、加粗、倾斜、下划线、上划线等设置，这点与文字处理软件相同。其操作方法是：按住并拖动鼠标左键，选中要编辑的文本，然后再设置相应选项。

## 8.4 特殊字符输入

**1. 功能描述**

在标注文本时，常常需要输入一些特殊字符，如上划线、下划线、直径、度数、公差符号和百分比符号等。多行文字可以用上/下划线按钮及右键菜单中的“符号”菜单来实现。针对单行文字(Text)，CAD 软件提供了一些带两个百分号(%%)的控制代码来生成这些特殊符号。表 8-1 列出了一些特殊字符的控制代码及其含义说明。

**2. 特殊字符说明**

**特殊字符的输入及其含义说明　　表 8-1**

| 特殊字符 | 代码输入 | 说　明 |
|---|---|---|
| ± | %%P | 公差符号 |
| — | %%O | 上划线 |
| — | %%U | 下划线 |
| % | %%% | 百分比符号 |
| Φ | %%C | 直径符号 |
| ° | %%D | 角度 |
| | %%nnn | nnn 为 ASCII 码 |

**3. 操作步骤**

用 Text 命令输入几行包含特殊字符的文本，如图 8-6 所示，其操作步骤如下：

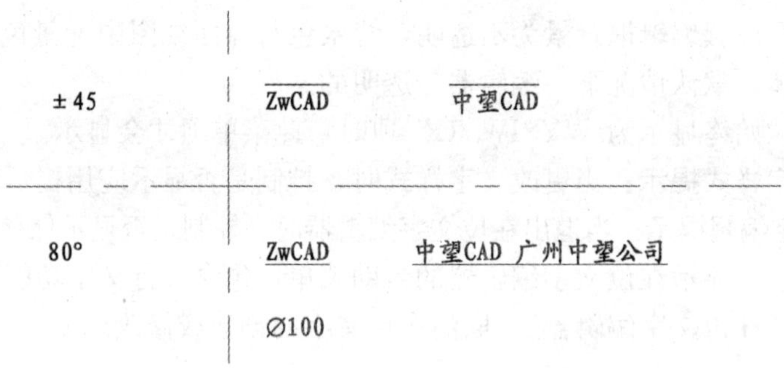


图 8-6　用 Text 命令输入特殊字符的文本

命令：Text　　执行 text 命令
文字：对正(J)/样式(S)/<起点>：S　　选择更改文字样式
? 列出有效的样式/<文字样式> <仿宋>：　　选用仿宋字型
文字：对正(J)/样式(S)/<起点>：　　在屏幕上拾取一点来确定文字起点
字高 <11.3152>：10　　设置文字大小
文字旋转角度 <0>：　　回车接受默认不旋转
文字：%%p45　　输入文本
命令：Text　　执行 text 命令
文字：对正(J)/样式(S)/<起点>：　　确定文字起点
字高 <10>：　　回车接受默认字高
文字旋转角度 <0>：　　回车接受默认不旋转
文字：80%%d　　输入文本
同样方法，在提示“文字:”后，分别输入：
%%oZwCAD%%o

%%oCAD%%o

%%uZwCAD%%u

%%u 中望 CAD 广州中望公司%%u

%%c100

即为如图 8-6 所示的特殊字符的文本。

**4. 注意✍**

1）如果输入的“%%”后如无控制字符(如 c、p、d)或数字，系统将视其为无定义，并删除“%%”及后面的所有字符；如果用户只输入一个“%”，则此“%”将作为一个字符标注于图形中。

2）上下划线是开关控制，输入一个%%O(%%u)开始上(下)划线，再次输入此代码则结束，如果一行文本中只有一个划线代码，则自动将行尾作为划线结束处。

**5. 其余特殊字符代码输入**

%%36　$

%%37　%

%%38　&

%%39　‘　单引号

%%40　(　左括号

%%41　)　右括号

%%42　*　乘号

%%43　+　加号

%%44　,　逗号

%%45　-　减号

%%46　。　句号

%%47　/　除号

%%48～57　数字 0～9

%%58　:　冒号

%%59　;　分号

%%60　<　小于号

%%61　=　等于号

%%62　>　大于号

%%63　?　问号

%%64　@

%%65～90　A～Z 大写 26 个字母

%%91　[

%%92　\　反斜杠

%%93　]

%%94　^

%%95　_

%%96　‘　单引号

%%97～122　a～z 小写 26 个字母

%%123　{　左大括号

%%124　|

%%125　}　右大括号

%%126　～

## 8.5 文　本　编　辑

**1. 命令格式**

命令行：Ddedit (ED)

工具栏：[文字]→[编辑文字]

Ddedit 命令可以编辑、修改、标注文本的内容，如增减或替换 Text 文本中的字符、编辑 Mtext 文本或属性定义。

**2. 操作步骤**

用 Ddedit 命令将图 8-7 所示 text 命令标注的字加上“让设计的感觉更好”，其操作步骤如下：

命令：Ddedit　　　　执行 Ddedit 命令

选取修改对象：　　　　选取要编辑的文本

选取文本后，该单行文字自动进入编辑状态，单行文字在 CAD 软件中也支持“所见即所得”，如图 8-7 所示。

用鼠标选在字符串“中望 CAD 中国人自己的 CAD”的后面，然后输入“让设计的感觉更好”，然后回车或鼠标点击其他地方，即可完成修改。如图 8-8 所示。

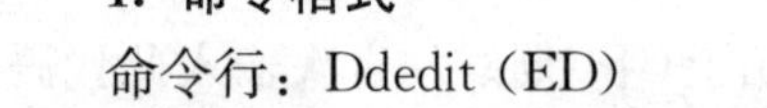


图 8-7　编辑文字




图 8-8　输入文字

**3. 注意**

1) 用户可以双击一个要修改的文本实体，然后直接对标注文本进行修改。也可以在选择后单击鼠标右键，在弹出的快捷菜单中选择“编辑”。

2) 软件还支持完善多行文字对多国语言的输入。对于跨语种协同设计的图纸，图中的文字对象可以分别以多种语言同时显示，极大方便了图纸在不同国家之间顺畅交互。

## 8.6 快　显　文　本

**1. 命令格式**

命令行：Qtext

Qtext 命令可设置文本快速显示，当图形中采用了大量的复杂构造文字时会降低 Zoom、Redraw 等命令的速度，Qtext 命令可采用外轮廓线框来表示一串字符，对字符本身不与显示，这样就可以大大提高图形的重新生成速度。

**2. 操作步骤**

将文本快显方式打开，然后重新显示图 8-9(*a*)所示的文本，结果如图 8-9(*b*)所示，其操作步骤如下：

(*a*)　　(*b*)

图 8-9　文本快显方式

| | |
|---|---|
| 命令：Qtext | 执行 qtext 命令 |
| QTEXTMODE 已经关闭：打开(ON)/切换(T)/<关闭>：ON | 文本快显打开 |
| 命令：regen | 图形重新生成 |

**3. 注意**✍

1）绘图时，可用简体字型输入全部文本，待最后出图时，再用复杂的字体替换，这样可加快缩放(Zoom)、重画(Redraw)及重生成(Regen)的速度。

2）在标注文本时可以采用 Qtext 命令来实现文本快显，在打印文件时应该将文本快显设置关掉，否则打印出的文本将是一些外轮廓框线。

# 8.7　调　整　文　本

**1. 命令格式**

命令行：Textfit

菜单：[ET 扩展工具]→[文本工具]→[调整文本]

工具栏：[文本工具]→[调整文本]

Textfit 命令可使 Text 文本在字高不变的情况下，通过调整宽度，在指定的两点间自动匹配对齐。对于那些需要将文字限制在某个范围内的注释可采用该命令编辑。

**2. 操作步骤**

用 Textfit 命令将图 8-10(*a*)所示文本移动并压缩至与椭圆匹配，结果如图 8-10(*b*)所示。其操作步骤如下：

(*a*)　　(*b*)

图 8-10　用 Textfit 命令将文本调整与椭圆匹配

| | |
|---|---|
| 命令：Textfit | 执行 textfit 命令 |
| 请选择要编辑的文字：点取图(*a*)中的文本 | 选取要编辑的文本 |

请输入文字长度或选择终点：鼠标点取或直接输入数字

**3. 注意**

1）文本的拉伸或压缩只能在水平方向进行。如果指定对齐的两点不在同一水平线上，系统会自动测量两点间的距离，并以此距离在水平方向上的投影长作为基准进行拉伸或缩放。

2）该命令只对 Text 文本有效。

## 8.8 文 本 屏 蔽

**1. 命令格式**

命令行：Textmask

菜单：[ET 扩展工具]→[文本工具]→[文本屏蔽]

工具栏：[文本工具]→[文本屏蔽]

Textmask 命令可在 Text 或 Mtext 命令标注的文本后面放置一个遮罩，该遮罩将遮挡其后面的实体，而位于遮罩前的文本将保留显示。采用遮罩，实体与文本重叠相交的地方，实体部分将被遮挡，从而使文本内容容易观察，使图纸看起来清楚而不杂乱。

**2. 操作步骤**

用 Textmask 命令将图 8-11(*a*)中与"Textmask"重叠的部分图形用于屏蔽挡住，如图 8-11(*b*)所示。其操作步骤如下：

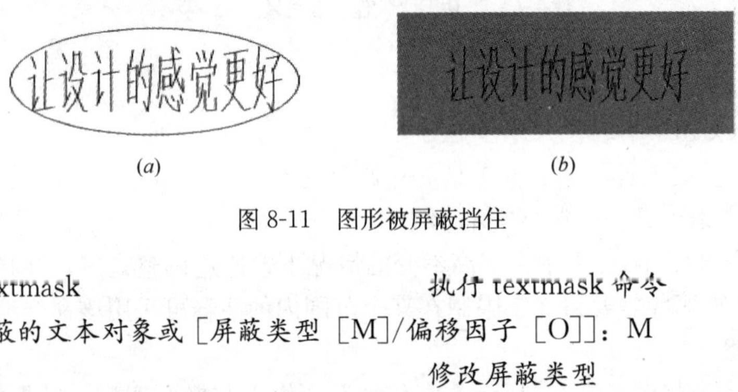


(*a*)　　(*b*)

图 8-11　图形被屏蔽挡住

命令：Textmask　　执行 textmask 命令

选择要屏蔽的文本对象或 [屏蔽类型 [M]/偏移因子 [O]]：M　　修改屏蔽类型

指定屏蔽使用的实体类型 [Wipeout/3dface/Solid] <Wipeout>：S　　选择 solid 的屏蔽类型

弹出索引颜色对话框　　选择 7 洋红颜色

选择要屏蔽的文本对象或 [屏蔽类型 [M]/偏移因子 [O]]：点取图(*a*)文本　　选取要屏蔽的文本

以上各项提示的含义和功能说明如下：

**屏蔽类型**：设置屏蔽方式，其选项如下：

**Wipeout**：以 Wipeout(光栅图像)屏蔽选定的文本对象。

**3dface**：以 3dface 屏蔽选定的文本对象。

**Solid**：用指定背景颜色的 2D SOLID 屏蔽文本。

**偏移因子：**该选项用于设置矩形遮罩相对于标注文本向外的偏移距离。偏离距离通过输入文本高度的倍数来决定。

**3. 注意**

1）文本与其后的屏蔽共同构成一个整体，将一起被移动、复制或删除。用Explode命令可将带屏蔽的文本分解成文本和一个矩形框。

2）带屏蔽的文本仍可用Ddedit命令进行文本编辑，文本编辑更新后仍保持原有屏蔽文本的形状和大小。

# 8.9　解　除　屏　蔽

**1. 命令格式**

命令行：Textunmask

菜单：[ET扩展工具]→[文本工具]→[解除屏蔽]

Textunmask命令与Textmask命令相反，它将取消文本的屏蔽。

**2. 操作步骤**

用Textunmask将图8-12(*a*)文本屏蔽取消，如果如图(*b*)所示。操作步骤如下：

| | |
|---|---|
| 命令：Textunmask | 执行：Textunmask命令 |
| 选择要移除屏蔽的文本或多行文本对象 | 提示选取要解除的文本 |
| 选择对象：窗选对象 | 用窗选方法选择对象 |
| 指定对角点：找到1个 | 系统提示选择的对象数 |
| 选择对象： | 结束命令结果如图8-12(*b*)所示 |

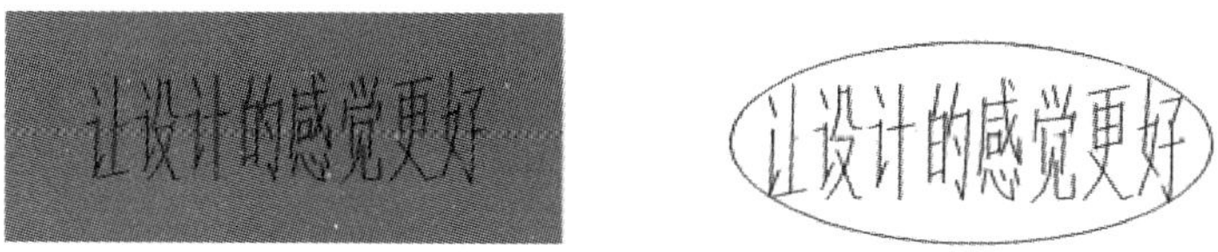


(*a*)　　(*b*)

图8-12　文本的屏蔽被取消

# 8.10　对　齐　文　本

命令行：Tjust

菜单：[ET扩展工具]→[文本工具]→[对齐方式]

用来快速更改文字的对齐。

# 8.11　旋　转　文　本

**1. 命令格式**

命令行：Torient

菜单：[ET 扩展工具]→[文本工具]→[旋转文本]

用来快速旋转文字。

**2. 操作步骤**

将图 8-13(*a*)所示文字，转换成如图(*b*)所示。其操作步骤如下：

(*a*) (*b*)

图 8-13 旋转文本效果

| | |
|---|---|
| 命令：Torient | 执行 torient 命令 |
| 选择对象：点选文字 | 选择欲旋转的文本 |
| 选择集当中的对象：1 | 提示选中的对象数 |
| 新的绝对旋转角度 <最可读>：0 | 输入绝对旋转角度 |
| 一个对象被修改： | 回车后结果如图(*b*) |

## 8.12 文 本 外 框

**1. 命令格式**

命令行：Tcircle

菜单：[ET 扩展工具]→[文本工具]→[文本外框]

以圆、矩形或圆槽来快速画出文本外框(圈字图形)。

**2. 操作步骤**

将图 8-14 所示文字，用圆和双头圆弧作为文字外框。其操作步骤如下：

| | |
|---|---|
| 命令：Tcircle | 执行 tcircle 命令 |
| 选择对象：点选文字 | 选择欲加外框的文本 |
| 选择集当中的对象：1 | 提示选中的对象数 |
| 输入偏移距离伸缩因子 <0.35>：0.2 | 输入偏移距离伸缩因子 |
| 选择包围文本的对象 [圆(C)/圆槽(S)/矩形(R)] <圆槽(S)>：c. | 选择包围文本的外框 |
| 用固定或可变尺寸创建 circles [固定(C)/可变(V)] <可变(V)>： | 选择可变尺寸创建 circles 回车后结果如图 8-14 左下图 |
| 命令：Tcircle | 执行 tcircle 命令 |
| 选择对象：点选文字 | 选择欲加外框的文本 |
| 选择集当中的对象：1 | 提示选中的对象数 |
| 输入偏移距离伸缩因子 <0.35>：0.2 | 输入偏移距离伸缩因子 |
| 选择包围文本的对象 [圆(C)/圆槽(S) | 选择包围文本的外框 |

/矩形(R)] <圆槽(S)>：s

| | |
|---|---|
| 用固定或可变尺寸创建 slots [固定(C)/可变(V)] <可变(V)>： | 选择可变尺寸创建 slots 回车后结果如图 8-14 右上图 |
| 同理，选矩形(R)项 | 结果如图 8-14 右下图 |

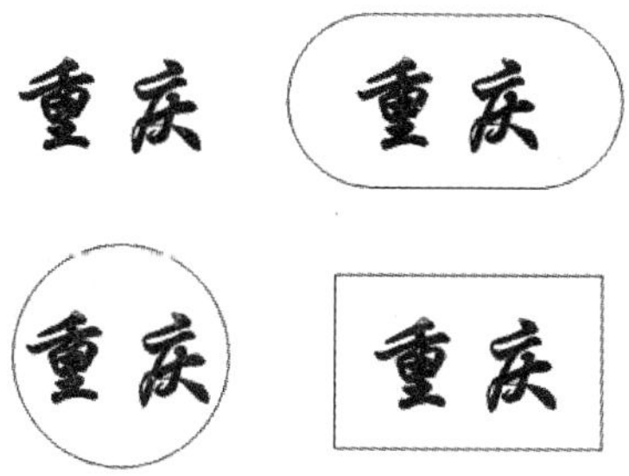


图 8-14 用圆、圆槽、矩形作文字外框

## 8.13 自 动 编 号

**1. 命令格式**

命令行：Tcount

菜单：[ET 扩展工具]→[文本工具]→[自动编号]

选择几行文字后，再为字前或字后自动加注指定增量值的数字。

**2. 操作步骤**

执行 Tcount 命令，系统提示选择对象，确定选择对象的方式并指定起始编号和增量(如图 8-16 中：1，1 或 1，2)，然后，选择在文本中放置编号的方式，图 8-15 为选择的几行文字，图 8-16 为执行 Tcount 命令后的三种放置编号的方式。

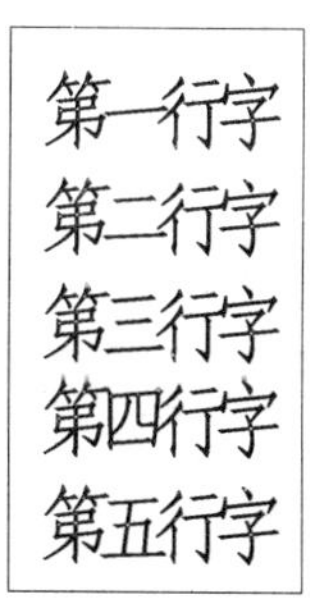


图 8-15 选择几行文字

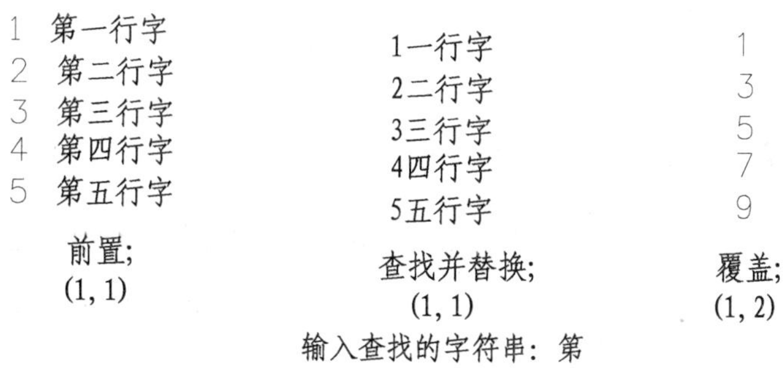


图 8-16 自动编号的方式

## 8.14 文 本 形 态

**1. 命令格式**

命令行：Tcase

菜单：[ET 扩展工具]→[文本工具]→[文本形态]

改变字的大小写功能。

**2. 操作步骤**

执行 Tcase 命令，系统提示选择对象，确定对象后将出现如图 8-17 所示“改变文本大小写”对话框。在该对话框中选择需要的选项，单击【确定】按钮，退出对话框结束命令，结果如图 8-18 所示。

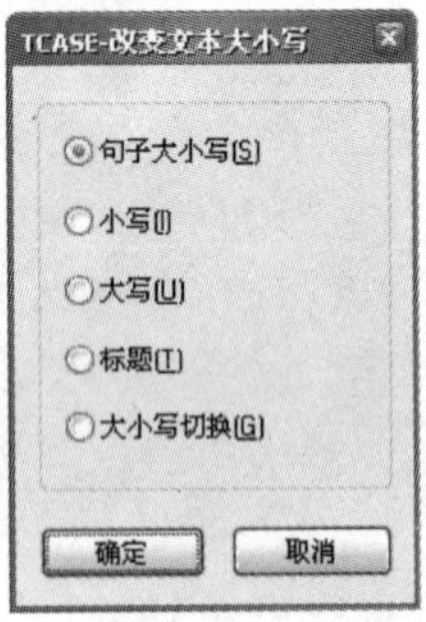


图8-17　改变文本大小写对话框

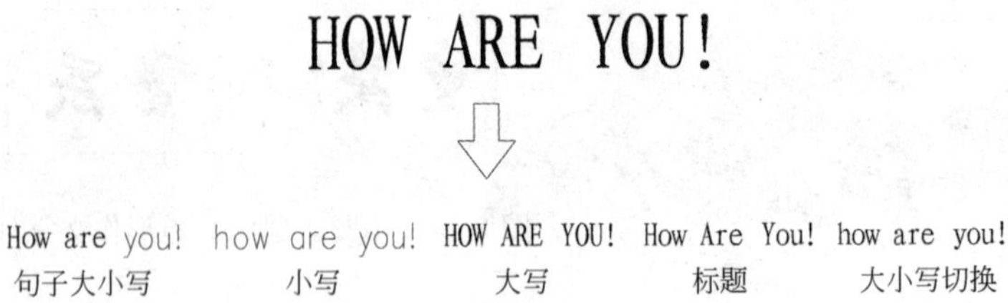


图 8-18　改变文本大小写的结果

## 8.15　弧　形　文　字

**1. 命令格式**

命令行：Arctext

菜单：[ET 扩展工具]→[文本工具]→[弧形文本]

工具栏：[文本工具]→[弧形对齐文本]

弧形文字主要是针对钟表、广告设计等行业而开发出的扩展功能。

**2. 操作步骤**

先执行 Arc 命令绘制一段弧线，再执行 Arctext 命令，系统提示选择对象，确定对象后将出现如图 8-19 所示“弧形文字”对话框。

根据之前图中的弧线，绘制两端对齐的弧形文字，设置如图 8-20 所示。

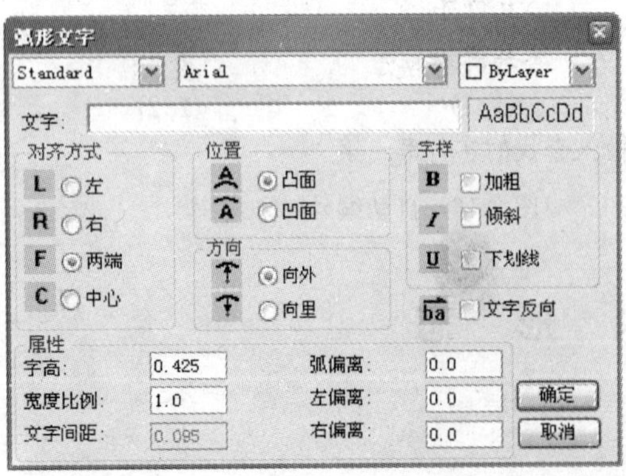


图 8-19　弧形文字对话框

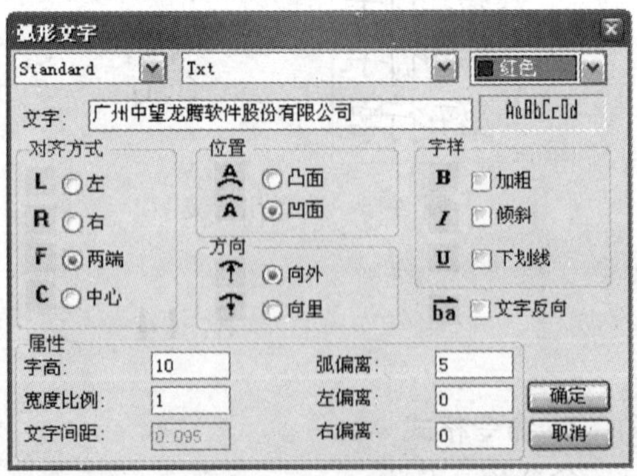


图 8-20　文字为两端对齐的弧形文字

在后期编辑中，所绘的弧形文字有时还需要调整，可以通过属性框来简单调整属性，也可以通过弧形文字或相关联的弧线夹点来调整位置。

① 属性框里的调整

CAD 软件为弧形文字创建了单独的对象类型，并可以直接在属性框里修改属性。如：直接修改文本内容，便会自动根据创建弧形文字时的设置调整到最佳位置。

② 夹点调整

选择弧形文字后，可以看到三个夹点，左右两个夹点，可以分别调整左右两端的边界，而中间的夹点则可以调整弧形文字的曲率半径。如调整了右端点往左，曲率半径变化。此外，弧形文字与弧线之间存在关联性，可以直接拖动弧线两端夹点来调整，弧形文字将自动根据创建时的属性调整到最佳位置。图 8-21 为原来的弧形文字，调整后如图 8-22 所示。

图 8-21　原来的弧形文字

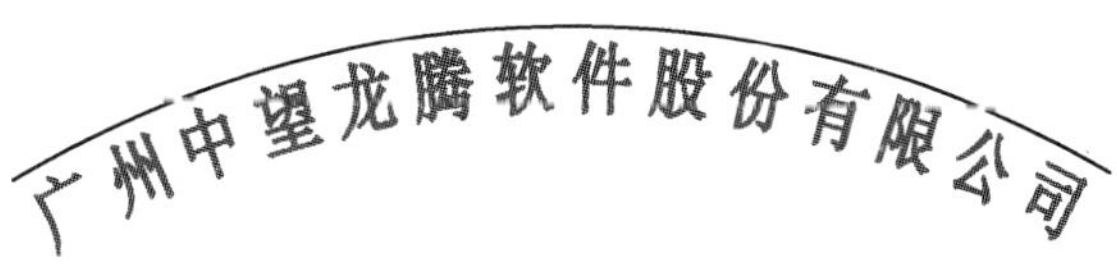


图 8-22　调整后的弧形文字

如图 8-19 所示"弧形文字"对话框清楚地展示了它的丰富功能。各选项介绍如下：

**文字特性区：**在对话框的第一行提供设置弧形文字的特性。包括文字样式、字体选择及文字颜色。点击文字样式后面的下拉框，显示当前图所有文字样式，可直接选择；也可以直接选择字体及相应颜色。中望率先支持的真彩色系统，在这里同样可以选择。

**文字输入区：**在这里可以输入想创建的文字内容。

**对齐方式：**提供了"左"、"右"、"两端"、"中心"四种对齐方案，配合［位置］、［方向］、［偏离］设置可以轻松指定弧形文字位置。

**位置：**指定文字显示在弧的凸面或凹面。

**方向：**提供两种方向供选择，分别为"向里"、"向外"。

**字样：**提供复选框的方式，可设置文字的"加粗"、"倾斜"、"下划线"及"文字反向"效果。

**属性：**指定弧形文字的"字高"、"宽度比例"、"文字间距"等属性。

**偏离：**指定文字偏离弧线、左端点或右端点的距离。

这里需要注意一下，"属性"、"偏离"与"对齐方式"存在着互相制约关系。如：当对齐为两端时，弧形文字可自动根据当前弧线长度来调整文字间距，故此时"文字间距"选项是不可设置的。同理类推。

## 本　章　小　结

1. 本章介绍了 CAD 中标注文字和编辑文字的方法，以及字体设置、文本标注、特殊字符输入等方法。对于文本工具中的文本调整和文本对齐等，也可用其他的办法来解决，比如采用夹点就可十分方便地完成。

2. 通过学习本章的内容，用户应当能熟练地标注各种样式、各种内容的文本，完善自己的图纸。建议用户应牢记并熟练掌握 Text、Mtext、Style、Ddedit 等命令。

3. 初学者常碰到的一个问题：写出的字是乱字符。在 CAD 软件中，书写汉字时，在命令行输入并显示的是汉字，但在图形屏幕上显示的却是乱码或“?”号，有学生问老师：我怎么写的是韩文(看上去像韩文)。

写字有两个要素：输入法和字库。没有相应的字库支持就会出现上述问题。

我们来分析一下：如果使用文字的默认样式 Standard，从格式下拉菜单中单击文字样式，从文字样式对话框中可以看到：该样式使用的字体文件是 Txt. shx。这是一个西文字库，而在下面的大字体项又是 None，所示写出的字只能显示成乱码。

这时，只要大字体项选择一种字体，比如 HZTXT. SHX，就能正确显示出汉字了。

还有一种常见的情况是，在别人的 CAD 软件上打开时是汉字，而在我的 CAD 软件上打开就成了乱字符，原因也是别人使用的字型文件在你的 CAD 下没有。

4. 在 CAD 软件中，可以利用的字库有两类。一类是存放在 CAD 目录下的 Fonts 中，字库的后缀名为 shx，这一类是 CAD 的专有字库，英语字母和汉字分属于不同的字库。第二类是存放在 WINNT 或 WINXP 等(看系统采用何种操作系统)的目录下的 Fonts 中，字库的后缀名为 ttf，这一类是 windows 系统的通用字库，除了 CAD 以外，其他软件，如 Word、Excel 等也都是采用这个字库。其中，汉字字库包含英文字母。

我们在 CAD 中定义字体时，两种字库都可以采用，但它们分别有各自的特点，我们要区别使用。后缀名为 shx 的字库，其最大的特点在于占用系统资源少。因此，一般情况下，我们都推荐使用这类字库。

5. 有关字体文件问题，下面简单介绍部分字体：

国标字库的典型字体

Gbcbig. shx　中文大字体

Gbenor. shx　西方字体

Gbeitc. shx　西文斜字体

常用的 SHX 字体：

Txt：标准的 CAD 文字字体。这种字体可以通过很少的矢量来描述，它是一种简单的字体，因此绘制起来速度很快，Txt 字体文件为 Txt .shx，这个字体文件很小，只有 10K。

Monotxt：等宽的 txt 字体。在这种字体中，除了分配给每个字符的空间大小相同(等宽)以外，其他所有的特征都与 Txt 字体相同。因此，这种字体适合于书写明细表或在表格中需要垂直书写文字的。

Romans：这种字体是由许多短线段绘制的 Roman 字体的简体(单笔划绘制，没有衬线)。该字体可以产生比 Txt 字体看上去更为单薄的字符。

Romand：这种字体与 Romans 字体相似，但它是使用双笔划定义的。该字体能产生更粗、颜色更深的字符，特别适用于高分辨率的打印机(如激光打印机)上使用。

Romanc：这种字体是 Roman 字体的繁体(双笔划，有衬线)。

Romant：这种字体是与 Romanc 字体类似的三笔划的 Roman 字体(三笔划，有衬线)。

其他还有不少的字体，字体选择范围广，网上也可下载不少字体文件。

6. 如果选择了前面有@符号的字体，那是横放的字，也就是转了 90°。一般工程图上常用长仿宋字，很少用行楷等，一个 Htxk. shx 就有 4M 多，说明汉字字体比较大。

7. 使用 CAD 软件打开其他 CAD 软件画的图纸，里面的文字出现乱码，可以从工具→选项对话框→文件选项页中，将字体文件搜索路径里面添加相应的字体文件路径。

8. CAD 中找不到的原文字体的解决办法：选择要替换的字库文件（如 hztxt .shx ），将其改为将被替换的字库名。举例：打开一个 CAD 文件，提示未找到字体 hzst，读者想用 hztxt .shx 替换它，那么读者在“为文字指定字体”的对话框中选择 HZTXT .SHX，如果列表中没有找到，那可以点击【浏览】去找 CAD 字体文件夹（fonts）把里面的就可以了。或者把 HZTXT. SHX 复制一份，重新命名为 hzst .shx，然后再把 hzst .shx 放到 fonts 文件夹里面，再重新打开此图也可以。这样以后如果你打开的文件包含 hzst 这种你电脑里没有的字体，也就不会不停地要你找字体替换了。

9. 作为以设计工作为主的工程师，如果在一幅工程图上输入大量汉字（比如技术要求等）实在有点勉为其难，这时亦可请其他人先将技术要求录入到一个文本文件中，编辑修改也容易，到时再由工程技术人员插入到工程图中，这样可大大提高效率。

# 练 习

1. 填空题

（1）在 CAD 软件中，标注文本有两种方式：一种方式是________________，即启动命令后每次只能输入一行文本，不会自动换行输入：而另一种是________________，一次可以输入多行文本。

（2）标注文本之前，需要先给文本字体定义一种样式，字体的样式包括所用的________________、字体大小、________________等参数。

2. 根据工作需要设置几种新的文字样式。写出如下的字体。

中望龙腾软件股份有限公司

中望龙腾软件股份有限公司

中望龙腾软件股份有限公司

中望龙腾软件股份有限公司

中望龙腾软件股份有限公司

3. 制作如图所示的文本，并进行文本复制、旋转、加框等操作。

4. 输入各种特殊字符。

5. 解决写出的字是乱字符的问题。

# 第 9 章　尺　寸　标　注

**本章要点**

■ 尺寸标注的组成

■ 尺寸标注样式的设置

■ 尺寸标注命令

■ 尺寸标注编辑

尺寸是工程图中不可缺少的部分，在工程图中用尺寸来确定工程形状的大小。本章介绍标注样式的创建和标注尺寸的方法。

## 9.1　尺寸标注的组成

一个完整的尺寸标注由尺寸界线、尺寸线、尺寸文字、尺寸箭头、中心标记等部分组成，如图 9-1 所示。

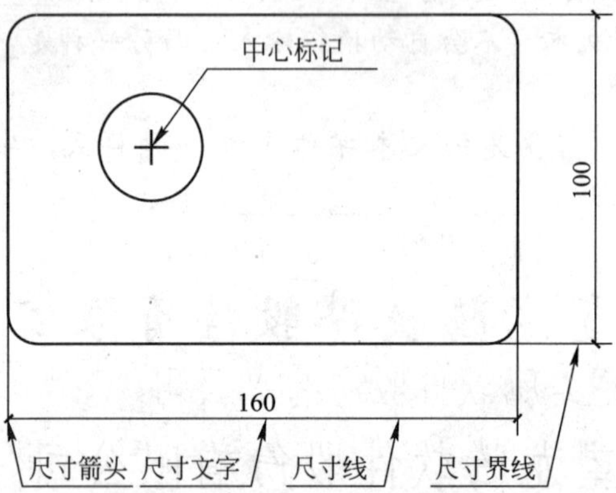


图 9-1　完整的尺寸标注

**尺寸界线：**从图形的轮廓线、轴线或对称中心线引出，有时也可以利用轮廓线代替，用以表示尺寸起始位置。一般情况下，尺寸界线应与尺寸线相互垂直。

**尺寸线：**为标注指定方向和范围。对于线性标注，尺寸线显示为一直线段；对于角度标注，尺寸线显示为一段圆弧。

**尺寸箭头：**为标注指定方向和范围。对于线性标注，尺寸线显示为一直线段；对于角度标注，尺寸线显示为一段圆弧。在尺寸线两端，用以表明尺寸线的起始位置。

**尺寸文字：**显示测量值的字符串，可包括前缀、后缀和公差等。

**中心标记：**指示圆或圆弧的中心。

# 9.2　尺寸标注的设置

**1. 命令格式**

命令行：Ddim(D)

菜单：[格式]→[标注样式]

工具栏：[标注]→[标注样式]

用户在进行尺寸标注前，应首先设置尺寸标注格式，然后再用这种格式进行标注，这样才能获得满意的效果。

如果用户开始绘制新的图形时选择了公制单位，则系统默认的格式为 ISO-25(国际标准组织)，用户可根据实际情况对尺寸标注格式进行设置，以满足使用的要求。

**2. 操作步骤**

命令：Ddim

执行 Ddim 命令后，将出现如图 9-2 所示标注样式管理器对话框。

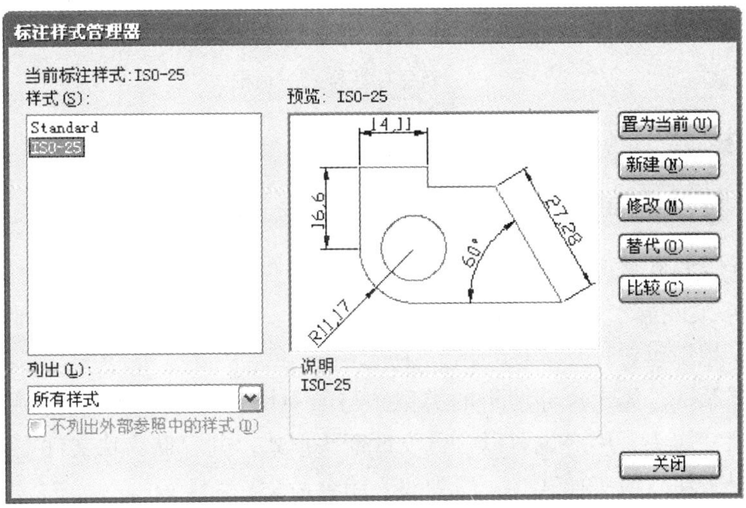


图 9-2　标注样式管理器对话框

在“标注样式管理器”对话框中，用户可以按照国家标准规定以及具体使用要求，新建标注格式。同时，用户也可以对已有的标注格式进行局部修改，以满足当前的使用要求。

点击“新建”按钮、系统打开“创建新标注样式”对话框，如图 9-3 所示。在该对话框中可以创建新的尺寸标注样式。

图 9-3　新建标注样式对话框

然后单击“继续”按钮，系统打开“新建标注样式”对话框，如图 9-4 所示。

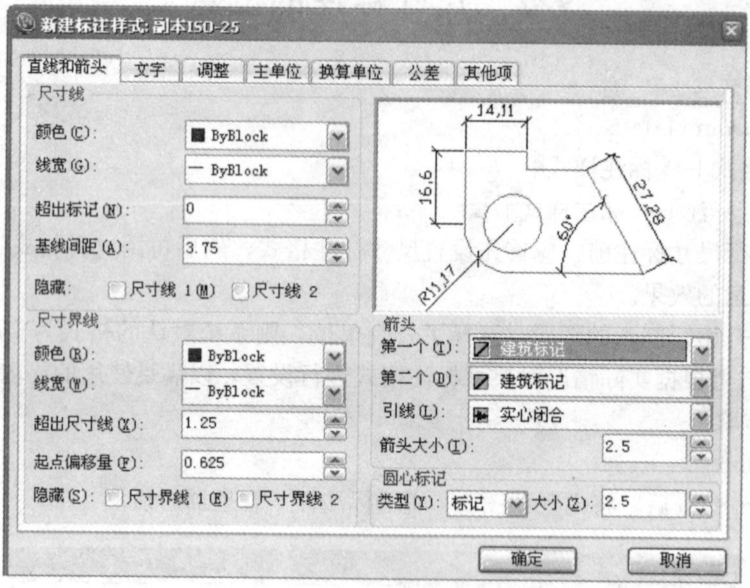

图 9-4　新建标注样式对话框

“新建标注样式”选项卡中的各项设置说明如下：

## 9.2.1　直线和箭头选项卡

此区域用于设置和修改直线和箭头的样式，如图 9-4 所示，箭头改成建筑标记。

**尺寸线颜色**：下拉列表框用于显示标注线的颜色，用户可以在下拉框列表中选择。

**超出标记**：用于设置尺寸界线超出标注的距离。

**箭头**：选择第一、第二尺寸箭头的类型。与第一尺寸界线相连的，即第一尺寸箭头；反之则为第二尺寸箭头。用户也可以自己设计箭头形式，并存储为块文件，以供使用。

**引线**：选择旁注线箭头样式，一般为实心闭合箭头。

**箭头大小**：设置尺寸箭头的尺寸。输入的数值可控制尺寸箭头长度方向的尺寸，尺寸箭头的宽度为长度的 40%。

**圆心标记**：设置与尺寸界线相交的斜线的长度。

**屏幕预显区**：从该区域可以了解用上述设置进行标注可得到的效果。

## 9.2.2　文字选项卡

此对话框用于设置尺寸文本的字型、位置和对齐方式等属性，如图 9-5 所示。

**文本样式**：用户可以在此下拉式列表框中选择一种字体类型，供标注时使用。也可以点击右侧的按钮，系统打开“文字样式”对话框，在此对话框中对文字字体进行设置。

**文字颜色**：选择尺寸文本的颜色。用户在确定尺寸文本的颜色时，应注意尺寸线、尺寸界线和尺寸文本的颜色最好一致。

**文字高度**：设置尺寸文本的高度。此高度值将优先于在字体类型中所设置的高度值。

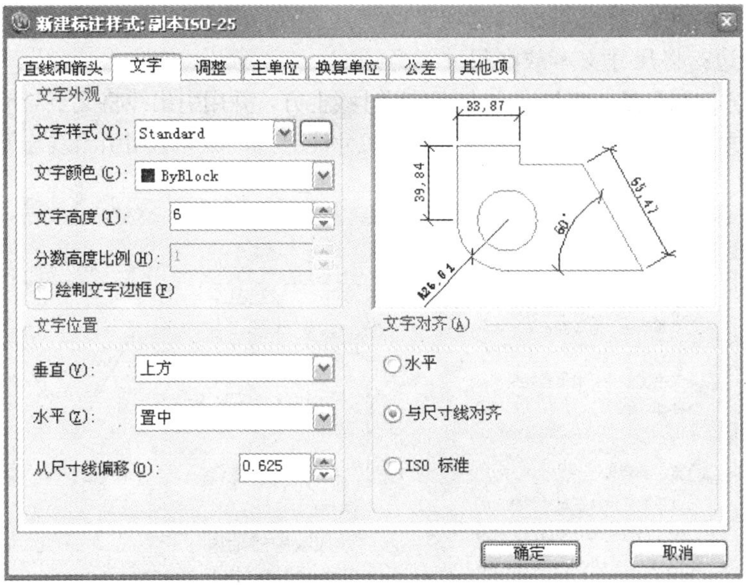


图 9-5 文字选项卡对话框

**分数高度比例：**设置尺寸文本中分数高度的比例因子。只有当用户选中“在应用上标于”编辑框时，此选项才能使用。

**文字对齐：**设置文本对齐方式。

**水平：**设置尺寸文本沿水平方向放置。文字位置在垂直方向有 4 种选项：置中、上方、外部、JIS。文字位置在水平方向共有五种选项：置中、第一条尺寸界线、第二条尺寸界线、第一条尺寸界线上方、第二条尺寸界线上方。

**与尺寸线对齐：**尺寸文本与尺寸线对齐。文字位置选项同上。

**ISO 标准：**尺寸文本按 ISO 标准。文字位置选项同上。

**屏幕预显区：**从该区域可以了解用上述设置进行标注可得到的效果。

## 9.2.3 调整选项卡

该对话框用于设置尺寸文本与尺寸箭头的有关格式，如图 9-6 所示。

**调整选项：**该区域用于调整尺寸界线、尺寸文本与尺寸箭头之间的相互位置关系。在标注尺寸时，如果没有足够的空间将尺寸文本与尺寸箭头全写在两尺寸界线之间时，可选择以下的摆放形式，来调整尺寸文本与尺寸箭头的摆放位置。

**文字或箭头，取最佳效果：**选择一种最佳方式来安排尺寸文本和尺寸箭头的位置。

**箭头：**选择当尺寸界线间空间不足时，将尺寸箭头放在尺寸界线外侧。

**文字：**选择当尺寸界线间空间不足时，将尺寸文本放在尺寸界线外侧。

**文字和箭头：**选择当尺寸界线间空间不足时，将尺寸文本和尺寸箭头都放在尺寸界线外侧。

**标注文字从尺寸线偏移：**用于设置当前文字与尺寸线的间距。

**标注时手动放置文字：**在标注尺寸时，如果上述选项都无法满足使用要求，则可以选择此项，用手动方式调节尺寸文本的摆放位置。

**文字位置：**该区域用来设置特殊尺寸文本的摆放位置。如果尺寸文本不能按上面所规定的位置摆放时，可以通过下面的选项来确定其位置。

**尺寸线旁边**：将尺寸文本放在尺寸线旁边。

**尺寸线上方，加引线**：将尺寸文本放在尺寸线上方，并用引出线将文字与尺寸线相连。

**尺寸线上方，不加引线**：将尺寸文本放在尺寸线上方，而且不用引出线与尺寸线相连。

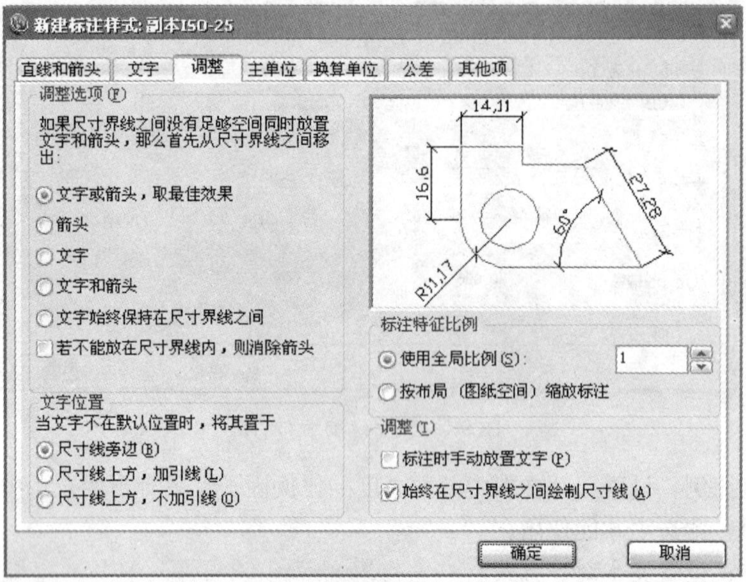


图 9-6 调整选项卡对话框

## 9.2.4 主单位选项卡

该对话框用于设置线性标注和角度标注时的尺寸单位和尺寸精度，如图 9-7 所示。

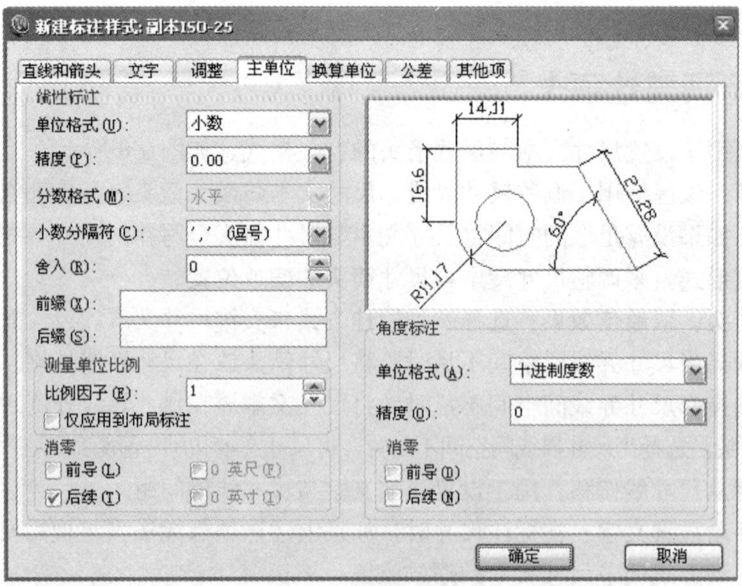


图 9-7 主单位选项卡对话框

**精度：**设置尺寸标注的精度。

**线性尺寸舍入到：**此选项用于设置所有标注类型的标注测量值的四舍五入规则(除角度标注外)。

## 9.2.5 换算单位选项卡

该对话框用于设置换算单位的格式和精度。通过换算单位，用户可以在同一尺寸上表现用两种单位测量的结果，如图 9-8 所示，一般情况下很少采用此种标注。

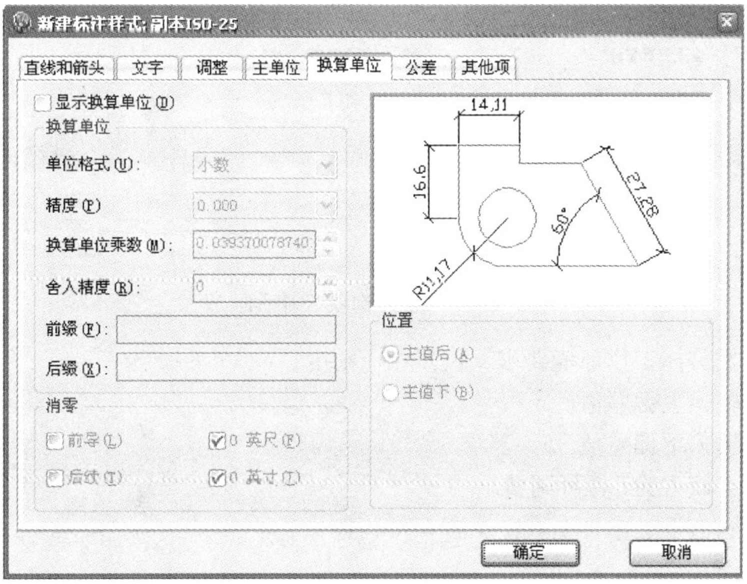

图 9-8 换算单位选项卡对话框

**换算单位设置：**设置换算单位的样式。

**显示换算单位：**选择是否显示换算单位，选择此项后，将给标注文字添加换算测量单位。

**单位格式：**可以在其下拉列表中选择单位替换的类型，有“科学”、“小数”、“工程”、“建筑堆叠”、“分类堆叠” 等。

**精度：**列出不同换算单位的精度。

**换算单位乘数器：**调整替换单位的比例因子。

**舍入精度：**调整标注的替换单位与主单位的距离。

**前缀/后缀：**输入尺寸文本前缀或后缀，可以输入文字或用控制码显示特殊符号。

**消零：**选择是否省略标注换算线性尺寸时的零。

**位置：**选项组控制换算单位的放置位置。

## 9.2.6 公差选项卡

该对话框用于设置测量尺寸的公差样式，如图 9-9 所示。

**方式：**共有 5 种方式，分别是无、对称、极限偏差、极限尺寸、基本尺寸。

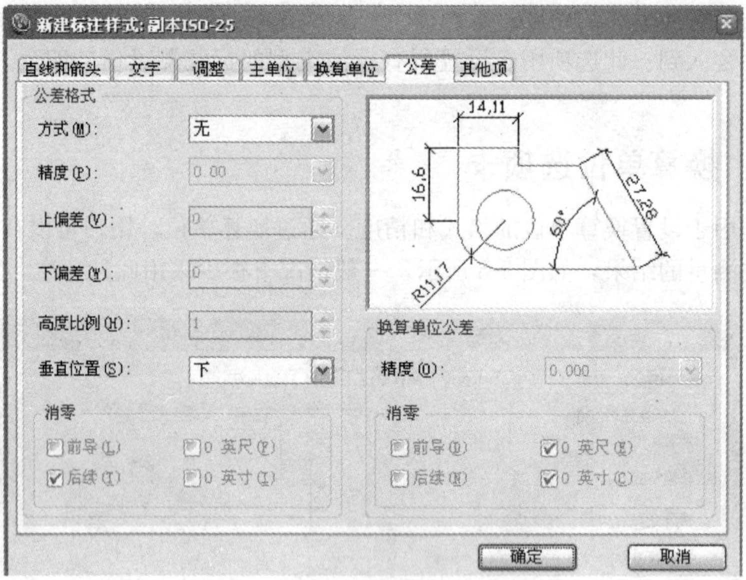


图 9-9　公差选项卡对话框

**精度：** 根据具体工作环境要求，设置相应精度。

**上偏差：** 输入上偏差值。

**下偏差：** 输入下偏差值。

**高度比例：** 缺省为 1，可调整。

**垂直位置：** 有下、中、上 3 个位置，可调整。

## 9.2.7　其他项选项卡

该对话框用于设置弧长符号、公差对齐和折弯半径标注的格式和位置，如图 9-10 所示。

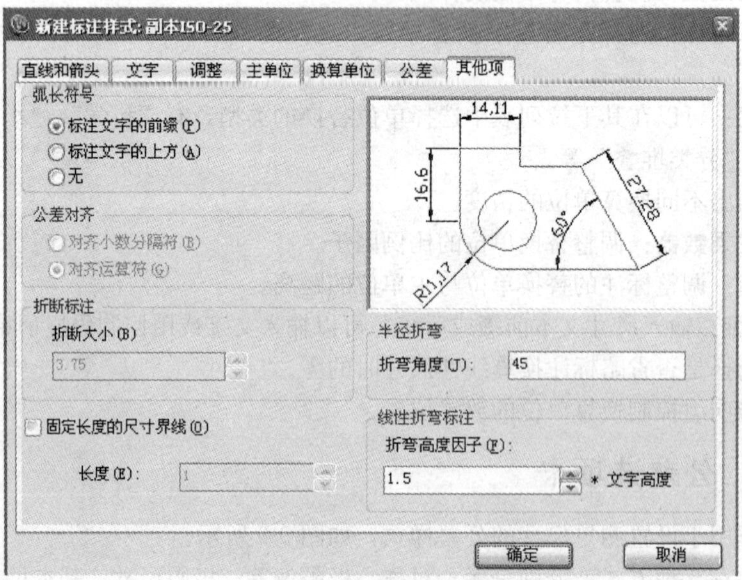


图 9-10　其他项选项卡对话框

**弧长符号**：选择是否显示弧长符号，以及弧长符号的显示位置。

**公差对齐**：堆叠公差时，控制上、下偏差值的对齐方式。

**折断大小**：指定折断标注的间隔大小。

**固定长度的尺寸界线**：控制尺寸界线的长度是否固定不变。

**半径折弯**：控制半径折弯标注的外观。

**折弯高度因子**：控制线性折弯标注的折弯符号的比例因子。

# 9.3 尺 寸 标 注 命 令

## 9.3.1 线性标注

### 1. 命令格式

命令行：Dimlinear（DIMLIN）

菜单：[标注]→[线性(L)]

工具栏：[标注]→[线性标注] ⟷

线性标注指标注图形对象在水平方向、垂直方向或指定方向上的尺寸，它又分为水平标注、垂直标注和旋转标注三种类型。

在创建一个线性标注后，可以添加“基线标注”或者“连续标注”。基线标注是以同一尺寸界线来测量的多个标注。连续标注是首尾相连的多个标注。

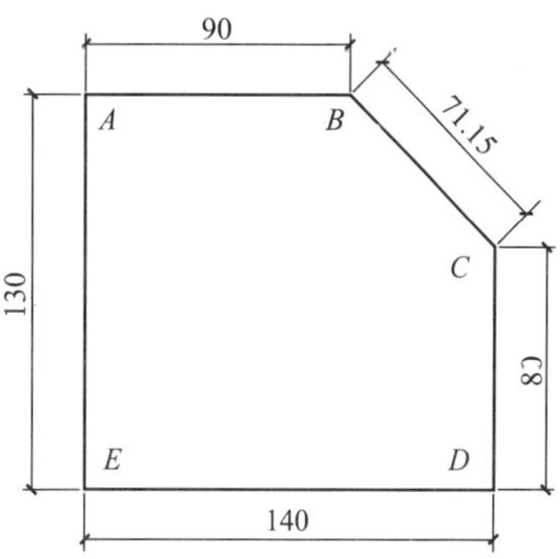


图 9-11　用 Dimlinear 命令标注

### 2. 操作步骤

用 Dimlinear 标注如图 9-11 所示 *AB*、*CD*、*DE* 和 *AE* 段尺寸，具体操作步骤如下：

| | |
|---|---|
| 命令：Dimlinear | 执行 Dimlinear 命令 |
| 指定第一条尺寸界线原点或 <选择对象>： | 选取 A 点 |
| 第二条延伸线起始位置： | 选取 B 点 |
| [多行文字(M)/文字(T)/角度(A)/水平(H)/垂直(V)/旋转(R)]： | |
| 指定一点 | 确定标注线的位置 |
| 标注文字＝100： | 提示标注文字是 100 |

执行 Dimlinear 命令后，CAD 命令行提示：“指定第一条尺寸界线原点或 <选择对象>:”，回车以后出现：“第二条延伸线起始位置:”，完成命令后命令行出现：“多行文字(M)/文字(T)/角度(A)/水平(H)/垂直(V)/旋转(R):”以上各项提示的含义和功能说明如下：

**多行文字**(M)：选择该项后，系统打开“多行文字”对话框，用户可在对话框中输入指定的尺寸文字。

**文字**(T)：选择该项后，可直接输入尺寸文字

**角度**(A)：选择该项后，系统提示输入“指定标注文字的角度”，用户可输入标注文字的新角度。

**水平**(H)：选择该项，系统将使尺寸文字水平放置。

**垂直**(V)：选择该项，系统将使尺寸文字垂直放置。

**旋转**(R)：该项可创建旋转尺寸标注，在命令行输入所需的旋转角度。

**3. 注意**

用户在选择标注对象时，必须采用点选法，如果同时打开目标捕捉方式，可以更准确、快速地标注尺寸。

许多用户在标注尺寸时，总结出鼠标三点法：点起点、点终点、然后点尺寸位置，标注完成。

## 9.3.2 对齐标注

**1. 命令格式**

命令行：Dimaligned (DAL)

菜单：[标注]→[对齐(G)]

工具栏：[标注]→[对齐标注]

对齐标注用于创建平行于所选对象或平行于两尺寸界线源点连线直线型尺寸。

**2. 操作步骤**

用 Dimaligned 命令标注如图 9-11 所示 *bc* 段的尺寸，具体操作步骤如下：

| 命令：Dimaligned | 执行 Dimaligned 命令 |
|---|---|
| 指定第一条尺寸界线原点或 ＜选择对象＞： | 鼠标选取 B 点 |
| 第二条延伸线起始位置： | 鼠标选取 C 点 |
| [多行文字(M)/文字(T)/角度(A)]： | |
| 在线段 BC 右上方点取一点 | 确定尺寸线的位置，完成标注 |
| 标注文字＝20： | 提示标注文字是 20 |

以上各项提示的含义和功能说明如下：

**多行文字**(M)：选择该项后，系统打开“多行文字”对话框，用户可在对话框中输入指定的尺寸文字。

**文字**(T)：选择该项后，命令栏提示：“标注文字 ＜当前值＞：”，用户可在此后输入新的标注文字。

**角度**(A)：选择该项后，系统提示输入“指定标注文字的角度：”，用户可输入标注文字角度的新值来修改尺寸的角度。

**3. 注意**

对齐标注命令一般用于倾斜对象的尺寸标注。标注时系统能自动将尺寸线调整为与被标注线段平行，而无需用户自己设置。

## 9.3.3 基线标注

**1. 命令格式**

命令行：Dimbaseline(DIMBASE)

菜单：[标注]→[基线(B)]

工具栏：[标注]→[基线标注]

基线标注以一个统一的基准线为标注起点，所有尺寸线都以该基准线为标注的起始位置，以继续建立线性、角度或坐标的标注。

**2. 操作步骤**

用 Dimbaseline 命令标注如图 9-12 所示图形中 *B* 点、*C* 点、*D* 点距 *A* 点的长度尺寸。操作步骤如下：

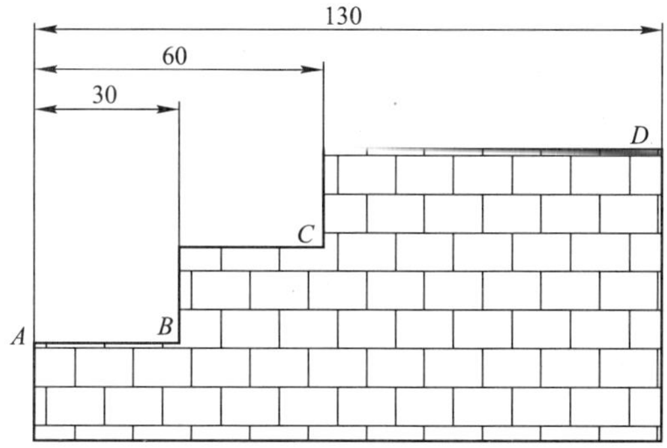


图 9-12　用基线(Dimbaseline)命令标注

命令：Dimlinear　　　　执行 Dimlinear 命令
指定第一条尺寸界线原点或 <选择对象>：　　　　选取 A 点
第二条延伸线起始位置：　　　　选取 B 点
[多行文字(M)/文字(T)/角度(A)/水平(H)/垂直(V)/旋转(R)]：
指定一点　　　　确定标注线的位置
标注文字=30：　　　　提示标注文字是 30

命令：Dimbaseline　　　　执行 Dimbaseline 命令
指定第二条尺寸界线原点或 [放弃(U)/选择(S)] <选择>：
点选 C 点　　　　选择尺寸界线定位点
标注文字=60：　　　　提示标注文字是 60
指定第二条尺寸界线原点或 [放弃(U)/选择(S)] <选择>：
点选 D 点　　　　选择尺寸界线定位点
标注文字=130：　　　　提示标注文字是 130
指定第二条尺寸界线原点或 [放弃(U)/选择(S)] <选择>：
回车　　　　完成基线标注
选取基线的标注：　　　　再回车结束命令

**3. 注意**

1) 在进行基线标注前，必须先创建或选择一个线性、角度或坐标标注作为基准标注。

2) 在使用基线标注命令进行标注时，尺寸线之间的距离由用户所选择的标注格式确定，标注时不能更改。

## 9.3.4　连续标注

**1. 命令格式**

命令行：Dimcontinue(DCO)

菜单：[标注]→[连续(C)]

工具栏：[标注]→[连续标注] 

连续标注命令可以创建一系列端对端放置的标注，每个连续标注都从一个标注的第二个尺寸界限处开始。和基线标注一样在进行连续标注之前，必须先创建一个线性、坐标或角度标注作为基准标注，以确定连续标注所需的前一尺寸界限。

**2. 操作步骤**

用连续标注命令标注其操作方法与“基线标注”命令类似，如图 9-13 所示图形中 *A* 点、*B* 点、*C* 点、*D* 点之间的长度尺寸。操作步骤如下：

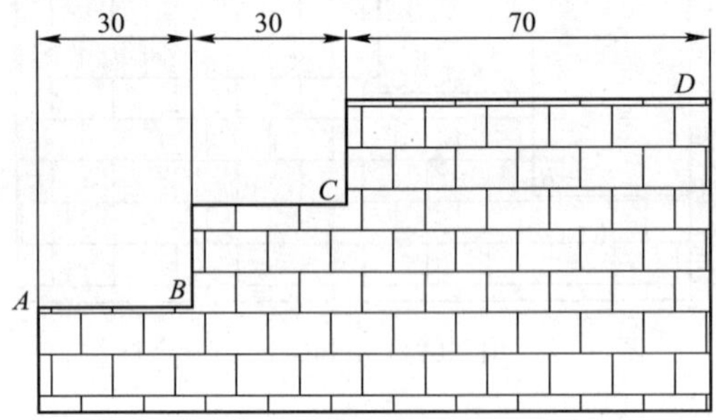


图 9-13　用连续标注命令标注

命令：Dimlinear　　执行 Dimlinear 命令

指定第一条尺寸界线原点或＜选择对象＞：　　选取 A 点

第二条延伸线起始位置：　　选取 B 点

[多行文字(M)/文字(T)/角度(A)/水平(H)/垂直(V)/旋转(R)]：

在线段 AB 上方点取一点　　确定标注线的位置

标注文字=30：　　提示标注文字是 30

命令：Dimcontinue　　执行 Dimcontinue 命令

指定第二条尺寸界线原点或 [放弃(U)/选择(S)] ＜选择＞：

点选 C 点　　选择尺寸界线定位点

标注文字=30：　　提示标注文字是 30

指定第二条尺寸界线原点或 [放弃(U)/选择(S)] ＜选择＞：

点选 D 点　　选择尺寸界线定位点

标注文字=70：　　提示标注文字是 70

指定第二条尺寸界线原点或 [放弃(U)/选择(S)] ＜选择＞：

回车　　完成连续标注

选取基线的标注：　　再回车结束命令

**3. 注意**

在进行连续标注前，必须先创建或选择一个线性、角度或坐标标注作为基准标注。

## 9.3.5　直径标注

**1. 命令格式**

命令行：Dimdiameter(DIMDIA)

菜单：[标注]→[直径(D)]

工具栏：[标注]→[直径标注]

直径标注用于标注所选定的圆或圆弧的直径尺寸。

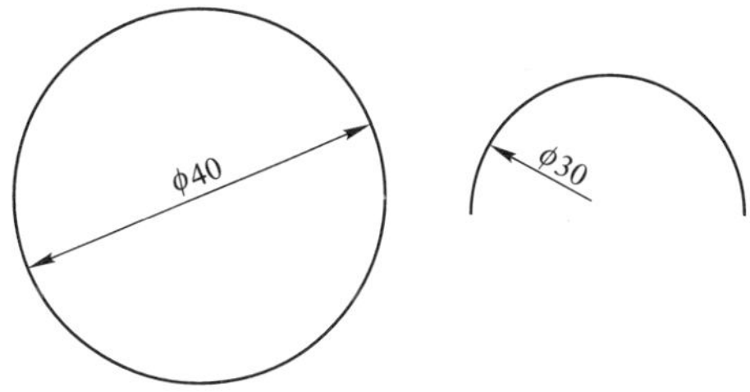


图 9-14　用 Dimdiameter 命令标注圆的直径

**2. 操作步骤**

用 Dimdiameter 命令标注图 9-14 所示的圆的直径，具体操作步骤如下：

命令：Dimdiameter　　执行 Dimdiameter 命令

选取弧或圆：　　选择标注对象

指定尺寸线位置或 [多行文字(M)/文字(T)/角度(A)]：

在圆内点取一点　　确认尺寸线位置

用户若有需要，可根据提示输入字母，进行选项设置。各选项含义与对齐标注的同类选项相同。

**3. 注意**

在任意拾取一点选项中，可直接拖动鼠标确定尺寸线位置，屏幕将显示其变化。

## 9.3.6　半径标注

**1. 命令格式**

命令行：Dimradius(DIMRAD)

菜单：[标注]→[半径(R)]

工具栏：[标注]→[半径标注]

半径标注用于标注所选定的圆或圆弧的半径尺寸。

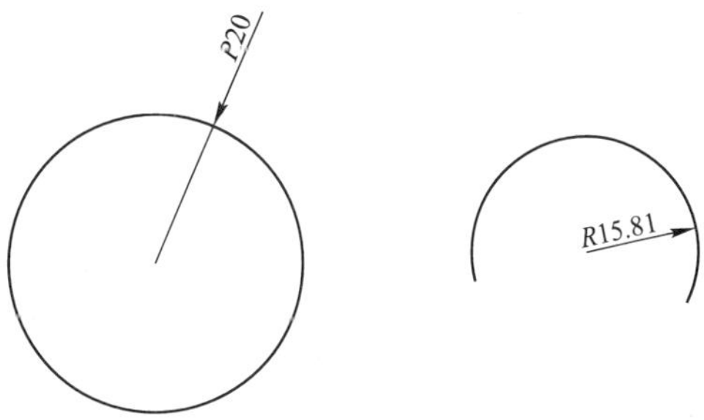


图 9-15　用 Dimradius 命令标注圆弧的半径

**2. 操作步骤**

用 Dimradius 命令标注图 9-15 所示的圆弧的半径，具体操作步骤如下：

命令：dimradius　　执行 dimradius 命令

选取弧或圆：　　选择标注对象

标注文字=15：

指定尺寸线位置或 [多行文字(M)/文字(T)/角度(A)]：

拾取一点　　确认尺寸线的位置

用户若有需要，可根据提示输入字母，进行选项设置。各选项含义与对齐标注的同类选项相同。

**3. 注意**

执行命令后，系统会在测量数值前自动添加上半径符号“R”。

## 9.3.7　圆心标记

**1. 命令格式**

命令行：Dimcenter(DCE)

菜单：[标注]→[圆心标记(M)]

工具栏：[标注]→[圆心标记]

圆心标记是绘制在圆心位置的特殊标记。

**2. 操作步骤**

执行 Dimcenter 命令后，使用对象选择方式选取所需标注的圆或圆弧，系统将自动标注该圆或圆弧的圆心位置。用 Dimcenter 命令标注图 9-16 所示圆的圆心，具体操作步骤如下：

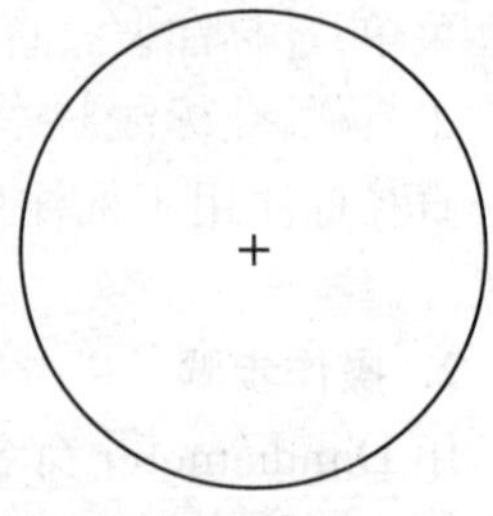

图 9-16　用 Dimcenter 命令标注圆的圆心

| | |
|---|---|
| 命令：Dimcenter | 执行 Dimcenter 命令 |
| 选取弧或圆： | |
| 选择要标注的圆 | 系统将自动标注该圆的圆心位置 |

**3. 注意**

用可以在“标注样式”——“直线与箭头”对话框的“圆心标记大小”（见图 9-4）来改变圆心标注的大小。

## 9.3.8　角度标注

**1. 命令格式**

命令行：Dimangular(DAN)

菜单：[标注]→[角度(A)]

工具栏：[标注]→[角度标注]

角度标注命令用于圆、弧、任意不平行两直线的夹角或两个对象之间创建角度标注。

**2. 操作步骤**

用 Dimangular 命令标注如图 9-17 所示图形中的角度。操作步骤如下：

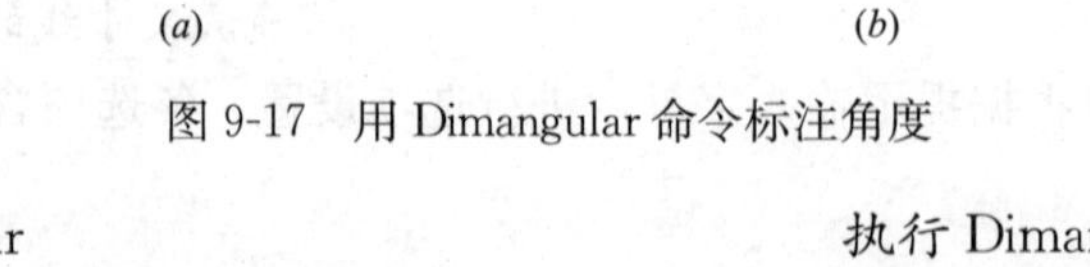


(a)　(b)

图 9-17　用 Dimangular 命令标注角度

| | |
|---|---|
| 命令：Dimangular | 执行 Dimangular 命令 |
| 选择圆弧、圆、直线或 <指定顶点>： | 拾取 AB 边 |
| 选择第二条直线： | 拾取 AC 边，确认角度另一边 |
| 指定标注弧线位置或 [多行文字(M)/文字(T)/角度(A)]： | |
| 拾取夹角内一点 | 确定尺寸线的位置 |
| 命令：Dimangular | 执行 Dimangular 命令 |

选择圆弧、圆、直线或 <指定顶点>：　　拾取图 9-15(B)中 D 点
指定角的第二个端点：　　拾取圆上的点 E
指定标注弧线位置或［多行文字(M)/文字(T)/角度(A)］：
拾取一点　　确定尺寸线的位置

用户在创建角度标注时，命令栏提示“选择圆弧、圆、直线或 <指定顶点>：”，根据不同需要选择进行不同的操作，不同操作的含义和功能说明如下：

**选择圆弧**：选取圆弧后，系统会标注这个弧，并以弧的圆心作为顶点。弧的两个端点成为尺寸界限的起点，CAD 将在尺寸界线之间绘制一段与所选圆弧平行的圆弧作为尺寸线。

**选择圆**：选择该圆后，系统把该拾取点当作角的第一个端点，圆的圆心作为角度的顶点，此时系统提示“指定角的第二个端点：”，在圆上拾取一点即可。

**选择直线**：如果选取直线，此时命令栏提示“选择第二个条直线：”。选择第二条直线后，系统会自动测量两条直线的夹角。若两条直线不相交，系统会将其隐含的交点作为顶点。

完成选择对象操作后在命令行中会出现：“指定标注弧线位置或［多行文字(M)/文字(T)/角度(A)］：”用户若有需要，可根据提示输入字母，进行选项设置。各选项含义与对齐标注的同类选项相同。

**3. 注意✍**

如果用户选择圆弧，则系统直接标注其角度；如果用户选择圆、直线或点，则系统会继续提示要求用户选择角度的末点。

## 9.3.9 引线标注

**1. 命令格式**

命令行：Dimleader/leader(LEAD)
菜单：［标注］→［引线(E)］
Dimleader 命令用于创建注释和引线，表示文字和相关的对象。

**2. 操作步骤**

用 Dimleader 命令标注如图 9-18 所示关于圆孔的说明文字。操作步骤如下：

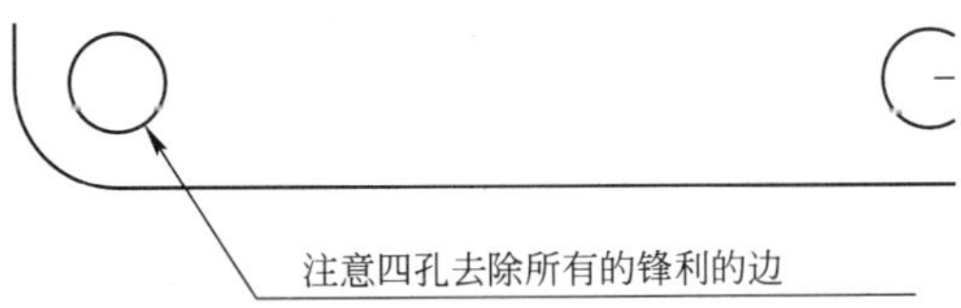


图 9-18　用引线(Dimleader)命令标注

命令：Dimleader　　执行 Dimleader 命令
指定引线起点：
指定引线端点　　确定引线起始端点
下一点：　　确定下一点
下一点：格式(F)/撤销(U)/<注解(A)>：　　回车确认终点
F 注释文字的第一条线/<选项>：　　回车弹出多行文字对话框

标注文字选项：块(B)/复制(C)/无(N)/公差(T)/＜多行文字(M)＞：

在多行文字对话框中输入标注文字　　　　　　　　　　回车完成命令

以上各项提示的含义和功能说明如下：

**块**(B)：选此选项后，系统提示“输入块名或［?］＜当前值＞：”，输入块名后出现“块的插入点或［多个块(M)/比例因子(S)/X/Y/Z/旋转角度(R)]：”，提示中的选项含义与插入块时的提示相同。

**复制**(C)：选此选项后，可选取的文字、多行文字对象、带几何公差的特征控制框或块对象复制，并将副本插入到引线的末端。

**无**(N)：选此选项表示不输入注释文字。

**公差**(T)：选此选项后，系统打开“形位公差”对话框，在此对话框中，可以设置各种形位公差。

**多行文字**(M)：选此选项后，系统打开“多行文字”对话框，在此对话框中可以输入多行文字作为注释文字。

**3. 注意**

在创建引线标注时，常遇到文本与引线的位置不合适的情况，用户可以通过夹点编辑的方式来调整引线与文本的位置。当用户移动引线上的夹点时，文本不会移动，而移动文本时，引线也会随着移动。

## 9.3.10　快速引线

**1. 命令格式**

命令行：Qleader

工具栏：［标注］→［快速引线］

快速引线提供一系列更简便的创建引出线的方法，注释的样式也更加丰富。

**2. 操作步骤**

快速引线的创建方法和引线标注的创建方法基本相同，执行命令后系统提示“［设置(S)］＜设置＞：""输入 S 进入快速引线设置版面，用户可以对引线及箭头的外观特征进行设置，如图 9-19 所示。

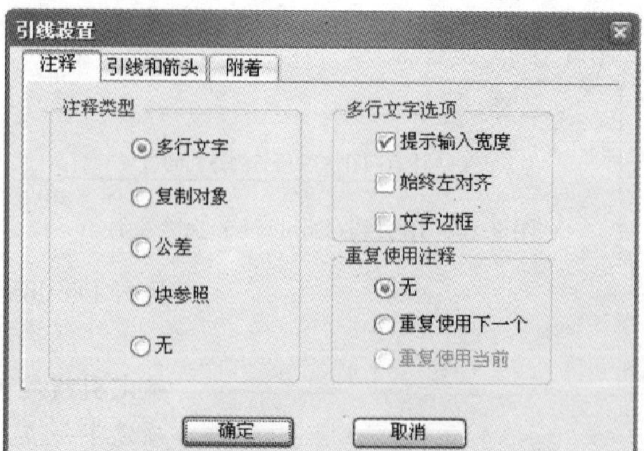


图 9-19　引线设置对话框的“注释”选项卡

**3. 注释选项卡**

“注释类型”栏中各项选项含义如下：

**多行文字：** 默认用多行文本作为快速引线的注释。

**复制对象：** 将某个对象复制到引线的末端。可选取的文字、多行文字对象、带几何公差的特征控制框或块对象复制。

**公差：** 弹出“几何公差”对话框供用户创建一个公差作为注释。

**块参照：** 选此选项后，可以把一些每次创建较困难的符号或特殊文字创建成块，方便直接引用，提高效率。

**无：** 创建一个没有注释的引线。

如果选择注释为“多行文字”，则可以通过右边的相关选项来指定多行文本的样式。“多行文字选项”各项含义如下：

**提示输入宽度：** 指定多行文本的宽度。

**始终左对齐：** 总是保持文本左对齐。

**文字边框：** 选择此项后，可以在文本四周加上边框。

“重复使用注释”栏中各项选项含义如下：

**无：** 不重复使用注释内容。

**重复使用下一个：** 将创建的文字注释复制到下一个引线标注中。

**重复使用当前：** 将上一个创建的文字注释复制到当前引线标注中。

**4. 引线和箭头选项卡**

快速引线允许自己定义引线和箭头的类型，如图 9-20 所示。

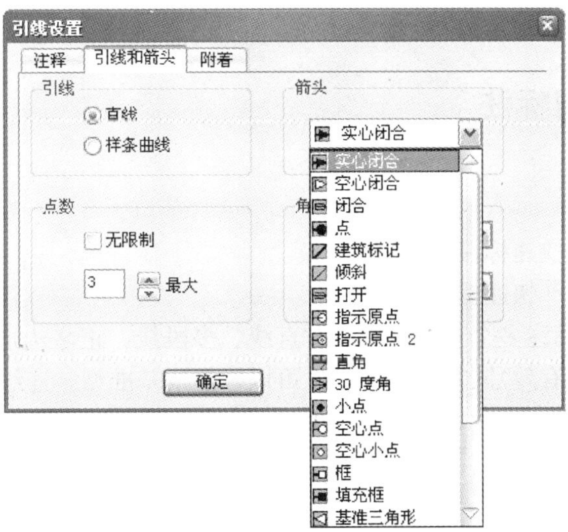


图 9-20 引线设置的“引线和箭头”选项卡及部分箭头样式

在“引线”区域，允许用直线或样条曲线作为引线类型。

而“点数”则决定了快速引线命令提示拾取下一个引线点的次数，当然，最大数不能小于 2。也可以设置为无限制，这时可以根据需要来拾取引线段数，通过回车来结束引线。

在“箭头”区域，提供多种箭头类型，如图 9-20 右所示，选用“用户箭头”后，可以使用用户已定义的块作为箭头类型。

在“角度约束”区域，可以控制第一段和第二段引线的角度，使其符合标准或用户意愿。

**5. 附着选项卡**

附着选项卡指定了快速引线的多行文本注释的放置位置。文字在左边和文字在右边可以区分指定位置，默认情况下分别是“最后一行底部”和“多行文字中间”，如图 9-21 所示。

中望扩展工具中，增加了 40 多个工具，标注工具如图 9-22 所示。其他各项工能中，也增加了不少工具，用户可以充分利用。

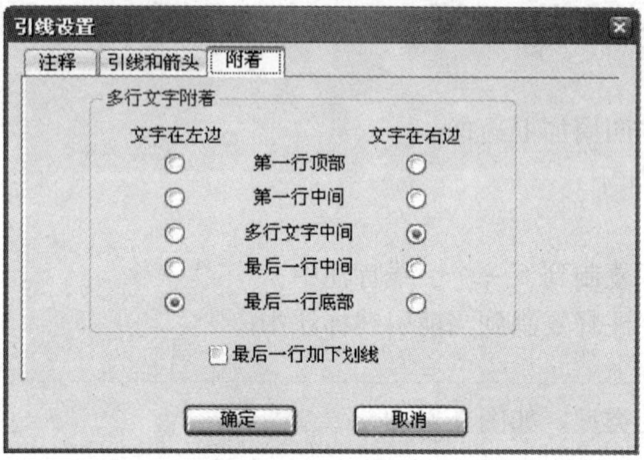


图 9-21 引线设置对话框的“附着”选项卡

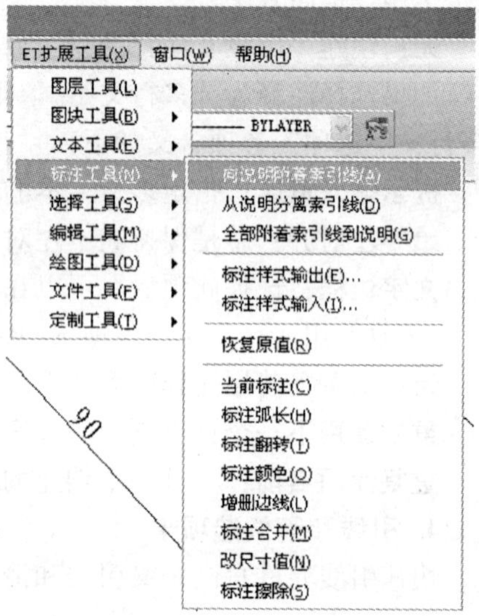


图 9-22 扩展工具中的标注工具

## 9.3.11 快速标注

**1. 命令格式**

命令行：Qdim

菜单：[标注]→[快速标注(Q)]

工具栏：[标注]→[快速标注]

快速标注能一次标注多个对象，可以对直线、多段线，正多边形，圆环，点，圆和圆弧(圆和圆弧只用圆心有效)同时进行标注。可以标注成基准型、连续型、坐标型的标注。

**2. 操作步骤**

| | |
|---|---|
| 命令：Qdim | 执行 Qdim 命令 |
| 选择要标注的几何图形 | 拾取要标注的几何对象 |
| 选择集当中的对象：1 | 提示已拾取 1 个对象 |
| 选择要标注的几何图形： | 回车或继续拾取对象 |

指定尺寸线位置或

[连续(C)/并列(S)/基线(B)/坐标(O)/半径(R)/直径(D)/基准点(P)/编辑(E)] <连续>：

| | |
|---|---|
| 指定一点 | 确定标注位置 |

以上各项提示的含义和功能说明如下：

**连续**(C)：选此选项后，可进行一系列连续尺寸的标注。

**并列**(S)：选此选项后，可标注一系列并列的尺寸。

**基线**(B)：选此选项后，可进行一系列的基线尺寸的标注。

**坐标**(O)：选此选项后，可进行一系列的坐标尺寸的标注。

**半径**(R)：选此选项后，可进行一系列的半径尺寸的标注。

**直径**(D)：选此选项后，可进行一系列的直径尺寸的标注。

**基准点**(P)：为基线类型的标注定义了一个新的基准点。

**编辑**(E)：选项可用来对一系列标注的尺寸进行编辑。

执行快速标注命令并选择几何对象后，命令行提示："[连续(C)/并列(S)/基线(B)/坐标(O)/半径(R)/直径(D)/基准点(P)/编辑(E)] <连续>:"，如果输入 E 选择"编辑"项，命令栏会提示："指定要删除的标注点，或 [添加(A)/退出(X)] <退出>:"，用户可以删除不需要的有效点或通过"添加(A)"选项添加有效点。

如图 9-24 所示为删除中间的有效点后的标注。

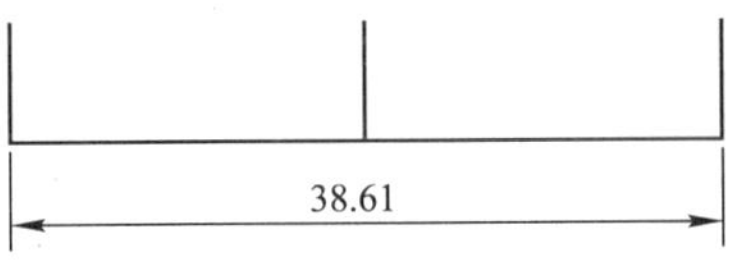


图 9-23 删除中间有效点后的标注

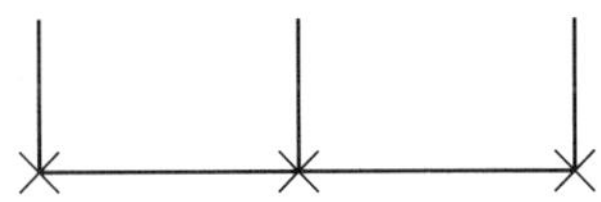

图 9-24 快速标注的有效点

## 9.3.12 坐标标注

### 1. 命令格式

命令行：Dimordinate(DIMORD)

菜单：「标注」→「坐标(O)」

工具栏：

Dimordinate 命令用于自动测量并沿一条简单的引线显示指定点的 X 或 Y 坐标(采用绝对坐标值)。

### 2. 操作步骤

用 Dimordinate 命令标注图 9-25 所示的两圆的圆心 $A$ 点和 $B$ 点的坐标。

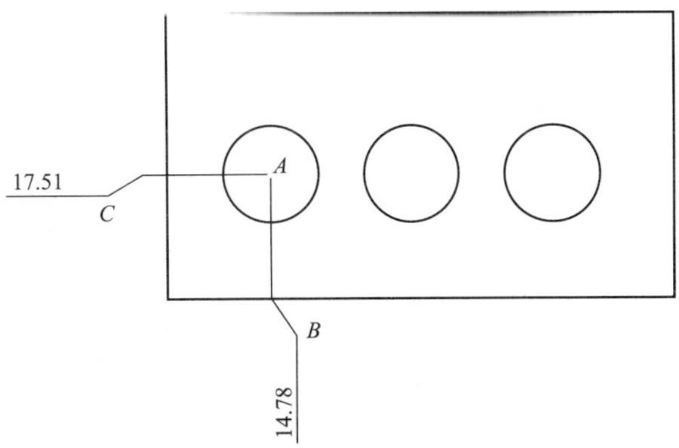


图 9-25 用 Dimordinate 命令标注圆和点的坐标

操作步骤如下：

命令：Dimordinate 执行 Dimordinate 命令

指定坐标标注点： 捕捉点 A

指定引线端点或［X 基准(X)/Y 基准(Y)/多行文字(M)/文字(T)/角度(A)］：

拾取点 B 确定引线端点，并完成标注

标注文字＝14，78： 提示标注的数值

命令：Dimordinate 执行 Dimordinate 命令

指定坐标标注点： 捕捉点 A

指定引线端点或［X 基准(X)/Y 基准(Y)/多行文字(M)/文字(T)/角度(A)］：

拾取点 C 确定引线端点，并完成标注

标注文字＝17，51： 提示标注的数值

以上各项提示的含义和功能说明如下：

**指定引线端点**：指定点后，系统用指定点位置和该点的坐标差来确定是进行 X 坐标标注还是 Y 坐标标注。当 Y 坐标的坐标差大时，使用 X 坐标标注；否则就是用 Y 坐标标注。

**X 基准**(X)：选择该选项后，则使用 X 坐标标注。

**Y 基准**(Y)：选择该选项后，则使用 Y 坐标标注。

**多行文字**(M)：选择该项后，系统打开“多行文字”对话框，用户可在对话框中输入指定的尺寸文字。

**文字**(T)：选择该项后，系统提示：“标注文字 <当前值>：”，用户可在此输入新的文字。

**角度**(A)：用于修改标注文字的倾斜角度。

**3. 注意**✍

1) Dimordinate 命令可根据引出线的方向，自动标注选定点的水平或垂直坐标。

2) 标尺寸标注注释了从起点到基点(当前坐标系统的原点)的垂直距离。坐标尺寸标注包括一个 X Y 坐标系统和引出线。X 坐标尺寸标注显示了沿 x 轴线方向的距离；Y 坐标尺寸标注显示了沿 y 轴线方向的距离。

## 9.3.13 公差标注

**1. 命令格式**

命令行：Tolerance(TOL)

菜单：［标注］→［公差(T)］

工具栏：［标注］→［公差］

Tolerance 命令用于创建形位公差。形位公差表示在几何中用图形定义的最大容许变量值。软件用一个被分成多个部分的矩形特征控制框来绘制形位公差。每个特征控制图框包括至少两个部分。第一个部分是被运用的几何特征的形位公差符号，如位置、方向和形式。

**形位公差符号**

| 符号 | 特征 | 类型 | 符号 | 特征 | 类型 |
| --- | --- | --- | --- | --- | --- |
| ⌖ | 位置度 | 定位公差 | ▱ | 平面度 | 形状公差 |
| ◎ | 同轴度 | 定位公差 | ○ | 圆度 | 形状公差 |
| ⌯ | 对称度 | 定位公差 | — | 直线度 | 形状公差 |
| // | 平行度 | 定向公差 | ⌓ | 面轮廓度 | 形状公差 |
| ⊥ | 垂直度 | 定向公差 | ⌒ | 线轮廓度 | 形状公差 |
| ∠ | 倾斜度 | 定向公差 | ↗ | 圆跳动 | 位置公差 |
| ⌭ | 圆柱度 | 形状公差 | ⌰ | 全跳动 | 位置公差 |

第二部分包括公差值。当合适时，　个直径符号在公差值之前跟着是　个材料条件符号。材料条件应用于在尺寸上变化特征。下面表示材料条件符号和定义。

| 符号 | 定　　义 |
| --- | --- |
| Ⓜ | 在最大材料条件(MMC)中，一个特性包含在规定限度里最大的材料值。 |
| Ⓛ | 在最小材料条件(LMC) 中，一个特性包含在规定限度里最小的材料值。 |
| Ⓢ | 特性大小无关(RFS)，表明在规定限度里特性可以变为任何大小。 |

**2. 操作步骤**

用 Tolerance 命令生成如图 ⌖Ø1.5ⓂA 所示的形位公差。操作步骤如下：

1) 执行 Tolerance 命令后，系统弹出如图 9-26 所示的“几何公差”对话框，单击“符号”框，显示“符号”对话框如图 9-27 所示，然后选择“位置度”公差符号。

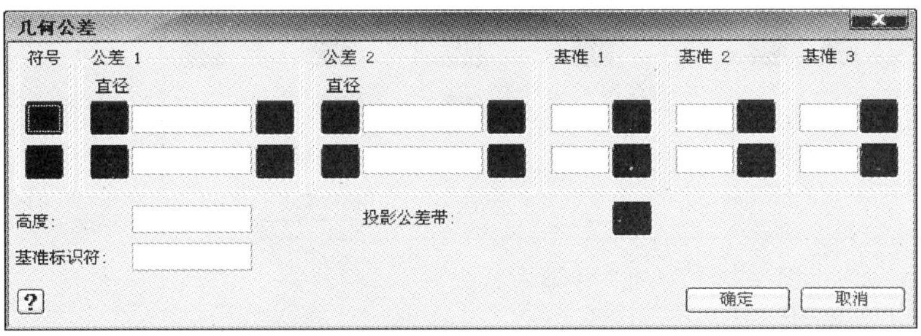


图 9-26　几何公差对话框

图 9-27　选择“位置度”公差符号

2）在“几何公差”对话框的“公差 1”下，选择“直径”插入一个直径符号，如图 9-28 所示。

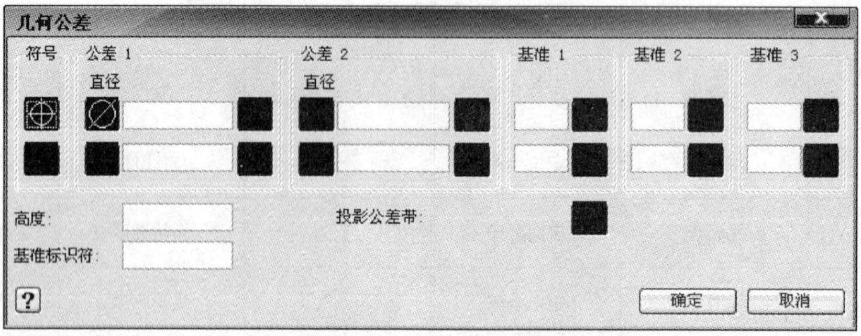


图 9-28　插入一个直径符号

3）在“直径”下，输入第一个公差值 1.5，如图 9-29 所示。选择右边方框“材料”，出现图 9-30 所示对话框，选择最大包容条件符号。

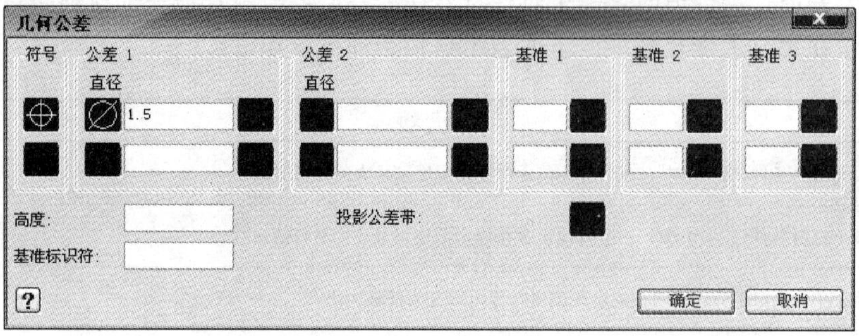


图 9-29　输入第一个公差值

图 9-30　选最大包容

4）在“基准”框中输入“A”，如图 9-31 所示，选择“确定”，指定特征控制框位置，如图 9-32 所示。

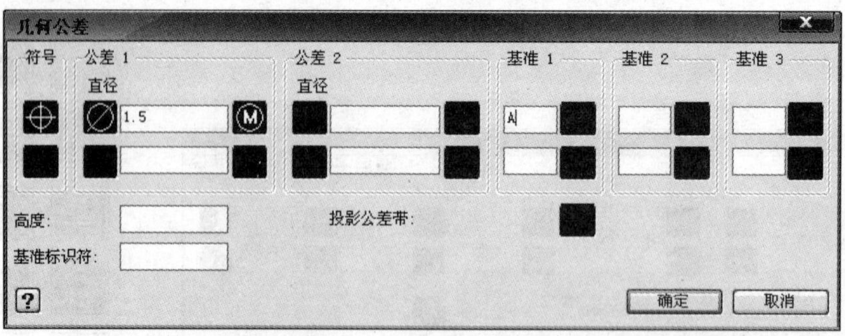


图 9-31　“基准”中输入 A

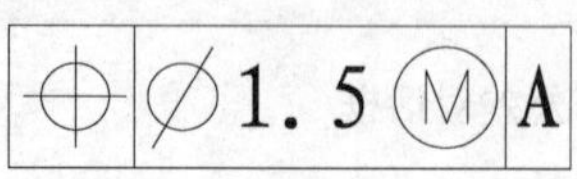


图 9-32　标注的形位公差

**3. 注意**

公差框格分为两格和多格，第一格为形位公差项目的符号，第二格为形位公差数值和有关符号，第三和以后各格为基准代号和有关部门符号。

# 9.4 尺寸标注编辑

用户要对已存在的尺寸标注进行修改，这时可不必将需要修改的对象删除，再进行重新标注，可以用一系列尺寸标注编辑命令进行修改。

## 9.4.1 编辑标注

**1. 命令格式**

命令行：Dimedit(DED)

工具栏：[标注]→[编辑标注]

Dimedit 命令可用于对尺寸标注的尺寸界线的位置、角度等进行编辑

**2. 操作步骤**

用 Dimedit 命令将图 9-33(*a*)中的尺寸标注改为图 9-33(*b*)的效果。

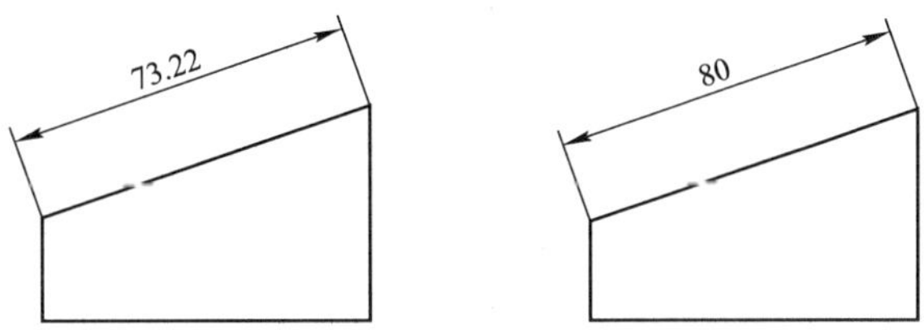


(*a*) (*b*)

图 9-33 用 Dimedit 命令修改尺寸后的效果

| | |
|---|---|
| 命令：Dimedit | 执行 Dimedit 命令 |
| 输入标注编辑类型［默认(H)/新建(N)/旋转(R)/倾斜(O)］＜默认＞： | |
| 输入 N， | 选择新建选项 |
| 新标注文字＜＞： | 输入新标注文字 |
| 选择对象： | 点选图 9-33(*a*)中的尺寸标注 |
| 选择集当中的对象：1 | 提示已选中一个对象 |
| 选择对象： | 回车完成命令 |

以上各项提示的含义和功能说明如下：

**默认**(H)：执行此项后尺寸标注恢复成默认设置。

**新建**(N)：用来修改指定标注的标注文字，执行该项后系统提示："新标注文字＜＞："，用户可在此输入新的文字。

**旋转**(R)：执行该选项后，系统提示"指定标注文字的角度"，用户可在此输入所需的旋转角度；然后，系统提示"选择对象"，选取对象后，系统将选中的标注文字按输入的角度放置。

**倾斜**(O)：执行该选项后，系统提示“选择对象”，在用户选取目标对象后，系统提示“输入倾斜角度”，在此输入倾斜角度或按回车键(不倾斜)，系统按指定的角度调整线性标注尺寸界线的倾斜角度。

用倾斜选项将图 9-34(*a*)中的尺寸标注修改为图 9-34(*b*)中的效果。

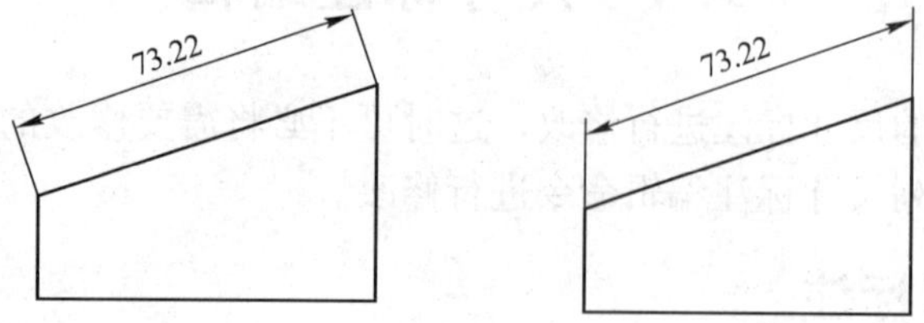


(*a*)　　(*b*)

图 9-34　用倾斜项修改尺寸后的效果

| 命令：Dimedit | 执行 Dimedit 命令 |
| --- | --- |
| 输入标注编辑类型［默认(H)/新建(N)/旋转(R)/倾斜(O)］<默认>： | |
| 输入 O, | 选择倾斜线选项 |
| 选择对象： | 点选图 9-34(*a*)中的尺寸标注 |
| 选择集当中的对象：1 | 提示已选中一个对象 |
| 选择对象： | 回车结束对象选择 |
| 输入倾斜角度(按 ENTER 表示无)70 | 输入倾斜角度回车完成命令 |

**3. 注意**

1) 标注菜单中的“倾斜”项，执行的就是选择了“倾斜”选项的 Dimedit 命令。

2) Dimedit 命令可以同时对多个标注对象进行操作。

3) Dimedit 命令不能修改尺寸文本放置位置。

## 9.4.2　编辑标注文字

**1. 命令格式**

命令行：Dimtedit

工具栏：［标注］→［编辑标注文字］

Dimtedit 命令可以重新定位标注文字。

**2. 操作步骤**

用 Dimtedit 将图 9-35(*a*)中的尺寸标注改为图 9-35(*b*)的效果。

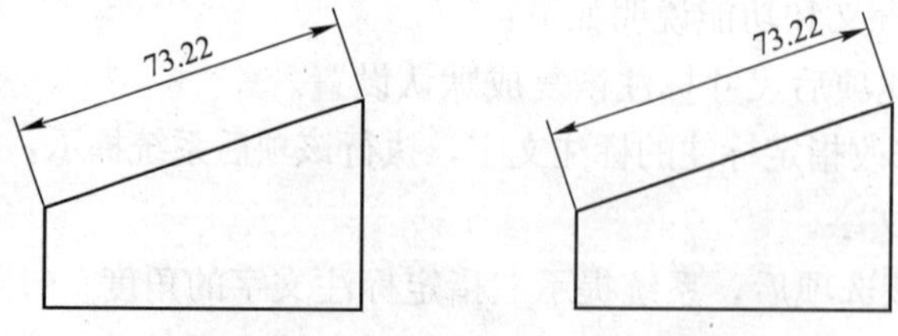


(*a*)　　(*b*)

图 9-35　用 Dimtedit 命令修改尺寸后的效果

命令：Dimtedit　　执行 Dimtedit 命令
选取标注：　　选择对象
输入字体定位：
指定标注文字的新位置或 [左(L)/右(R)/中心(C)/默认(H)/角度(A)]
键入 R　　回车完成命令

**左**(L)：选择此项后，可以决定尺寸文字沿尺寸线左对齐。

**右**(R)：选择此项后，可以决定尺寸文字沿尺寸线右对齐。

**中心**(C)：选择此项后，可将标注文字移到尺寸线的中间。

**默认**(H)：执行此项后尺寸标注恢复成默认设置。

**角度(A)**：将所选文本旋转一定的角度。

**3. 注意**

1) 用户还可以用 Ddedit 命令来修改标注文字，但 Ddedit 无法对尺寸文本重新定位，要 Dimtedit 命令才可对尺寸文本重新定位。Ddedit 命令的使用方法可以看前一章的介绍。

2) 在对尺寸标注进行修改时，如果对象的修改内容相同，则用户可选择多个对象一次性完成修改。

3) 如果对尺寸标注进行了多次修改，要想恢复原来真实的标注，请在命令行输入 Dimreassoc，然后系统提示选择对象，选择尺寸标注回车后就恢复了原来真实的标注。

4) Dimtedit 命令中的“左(L)/右(R)”这两个选项仅对长度型、半径型、直径型标注起作用。

# 本 章 小 结

1. 本章主要介绍标注样式的创建方法和标注尺寸的方法。学完本章后，读者应该对尺寸标注有一个清楚的了解，初步掌握根据自己的特殊需要创建出合适的尺寸标注形式或改变尺寸标注样式的方法。

2. 在样板图中，将设计好的尺寸标注样式，直接存成一个□.Dwt 格式的样板图，软件 CAD 将其保存到 Template 子目录下面，以后就直接用样板图来开始新图可以节省时间提高效率。

# 练 习

1. 填空题

(1) 通常一个完整的尺寸标注由尺寸线、__________、尺寸箭头和__________等部分组成。

(2) 形位公差包括__________公差和__________公差。

2. 绘制下图所示的图形，并完成尺寸标注。

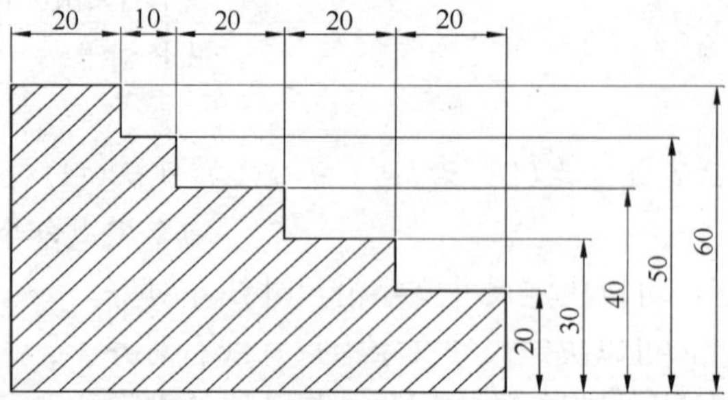


3. 绘制下图所示的图形，并完成尺寸标注。

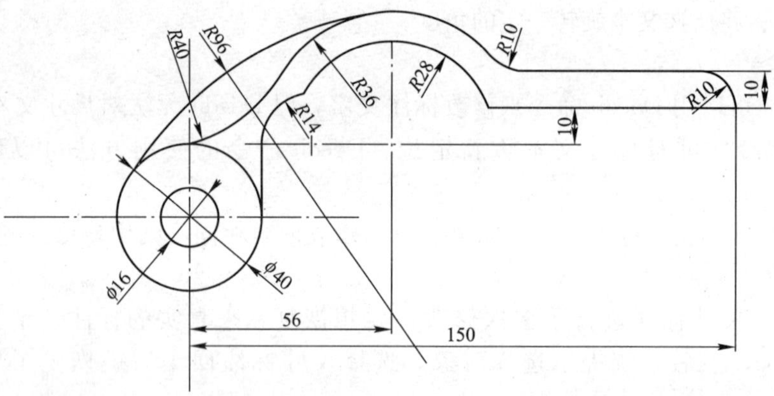


4. 绘制下图所示机械零件图形，注意相切，使用各种尺寸标注工具完成全部标注。

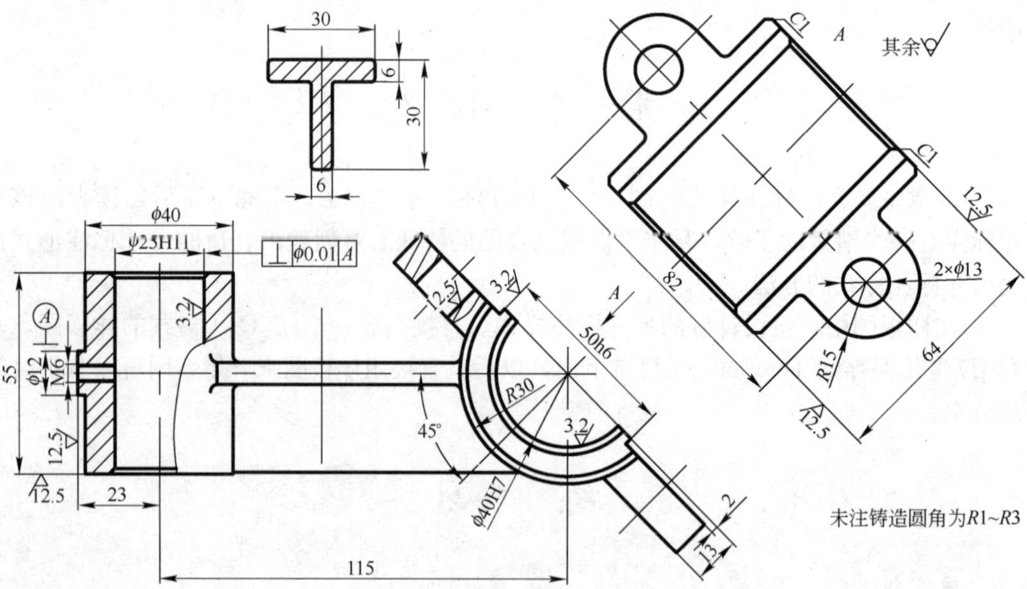


未注铸造圆角为R1~R3

# 第 10 章　图块、属性及外部参照

**本章要点**

■ 图块的制作与使用

■ 属性的定义与使用

■ 使用外部引用

本章主要学习在 CAD 2010 中如何建立、插入与重新定义图块；定义、编辑属性；属性块的制作与插入；使用外部引用等以提高绘图效率。

## 10.1　图块的制作与使用

图块的运用是 CAD 软件的一项重要功能。图块就是将多个实体组合成一个整体，并给这个整体命名保存，在以后的图形编辑中这个整体就被视为一个实体。一个图块包括可见的实体如线、圆弧、圆以及可见或不可见的属性数据。图块作为图形的一部分储存。例如一张桌子，它由桌面、桌腿、抽屉等组成，如果每次画相同或相似的桌子时都要画桌面、桌腿、抽屉等部分，那么，这工作不仅繁琐，而且重复。如果我们将桌面、桌腿、抽屉等部件组合起来，定义成名为“桌子”的一个图块，那么在以后的绘图中，我们只需将这个图块以不同的比例插入到图形中即可。图块能帮我们更好的组织工作，快速创建与修改图形，减少图形文件的大小。使用图块，可以创建一个自己经常要使用的符号库，然后以图块的形式插入一个符号，而不是从空白开始重画该符号。

创建图块并保存，根据制图需要在不同地方插入一个或多个图块，系统插入的仅仅是一个图块定义的多个引用，这样会大大减小绘图文件大小。同时只要修改图块的定义，图形中所有的图块引用体都会自动更新。

如果图块中的实体是画在 0 层，且“颜色与线型”两个属性是定义为“随层”，插入后它会被赋予插入层的颜色与线型属性。相反，如果图块中的实体，定义前它是画在非 0 层，且“颜色与线型”两个属性不是“随层”的话，插入后它保留原先的颜色与线型属性。

当新定义的图块中包括别的图块，这种情况叫嵌套，当想把小的元素链接到更大的集合，且在图形中要插入该集合时，嵌套是很有用的。

### 10.1.1　内部块定义

CAD 软件中图块分为内部块和外部块两类，本节将讲解运用 Block 和 Wblock 命令定义内部块和外部块的操作。

**1. 命令格式**

命令行：Block(B)

菜单：[绘图]→[块(K)]→[创建(M)]

工具栏：[绘图]→[创建块] 

创建块一般是在 CAD 2010 绘图工具栏中，选取“创建块”，系统弹出如图 10-1 所示的对话框。

图 10-1　块定义对话框

用 Block 命令定义的图块只能在定义图块的图形中调用，而不能在其他图形中调用，因此用 Block 命令定义的图块被称为内部块。

**2. 操作步骤**

用 Block 命令将如图 10-2 所示的床定义为内部块。其操作步骤如下：

图 10-2　床的图形

图 10-3　定义床为内部块

| 命令：Block | 执行 Block 命令 |
|---|---|
| 在块定义对话框中输入块的名称：大床 | 输入新块名称，如图 10-3 所示 |
| 指定基点：点床的左下角 | 先点击【拾取点】按钮，再指定 |
| 选取写块对象：点床的右下角 | 指定窗口右下角点 |
| 另一角点：点床的左上角 | 指定窗口左上角点 |
| 选择集中的对象：16 | 提示已选中对象数 |
| 选取写块对象： | 回车完成定义内部块操作 |

执行 Block 命令后，打开“块定义”对话框用于图块的定义，如图 10-1 所示。该对话框各选项功能如下：

**名称**：此框用于输入图块名称，下拉列表框中还列出了图形中已经定义过图块名。

**预览**：用户在选取组成块的对象后，将在“名称”框后显示所选择组成块的对象的预览图形。

**基点**：该区域用于指定图块的插入基点。用户可以通过(拾取点)按钮或输入坐标值确定图块插入基点。

**拾取点**：单击该按钮，“块定义”对话框暂时消失，此时需用户使用鼠标在图形屏幕上拾取所需点作为图块插入基点，拾取基点结束后，返回到“块定义”对话框，X、Y、Z 文本框中将显示该基点的 X、Y、Z 坐标值。

**X、Y、Z：**在该区域的 X、Y、Z 编辑框中分别输入所需基点的相应坐标值，以确定出图块插入基点的位置。

**对象：**该区域用于确定图块的组成实体。其中各选项功能如下：

**选择对象：**单击该按钮，“块定义”对话框暂时消失，此时用户需在图形屏幕上用任一目标选取方式选取块的组成实体，实体选取结束后，系统自动返回对话框。

**快速选择：**开启“快速选择”对话框，通过过滤条件构造对象。将最终的结果作为所选择的对象。

**保留：**点选此单选项后，所选取的实体生成块后仍保持原状，即在图形中以原来的独立实体形式保留。

**转换为块：**点选此单选项后，所选取的实体生成块后在原图形中也转变成块，即在原图形中所选实体将具有整体性，不能用普通命令对其组成目标进行编辑。

**删除：**点选此单选项后，所选取的实体生成块后将在图形中消失。

**3. 注意**

1）为了使图块在插入当前图形中时能够准确定位，给图块指定一个插入基点作为参考点将图块插入到图形中的指定位置，同时，如果图块在插入时需旋转角度，该基点将作为旋转轴心。

2）当用 Erase 命令删除了图形中插入的图块后，其块定义依然存在，因为它储存在图形文件内部，就算图形中没有调用它，它依然占用磁盘空间，并且随时可以在图形中调用。可用 Purge 命令中的“块”选项清除图形文件中无用的、多余的块定义以减小文件的字节。

3）软件允许图块的多级嵌套。嵌套块不能与其内部嵌套的图块同名。

## 10.1.2　写块

**1. 命令格式**

命令行：Wblock

Wblock 命令可以看成是 Write 加 Block，也就是写块。Wblock 命令可将图形文件中的整个图形、内部块或某些实体写入一个新的图形文件，其他图形文件均可以将它作为块调用。Wblock 命令定义的图块是一个独立存在的图形文件，相对于 Block、Bmake 命令定义的内部块，它被称作外部块。

**2. 选项步骤**

用 Wblock 命令将图 10-4 所示沙发定义为外部块(写块)。其操作步骤如下：

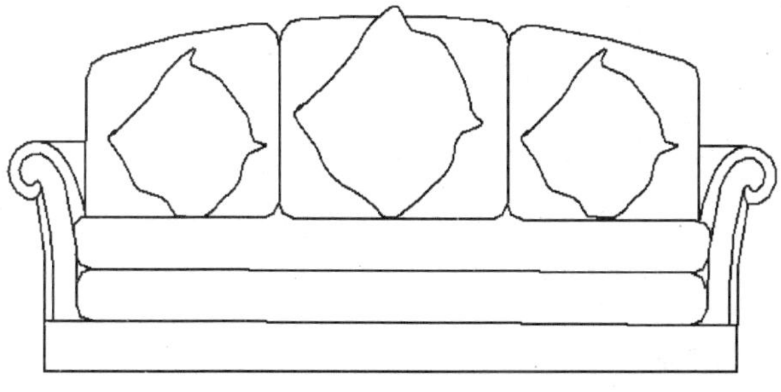

图 10-4　沙发定义为外部块

命令：Wblock　　执行wblock命令，弹出写块对话框
选取源栏中的整个图形选框　　将写入外部块的源指定为整个图形
点击选择对象图标，选取沙发图形　　指定对象
在目标对话框中输入“沙发Block”　　确定外部块名称
点击确定按钮：　　完成定义外部块操作

执行Wblock命令后，系统弹出如图10-5所示写块对话框。其主要内容如下：

**源**：该区域用于定义写入外部块的源实体。它包括如下内容：

**块**：该单选项指定将内部块写入外部块文件，可在其后的输入框中输入块名，或在下拉列表框中选择需要写入文件的内部图块的名称。

**预览**：用户在选取写块的对象后，将显示所选择写块的对象的预览图形。

**整个图形**：该单选项指定将整个图形写入外部块文件。该方式生成的外部块的插入基点为坐标原点(0，0，0)。

**对象**：该单选项将用户选取的实体写入外部块文件。

**基点**：该区域用于指定图块插入基点，该区域只对源实体为对象时有效。

图10-5　写块对话框

**对象**：该区域用于指定组成外部块的实体，以及生成块后源实体是保留、消除或是转换成图块。该区域只对源实体为对象时有效。

**目标**：该区域用于指定外部块文件的文件名、储存位置以及采用的单位制式。它包括如下的内容：

**文件名和路径**：用于输入新建外部块的文件名及外部块文件在磁盘上的储存位置和路径。单击输入框后的▾按钮，弹出下拉列表框，框中列出几个路径供用户选择。还可单击右边的…按钮，弹出浏览文件夹对话框，系统提供更多的路径供用户选择。

**3. 注意**

1）用Wblock命令定义的外部块其实就是一个Dwg图形文件。当Wblock命令将图形文件中的整个图形定义成外部块写入一个新文件时，它自动删除文件中未用的层定义、块定义、线型定义等，相当于用Purge命令的All选项清理文件后，再将其复制为一个新生文件，与原文件相比，大大减少了文件的字节数。

2）所有的Dwg图形文件均可视为外部块插入到其他的图形文件中，不同的是，用Wblock命令定义的外部块文件其插入基点是由用户设定好的，而用NEW命令创建的图形文件，在插入其他图形中时将以坐标原点(0，0，0)作为其插入基点。

### 10.1.3　插入图块

本节主要介绍如何在图形中调用已定义好的图块，以提高绘图效率。调用图块的命令

包括Insert(单图块插入)、Divide(等分插入图块)、Measure(等距插入图块)。Divide和Measure命令请参见3.5节。本节主要讲解Insert(单图块插入)命令的使用方法。

**1. 命令格式**

命令行：Insert/Ddinsert

菜单：[插入]→[块(B)]

工具栏：[绘图]→[插入块]

可以在当前图形中插入图块或别的图形。插入的图块是作为一个单个实体。而插入一个图形是被作为一个图块插入到当前图形中。如果改变原始图形，它对当前图形无影响。

当插入图块或图形的时候，必须定义插入点、比例、旋转角度。插入点是定义图块时的引用点。当把图形当作图块插入时，程序把定义的插入点作为图块的插入点。

**2. 操作步骤**

用Insert命令在如图10-6所示图形中插入一张床。其操作步骤如下：

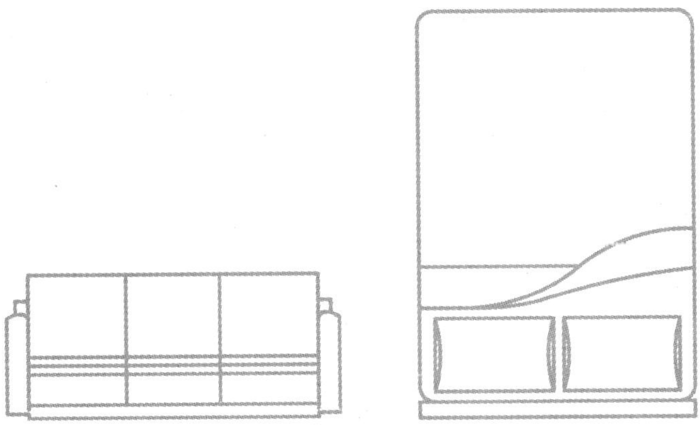

图10-6　插入一张床

| | |
|---|---|
| 命令：Insert | 执行Insert命令，弹出插入图 |
| 在插入栏中选择“大床”块 | 插块对话框，插入“大床”块 |
| 在三栏中均选择在屏幕上指定 | 确定定位图块方式 |
| 单击对话框的“插入”按钮 | 对话框消失，提示指定插入点 |
| 块的插入点或［多个块(M)/比例因子(S)/X/Y/Z/旋转角度(R)］：在房间中间拾取一点 | 指定图块插入点 |
| X比例因子＜1.000000＞： | 回车选默认值，确定插入比例 |
| Y比例因子：＜等于X比例(1.000000)＞： | 回车选默认值，确定插入比例 |
| 块的旋转角度＜0＞：90 | 设置插入图块的旋转角度 |
| 命令： | 结束插入命令，结果如图10-6所示 |

执行Insert命令后，系统弹出如图10-7所示对话框，其主要内容如下：

**图块名：**该下拉列表框中选择欲插入的内部块名。如果没有内部块，则是空白。

**从文件：**此项用来选取要插入的外部块。点击“从文件”单选按钮，单击“浏览”，系统显示如图10-8插入图形对话框，选择要插入的外部图块文件路径及名称，点击“打开"。再回到图 10-7 对话框，单击【插入】按钮，此时命令行提示指定插入点，键入插入比例、块的旋转角度。完成命令后，图形就插入到指定插入点。

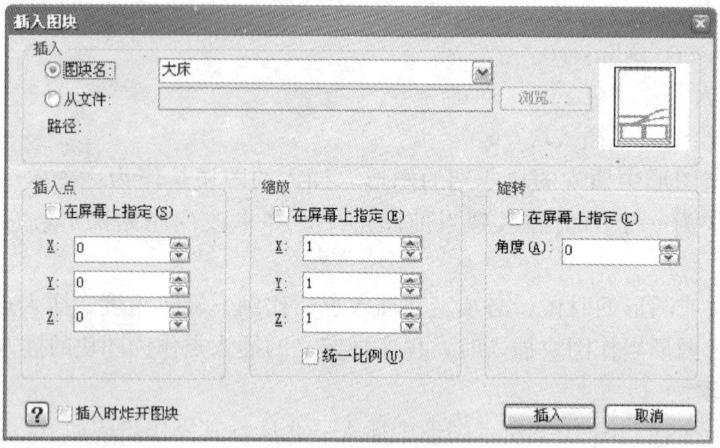


图 10-7　插入块对话框

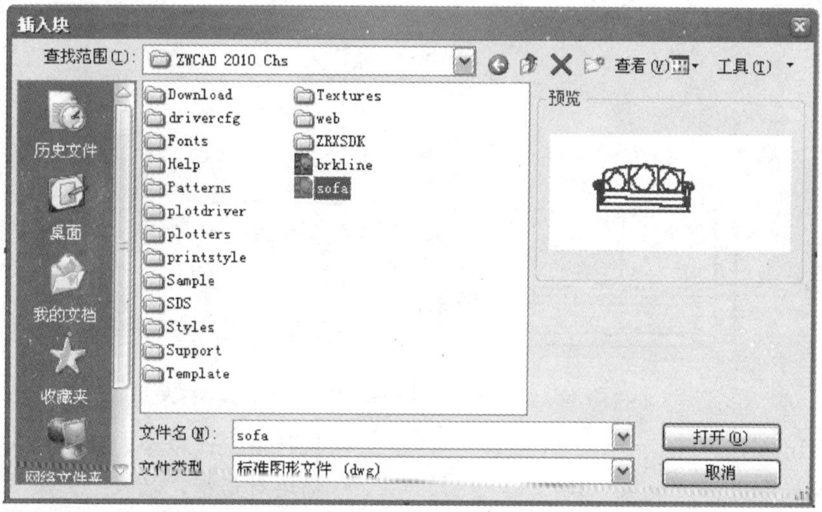


图 10-8　选择插入图形

**预览：**显示要插入的指定块的预览。

**插入点**(X、Y、Z)：此三项输入框用于输入坐标值确定在图形中的插入点。当选"在屏幕上指定"后，此三项呈灰色，不能用。

**缩放**(X，Y，Z)：此三项输入框用于预先输入图块在 X 轴、Y 轴、Z 轴方向上缩放的比例因子。这三个比例因子可相同，也可不同。当选用"在屏幕上指定"后，此三项呈灰色，不能用。缺省值为 1。

**在屏幕上指定：**勾选此复选框，将在插入时对图块定位，即在命令行中定位图块的插入点、X、Y、Z 的比例因子和旋转角度；不勾选此复选框，则需键入插入点的坐标比例因子和旋转角度。

**角度**(R)：图块在插入图形中时可任意改变其角度，在此输入框指定图块的旋转角度。

当选用“在屏幕上指定”后，此项呈灰色，不能用。

**插入时炸开图块：**该复选框用于指定是否在插入图块时将其炸开，使它恢复到元素的原始状态。当炸开图块时，仅仅是被炸开的图块引用体受影响。图块的原始定义仍保存在图形中。仍能在图形中插入图块的其他副本。如果炸开的图块包括属性，属性会丢失。但原始定义的图块的属性仍保留。炸开图块使图块元素返回到它们的下一级状态。图块中的图块或多段线又变为图块和多段线。

**统一比例：**该复选框用于统一三个轴向上的缩放比例。选用此项，Y、Z 框呈灰色，在 X 框输入的比例因子，在 Y、Z 框中同时显示。

**3. 注意**

1）外部块插入当前图形后，其块定义也同时储存在图形内部，生成同名的内部块，以后可在该图形中随时调用，而无需重新指定外部块文件的路径。

2）外部块文件插入当前图形后，其内包含的所有块定义(外部嵌套块)也同时带入当前图形中，并生成同名的内部块，以后可在该图形中随时调用。

3）图块在插入时如果选择了插入时炸开图块，插入后图块自动分解成单个的实体，其特性如层、颜色、线型等也将恢复为生成块之前实体具有的特性。

4）如果插入的是内部块则直接输入块名即可；如果插入的是外部块则需要给出块文件的路径。

## 10.1.4　复制嵌套图元

**1. 命令格式**

命令行：Ncopy

菜单：[Et 扩展工具]→[图块工具(B)]→[复制嵌套图元(C)]

Ncopy 命令可以将图块或 Xref 引用中嵌套的实体进行有选择的复制。用户可以一次性选取图块的一个或多个组成实体进行复制，复制生成的多个实体不再具有整体性。

**2. 注意**

1）Ncopy 命令同 Copy 命令一样可以复制非图块实体如点、线、圆等基体的实体。

2）Ncopy 命令与 Copy 操作方式一致，不同的是 Copy 命令对块进行整体性复制，复制生成的图形仍是一个块；而 Ncopy 命令可以选择图块的某些部分进行分解复制，原有的块保持整体性，复制生成的实体是被分解的单一实体。

3）Ncopy 命令在选择实体时不能使用 w、c、wp、cp、f 等多实体选择方式。

## 10.1.5　用块图元修剪

**1. 命令格式**

命令行：Btrim

菜单：[ET 扩展工具]→[图块工具(B)]→[用块图元修剪(T)]

Btrim 命令是对 Trim 命令的补充，可以将块中的某个组成实体定义为剪切边界。这里就简单介绍一下 Btrim。

**2. 操作步骤**

如图 10-9(*a*)所示为一个沙发图块加圆形垫子，现将图中的圆形用图块中的沙发前沿为边界进行修剪。结果如图(*b*)所示。其操作步骤如下：

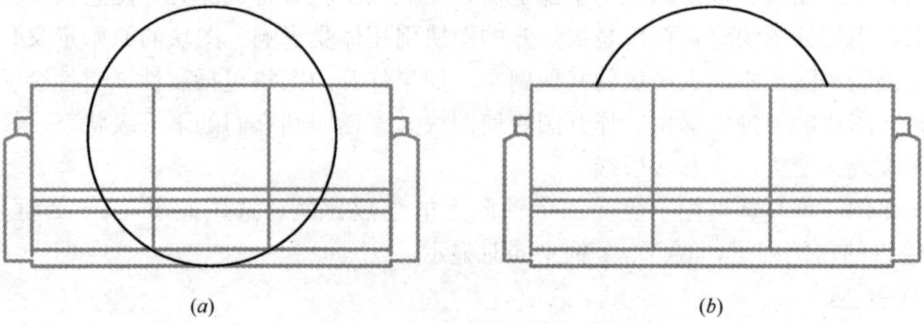

图 10-9　图块为边界进行修剪

命令：Btrim　　执行 Btrim

选择剪切边界：选取图块中的沙发前沿　　选取图块中的前沿线作为修剪边

选择剪切边界：　　回车结束边界选取

选择要修剪的对象或［投影(P)/边缘模式(E)］：

选取圆形　　选取需要修剪的实体

选择要修剪的对象或［投影(P)/边缘模式(E)］回车结束修剪操作如(*b*)所示

**3. 注意**

1) 当选择块作为修剪边界时，块显示为分解状态，选中的是组成块的单个实体。被修剪实体只能是非图块实体。

2) Btrim 命令选取修剪边界时，不能用 w、c、wp、f 等多实体选择方法，只能使用单实体选择方式。这点与 Trim 命令不同。

## 10.1.6　延伸至块图元

**1. 命令格式**

命令行：Bextend

菜单：［ET 扩展工具］→［图块工具(B)］→［延伸至块图元(N)］

Bextend 与 Btrim 相似，也是 CAD 的扩充命令，它是对 Extend 命令的补充命令。

**2. 操作步骤：**

将图 10-10(*a*)所示的沙发图块右边的圆弧线延伸至图块上，结果如图(*b*)所示。其步骤如下：

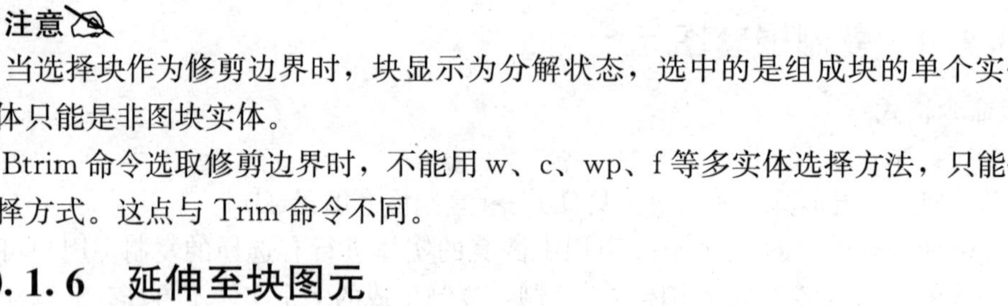

图 10-10　延伸至块图元结果

| | |
|---|---|
| 命令：Bextend | 执行 Bextend 命令 |
| 选择延伸边界：选取图中的右边沿 | 选取延伸边界 |
| 选择延伸边界： | 回车结束边界目标选择 |
| 选择要延伸的对象或［投影(p)/边缘模式(e)］： | |
| 选取图块右边的圆弧线 | 选取需延伸的目标 |
| 选择要延伸的对象或［投影(p)/边缘模式(e)］： | 回车完成延伸操作 |

**3. 注意**

1）当选择块作为延伸边界时，块显示为分解状态，选中的是组成块的单个实体。这点与 Btrim 命令一致。选择的延伸目标必须是非图块实体。

2）对于非图块延伸边界，Bextend 命令的功能与 Extend 命令是相同的。

3）Bextend 命令选取延伸边界时，不能用 w、c、wp、f 等多实体选择方式，只能使用单实体选择方式。这点与 Extend 命令不同。

## 10.1.7　替换图块

**1. 命令格式**

命令行：Blockreplace

菜单：［ET 扩展工具］→［图块工具(B)］→［替换图块(R)］

用来以一图块取代另一图块。

**2. 操作步骤**

用 Blockreplace 将本章练习 C 型住宅平面图中的树景替换。如图 10-11 所示。

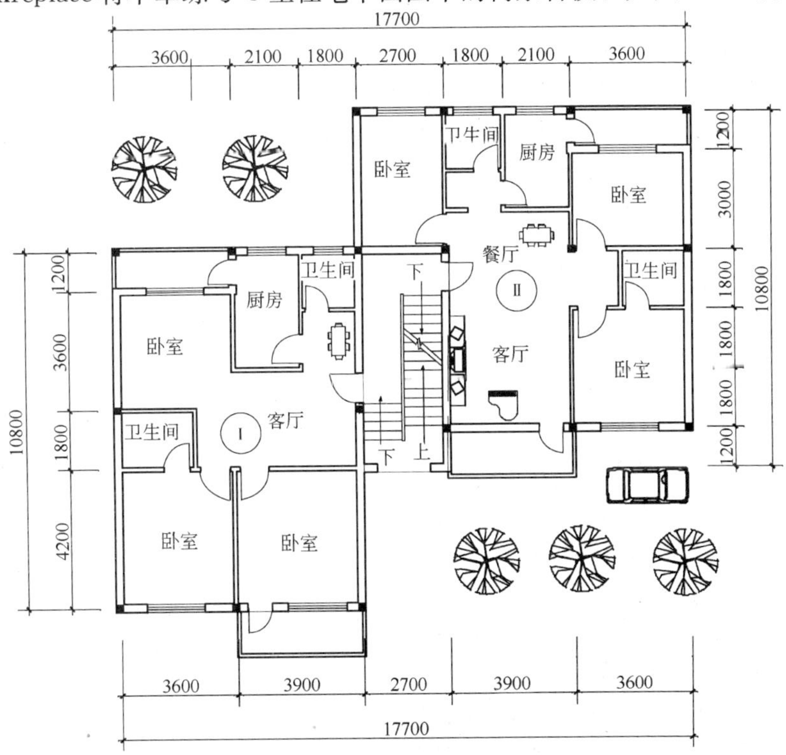


图 10-11　C 型住宅平面图

打开“C型平面图.dwg”文件，执行 Blockreplace 命令后，系统弹出图 10-12 所示块替换对话框，选中树景 2 后系统接着弹出对话框选择一个块用于替换，如图 10-13 所示，也就是选择用于替换旧块的新块，选中树景 3 后点击【确定】按钮，即完成图块替换命令。

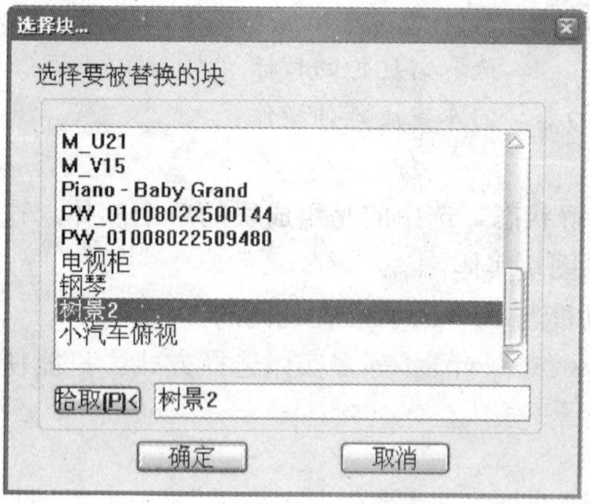


图 10-12　选择要被替换的块

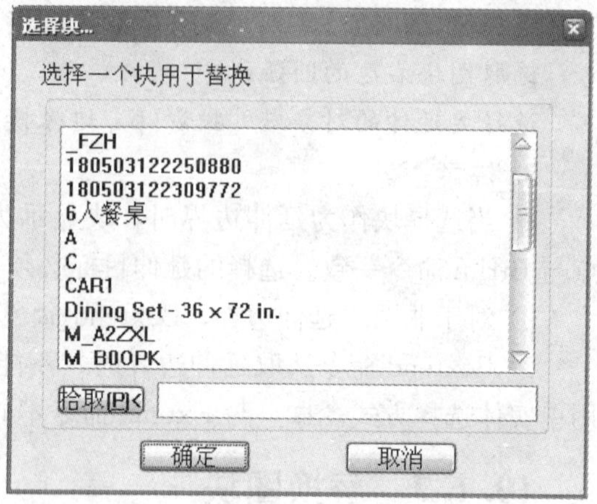


图 10-13　选择用于替换旧块的新块

## 10.2　属性的定义与使用

一个零件、符号除自身的几何形状外，还包含很多参数和文字说明信息(如规格、型号、技术说明等)，CAD 软件系统将图块所含的附加信息称为属性，如规格属性、型号属性。而具体的信息内容则称为属性值。可以使用属性来追踪零件号码与价格。属性可为固定值或变量值。插入包含属性的图块时，程序会新增固定值与图块到图面中，并提示要提供变量值。插入包含属性的图块时，可提取属性信息到独立文件，并使用该信息于空白表格程序或数据库，以产生零件清单或材料价目表。还可使用属性信息来追踪特定图块插入图面的次数。属性可为可见或隐藏，隐藏属性既不显示，亦不出图，但该信息储存于图面中，并在被提取时写入文件。属性是图块的附属物，它必须依赖于图块而存在，没有图块就没有属性。

### 10.2.1　属性的定义

**1. 命令格式**

命令行：Attdef/Ddattdef

菜单：[绘图]→[块(K)]→[定义属性(D)]

工具栏：[绘图]→[属性]

Attdef 命令用于定义属性。将定义好的属件连同相关图形一起，用 Block/Bmake 命令定义成块(生成带属性的块)，在以后的绘图过程中可随时调用它，其调用方式跟一般的图块相同。

**2. 选项步骤**

执行 Attdef 命令后，系统弹出如图 10-14 所示对话框，其主要内容为：名称、提示、缺省文本，另外包括坐标、属性标志、文本等。

用 Attdef 命令为图 10-15(*a*)所示沙发定义品牌和型号两个属性(其中型号为不可见属性)，然后将其定义成一个属性块并插入到当前图形中。其操作步骤如下：

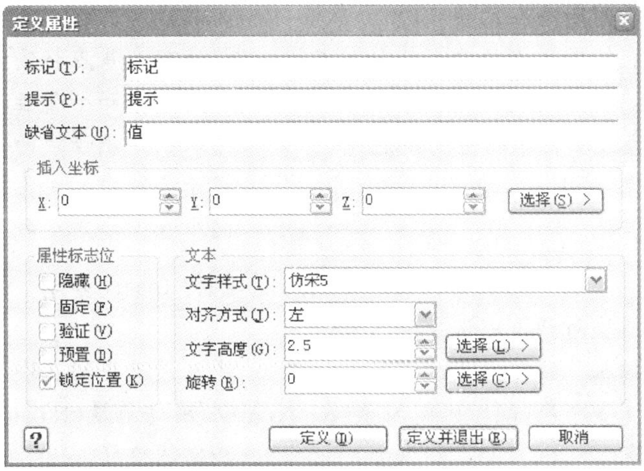


图 10-14　定义属性对话框

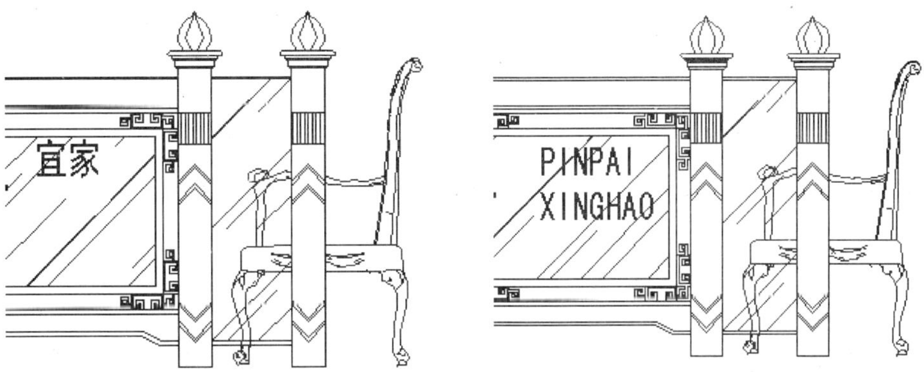


(*a*)　(*b*)

图 10-15　定义成一个属性块并插入结果

| | |
|---|---|
| 命令：Attdef | 执行命令，弹出定义属性对话框 |
| 在“名称”框中输入“PINPAI” | 输入属性名称 |
| 在“提示”框中输入“请输入汽车品牌” | 指定插入属性块时将提示内容 |
| 在“属性标志位”中选择验证模式 | 设置输入属性值时对该值进行核对 |
| 单击“选择”按钮拾取属性的插入点 | 指定品牌属性的插入点，如图(*b*) |
| 在文本字体框中输入已定义的字体 HT | 将属性文本的字体设为黑体 |
| 单击“定义”或“定义并退出”按钮 | 完成品牌属性的定义 |
| 命令：Attdef | 定义型号属性 |
| 在“名称”框中输入“XINGHAO” | 输入属性名称 |
| 在“提示”输入框中输入“请输入汽车型号” | 指定插入属性块时将提示内容 |
| 在“属性标志位”中选择隐藏和验证模式 | 设属性不可见和对属性值进行核对 |
| 单击“选择”按钮拾取属性的插入点 | 指定型号属性的插入点，如图(*b*) |
| 在文本字体框中输入已定义的字体 HT | 指定属性文本的字体 |
| 单击“定义”或“定义并编辑”按钮 | 完成型号属性定义，如图(*b*)所示 |
| 命令：Block | 执行 block 定义带属性的汽车图块 |

| 新块名称，或？列出存在的块：QC | 为属性块取名 |
|---|---|
| 新块插入点：在绘图区内拾取新块插入点 | 将块插入基点指定为汽车左下角点 |
| 选取写块对象： | 指定包含两个属性在内的汽车实体 |
| 另一角点：指定汽车实体的另一角点 | 选取组成属性块的实体 |
| 选择集中的对象：93 | 提示已选中的对象数 |
| 选取写块对象： | 回车结束块定义命令 |
| 命令：Insert | 执行 Insert 命令 |
| 在弹出的插入图块对话框中选择插入 QC 图块并单击“插入”按钮 | 输入或选择插入块的块名 |
| 块的插入点或［多个块(M)/比例因子(S)/X/Y/Z/旋转角度(R)］： | |
| 在图中拾取一点 | 指定图块插入点 |
| X 比例因子 <1.000000>： | 回车选默认值，确定插入比例 |
| Y 比例因子：<等于 X 比例(1.000000)>： | 回车选默认值，确定插入比例 |
| 块的旋转角度 <0>： | 设置插入图块的旋转角度 |
| 请输入汽车品牌 <值>：宝马 | 输入品牌属性值 |
| 请输入汽车型号 <值>：BM598 | 输入型号属性值 |
| 检查属性值 | 检查输入的属性值 |
| 请输入汽车品牌 <宝马>： | |
| 请输入汽车型号 <BM598>： | 输入正确，直接回车结束命令 |

**3. 注意**

1）属性在未定义成图块前，其属性标志只是文本文字，可用编辑文本的命令对其进行修改、编辑。只有当属性连同图形被定义成块后，属性才能按用户指定的值插入到图形中。当一个图形符号具有多个属性时，要先将其分别定义好后再将它们一起定义成块。

2）属性块的调用命令与普通块的是一样的。只是调用属性块时提示要多一些。

3）当插入的属性块被 Explode 命令分解后，其属性值将丢失而恢复成属性标志。因此用 Explode 命令对属性块进行分解要特别谨慎。

### 10.2.2 制作属性块

**1. 命令格式**

命令行：Block(B)

菜单：[绘图]→[块(K)]→[创建(M)]

工具栏：[绘图]→[创建块]

制作图块就是将图形中的一个或几个实体组合成一个整体，并定名保存，以后将其作为一个实体在图形中随时调用和编辑。同样，制作属性块就是将定义好的属件连同相关图形一起，用 Block/Bmake 命令定义成块(生成带属性的块)，在以后的绘图过程中可随时调用它，其调用方式跟一般的图块相同。

**2. 操作步骤**

用 Block 命令将图 10-16 所示已定义好品牌和型号两个属性(其中型号为不可见属性)的汽车制作成一个属性块，块名为 QC，其操作步骤如下：

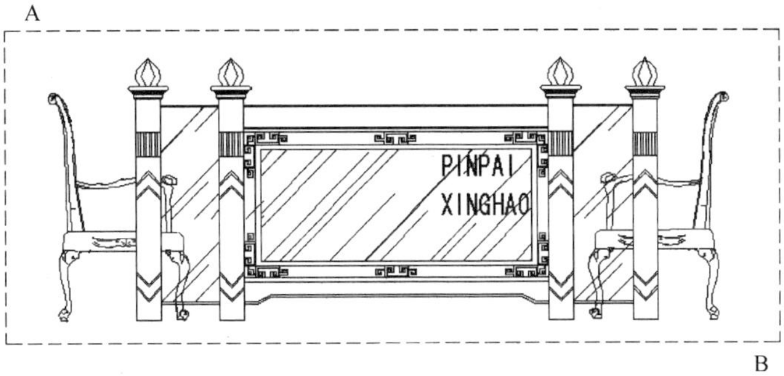


图 10-16 已定义好品牌和型号两个属性

| | |
|---|---|
| 命令：Block | 执行 Block 定义带属性汽车图块 |
| 在块定义对话框中输入块的名称：QC | 为属性块取名 |
| 新块插入点：在绘图区内拾取新块插入点 | 将块插入基点指定为汽车左下角 |
| 选取写块对象：指定包含两个属性在内的左上角 A | |
| 另一角点：指定汽车实体的另一角点 B | 选取组成属性块的实体 |
| 选择集中的对象：93 | |
| 选取写块对象： | 提示已选中对象数回车结束 |

## 10.2.3 插入属性块

**1. 命令格式**

命令行：Insert(I)

菜单：[插入]→[块(B)]

工具栏：[绘图]→[插入块]

插入属性块和插入图块的操作方法是一样的，插入的属性块是一个单个实体。插入属性图块，必须定义插入点、比例、旋转角度。插入点是定义图块时的引用点。当把图形当作属性块插入时，程序把定义的插入点作为属性块的插入点。属性块的调用命令与普通块的是一样的，只是调用属性块时提示要多一些。

**2. 操作步骤**

把上节制作的 jiaju 属性块插入到图 10-17 所示的房间中去。其操作步骤如下：

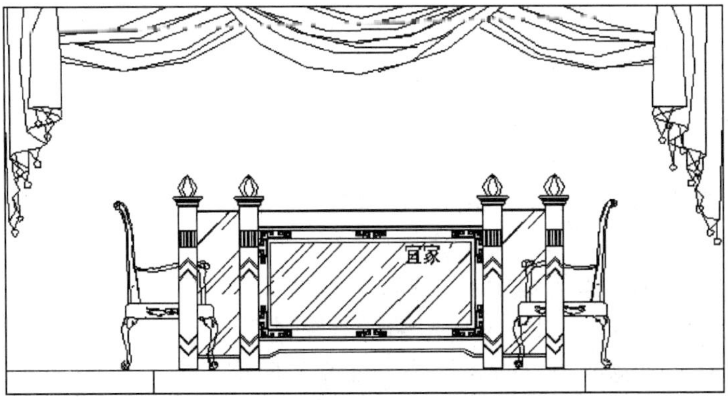


图 10-17 将属性块插入房间中

| | |
|---|---|
| 命令：Insert | 执行 Insert 命令 |
| 在弹出的插入图块对话框中 | |
| 选择插入 jiaju 图块并单击“插入”按钮 | 输入或选择插入块的块名 |
| 多个块/<块的插入点>：在绘图区拾取插入基点 | 指定图块的插入基点 |
| 角(C)/XYZ/X 比例因子 <1.000000>： | 回车选默认值，确定插入比例 |
| Y 比例因子：<等于 X 比例(1.000000)>： | 回车选默认值，确定插入比例 |
| 块的旋转角度：0 | 设置插入图块的旋转角度 |
| 请输入家具品牌<值>：宜家 | 输入品牌属性值 |
| 请输入家具型号<值>：H9034 | 输入型号属性值 |
| 检查属性值 | |
| 请输入家具品牌<宜家>： | 检查输入的属性值 |
| 请输入家具型号<H9034>： | 输入正确，直接回车结束命令 |

### 10.2.4 改变属性定义

命令行：Ddedit

菜单：[修改]→[对象(O)]→[编辑(E)]

当用户将属性定义好后，有时可能需要更改属性名、提示内容或缺省文本，这时可用 Ddedit 命令加以修改。Ddedit 命令只对未定义成块的或已分解的属性块的属性起编辑作用，对已做成属性快的属性只能修改其值。

执行 Ddedit 命令后，系统提示选择修改对象，当用户拾取某一属性名后，系统将弹出如图 10-18 所示对话框。

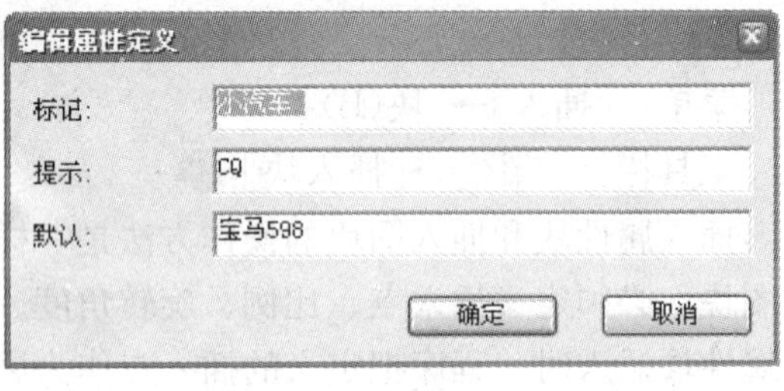


图 10-18 选择修改对象对话框

**标记**：在该输入框中输入欲修改的名称。

**提示**：在该输入框中输入欲修改的提示内容。

**默认**：在该输入框中输入欲修改的缺省文本。

完成一个属性的修改后，单击【确定】按钮退出对话框，系统再次重复提示：“选择修改对象”，选择下一个属性进行编辑，直至回车结束命令。

### 10.2.5 编辑图块属性

**1. 命令格式**

命令行：Ddatte(ATE)

Ddatte 用于修改图形中已插入属性块的属性值。Ddatte 命令不能修改常量属性值。

**2. 选项步骤**

执行 Ddatte 命令后，系统提示：“选取块参照”，选取要修改属性值的图块，用户按提示选取后，系统将弹出如图 10-19 所示编辑图块属性对话框。在“名称”下选取图块属性的名称，在数值框中显示相应的属性值，修改数值框中的内容即可更改相应属性的属性值。

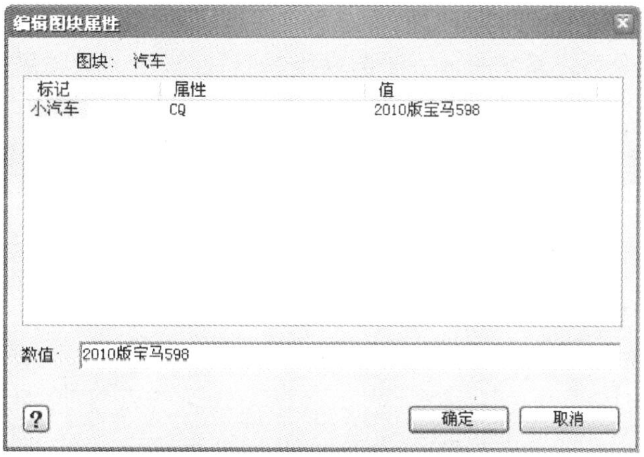


图 10-19　编辑图块属性对话框

用 Ddatte 命令将家具品牌属性的属性值由“宜家”改为“曲美”，结果如图 10-20(*b*)所示。其操作步骤如下：

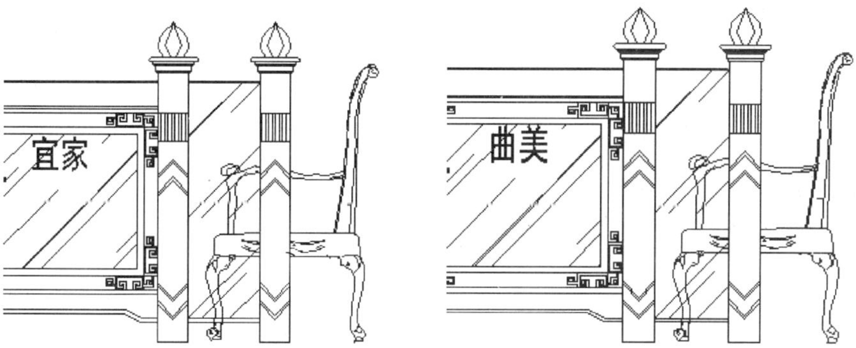


(*a*)　　(*b*)

图 10-20　将家具品牌属性的属性值由“宜家”改为“曲美”结果

| | |
|---|---|
| 命令：Ddatte | 执行 Ddatte 命令 |
| 选取块参照：拾取图(*a*)的属性块<br>弹出如图 10-19 所示编辑 | 选择修改图 10-20(*a*)属性块的属值，<br>图块属性对话框 |
| 在“名称”下选“PINPAI”，在数值框中将“宜家”改为“曲美” | |
| 单击“确定”按钮 | 结束命令，结果如图 10-20(*b*)所示 |

## 10.2.6　编辑属性

**1. 命令格式**

命令行：Attedit

菜单：[修改]→[对象(O)]→[属性(A)]→[单个(S)]/[全局(G)]

Attedit 命令可对图形中所有的属性块进行全局性的编辑。它可以一次性对多个属性块进行编辑，对每个属性块也可以进行多方面的编辑，它可修改属性值、属性位置、属性文本高度、角度、字体、图层、颜色等。

**2. 选项步骤**

执行 Attedit 命令后，系统提示：“选取块参照”，激活“增强属性编辑器”对话框，如图 10-21 所示。

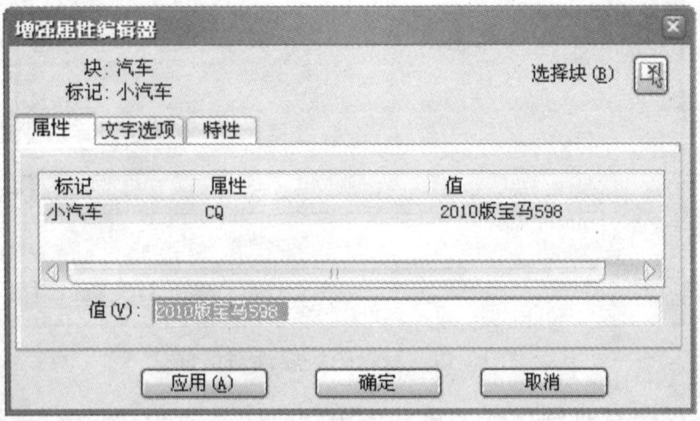


图 10-21　激活“增强属性编辑器”对话框

该对话框有三个标签页，分别介绍如下：

1)“属性”标签页

该标签页显示了所选择“块引用”中的各属性的标记、提示和它对应的属性值。单击某一属性，就可在“值”编辑框中直接对它的值进行修改。

2)“文字选项”标签页如图 10-22 所示。

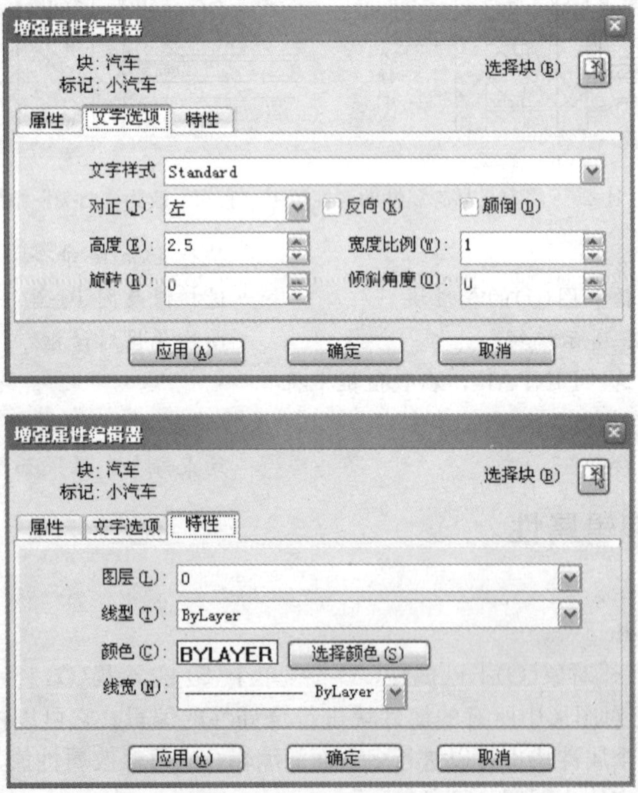


图 10-22　文字选项及特性标签页

可在该标签页直接修改属性文字的样式、对齐方式、高度、文字行角度等项目。各项的含义与设置文字样式命令 Style 对应项相同。

3)“特性”标签页如图 10-22 所示。

可在该标签页的编辑框中直接修改属性文字的所在图层、颜色、线形、线宽和打印样式等特性。

【应用】按钮用于在保持对话框打开的情况下确认已做的修改。

对话框中的【选择块】按钮用于继续选择要编辑的块引用。

**3. 注意**

属性不同于块中的文字标注的特点能够明显地看出来，块中的文字是块的主体，当块是一个整体的时候，是不能对其中的文字对象进行单独编辑的。而属性虽然是块的组成部分，但在某种程度上又独立于块，可以单独进行编辑。

## 10.2.7　分解属性为文字

**1. 命令格式**

命令行：Burst

菜单：[ET 扩展工具]→[图块工具(B)]→[分解属性为文字(P)]

将属性值炸成文字，而不是分解回属性标签。

**2. 操作步骤**

将图 10-23($a$)所示的属性块分解为文字，结果如图($c$)所示 。其步骤如下：

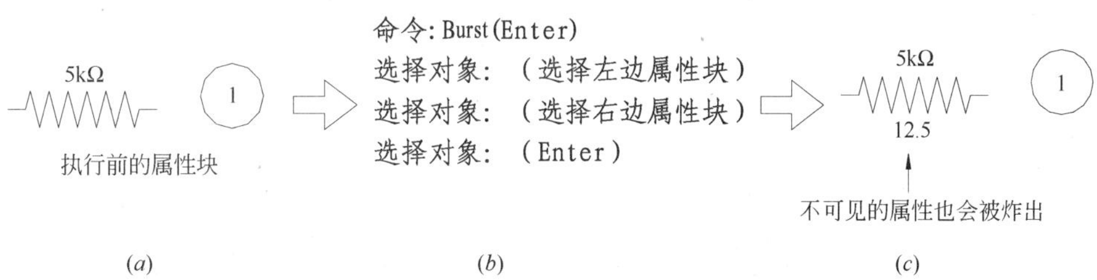


图 10-23　属性块分解为文字

**3. 注意**

Burst 和 Explode 命令的功能相似，但是 Explode 会将属性值分解回属性标签，而 Burst 将之分解回的却仍是文字属性值。

## 10.2.8　导出/导入属性值

命令行：Attout/Attin

菜单：[ET 扩展工具]→[图块工具(B)]→[导出属性值(A)]/[导入属性值(I)]

导出属性值：用来输出属性块的属性值内容到一个文本文件中。它主要用来将资料输出，并在修改后再利用导入属性值功能输入回来。

导入属性值：用来从一个文本文件中将资料输入到属性块。

# 10.3 外 部 参 照

## 10.3.1 外部参照

**1. 命令格式**

命令行：Xref

菜单：[插入]→[外部参照管理器(R)]

工具栏：[插入]→[外部参照]

在CAD软件中能够把整个其他图形作为外部参照插入到当前图形中。虽然外部图形插入到当前图形中，但当前图形对外部参照的文件只有一个链接点。因为外部参照中的实体显示在当前图形中，但实体本身并没有加入当前图形中。因而，链接外部参照并不意味着增加文件量大小。外部参照提供了把整个文件作为图块插入时无法提供的性能。当把整个文件作为图块插入，实体虽然保存在图形中，但原始图形的任何改变都不会在当前图形中反映。不同的是当链接一个外部参照时，原始图形的任何改变都会在当前图形中反映。当每次打开包含外部参照的文件时，改变会自动更新。如果知道外部参照已修改，可以在画图的任何的时候重新加载外部参照。从分图汇成总图时，外部参照是非常有用的。有外部参照定位在组中用户与其他人的位置。外部参照帮助减少文件量，并确保我们总是工作在图形中最新状态。

**2. 选项步骤**

执行Xref命令后，系统弹出如图10-24所示对话框。在“外部参照管理器”中可以查看到当前图形中所有外部参照的状态和关系，并且可以在管理器中完成附着、拆离、重载、卸载、绑定、修改路径等操作。

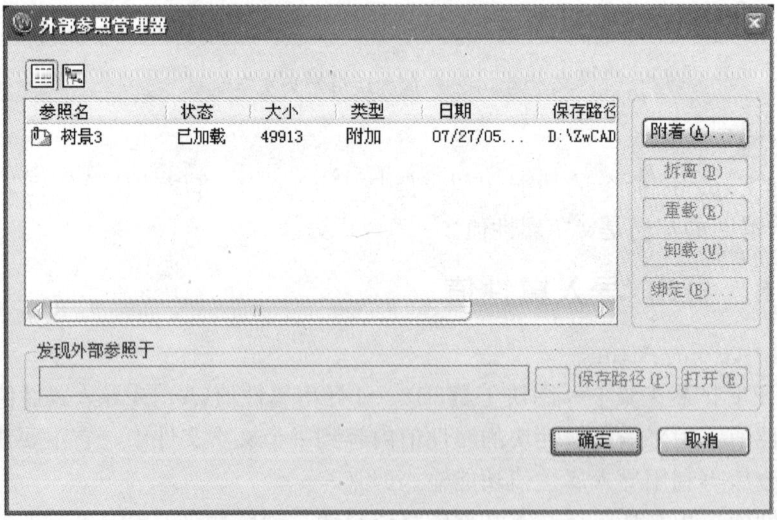


图10-24 “外部参照管理器”对话框

1）查看当前图形的外部参照状况操作

（1）以列表形式查看

单击左上角的【列表图】按钮，当前图形中的所有外部参照以列表形式显示在列表框中，每一个外部参照的名称、加载状态、大小、参照类型、参照日期和保存路径列在同一行状态条上。

（2）以树状结构形式查看

单击左上角内侧的【树状图】按钮，当前图形中的外部参照将以树状结构列表显示，从而可以看到外部参照之间的嵌套层次。

2）改变参照名操作

默认列表名是用参照图形的文件名。选择该名称后就可以重命名。该操作不会改变参照图形本来的文件名。

3）附着新的外部参照操作

单击【附着】按钮，将激活“外部参照”对话框，可以增加新的外部参照。

4）删除外部参照操作

在列表框中选择不再需要的外部参照，然后单击【拆离】按钮。

5）更新外部参照操作

在列表框中选择要更新的外部参照，然后单击【重载】按钮，软件会将该参照文件的最新版本读入。

6）暂时关闭外部参照操作

在列表框中选择某外部参照，然后单击【卸载】按钮，就可暂时不在屏幕上显示该外部参照并使它不参与重生成，以便改善系统运行性能。但是该外部参照仍存在于主图形文件中，需要显示时可以重新选择它，然后单击【重载】按钮。

7）永久转换外部参照到当前图形中操作

这种操作称为“绑定”。选择该外部参照，然后单击【绑定】按钮，激活“绑定”外部参照对话框，有下列两种绑定类型供选择。

（1）“绑定”：将所选外部参照变成当前图形的一个块，并重新命名它的从属符号，原来的“|”符号被“$n$”代替，中间的 n 是一个表示索引号的数字。例如“Draw|Layer1”变成“Draw$n$Layer1”。以后就可以和图中其他命名对象一样处理它们。

（2）“插入”：用插入的方法把外部参照固定到当前图形，并且它的从属符号剥去外部参照图形名，变成普通的命名符号加入到当前图中，如“DRAW|LAYER1”变成“LAYER1”。如果当前图形内部有同名的符号，该从属符号就变为采用内部符号的特性（如颜色……）。因此如不能确定有无同名的符号时，以选择“绑定”类型为宜。

被绑定的外部参照的图形及与它关联的从属符号（如块、文字样式、尺寸标注样式、层、线型表等）都变成了当前图形的一部分，它们不可能再自动更新为新版本。

8）改变外部参照文件的路径操作

（1）在列表框中选择外部参照。

（2）在“发现外部参照于”的编辑框中键入包含路径的新文件名。

（3）单击【保存路径】按钮保存路径，以后软件就会按此搜索该文件。

（4）单击【确定】按钮结束操作。

另外，也可以单击【浏览】按钮，打开“选取覆盖文件”对话框，从中选择其他路径或文件。

**3. 注意**

1）在一个设计项目中，多个设计人员通过外部参照进行并行设计。即将其他设计人员设计的图形放置在本地的图形上，合并多个设计人员的工作，从而整个设计组所做的设计保持同步。

2）确保显示参照图形最新版本。当打开图形时，系统自动重新装载每个外部参照。

## 10.3.2 附着外部参照

命令行：Xattach

菜单：[插入]→[外部参照(X)]

执行该命令，首先激活“选取附加文件”对话框如图 10-25 所示。在该框中选择参照文件之后，单击【打开】按钮，将关闭该对话框并激活“外部参照”对话框，如图 10-26 所示。

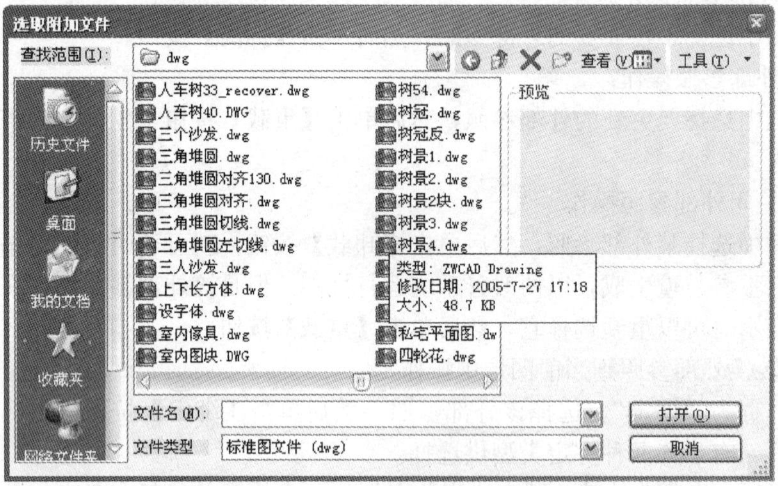

图 10-25 “选取附加文件”对话框

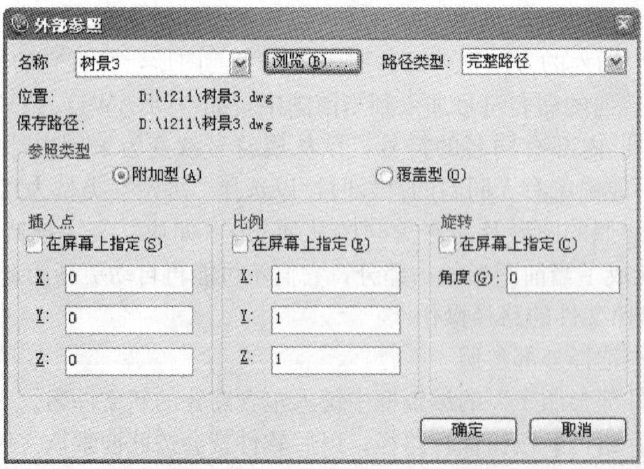

图 10-26 激活“外部参照”对话框

引入外部参照的操作步骤如下。

1）确定外部参照文件。

在“名称”中列出选好的文件名。如果想再选择别的文件作参照文件，可以单击【浏览】按钮，再打开“选取附加文件”对话框。

2）指定参照类型：附加型和覆盖型选择其中之一。

3）设定“插入点”、“XYZ 比例”和“旋转角”等参数，可用“在屏幕上指定”或直接在编辑框键入的方式来设定。

4）单击【确定】按钮，完成操作。

# 本 章 小 结

1. 本章主要介绍了图块的特点、图块的定义、图块的操作、图块的属性以及外部参照。这些内容都是十分有用的，希望读者能够将本章多看几遍，并且在学习过程中能把定义图块、插入图块和分解图块有机地结合起来，这样将大大地提高绘图质量和效率。

2. 将常用的各类图形做成图块，分类存放。使用时直接将图块插入，就像一个装配工，把各种零件从各库房取来，进行装配。如果这个装配工自己去一个一个地生产零部件，再进行装配，那是难以完成的。练习中有各种常用图块，可练习作图，并分类存放好，逐渐积累，以后要用就方便了。

3. 一般人对图块的理解是自己用 Block 作图块，用 Wblock 写块，这才算图块，其实图形文件也就是 *.Dwg 文件都可作图块使用。

4. 在图块插入时，图块中 0 层上的对象改变到图块的插入层，图块中非 0 层上的对象图层不变，也可以说非 0 层对象的图层具有继承性。反过来，也使我们联想到一个现象：很多人一直是在 0 层画图的，其他的层基本上不用，如果要改变某一实体的颜色，也是采用对象特性来改颜色，这是很不好的操作习惯，自己也搞不清哪些实体应为什么颜色，线型就更麻烦了。好的办法是根据工作环境、具体专业要求，建立不同的图层，每层一种颜色，一种线型，不要轻易改变，做到心中有数。

尽量保持对象的属性和图层的一致，也就是说尽可能的对象属性都是 Bylayer。0 层上一般是不用来画图的，主要是用来定义块的。

5. 外部参照是把已有的图形文件像块一样插入到图形中，但外部参照不同于图块插入，在插入图块时插入的图形对象作为一个独立的部分存在于当前图形中，与原来的图形文件丧失了关联性。在使用外部参照的过程中，那些被插入的图形文件的信息并不直接加入到当前的图形文件中，而只是记录引用的关系，对当前图形的操作也不会改变外部引用的图形文件的内容。只有用户打开有外部引用的图形文件时，系统才自动把各外部引用图形文件重新调入内存，且该文件能随时反映引用文件的最新变化。

6. 在国外的室内设计公司中，他们的一个非常好的绘图习惯是采取引用参照的形式即：插入/外部参照/公用的建筑底图，然后绘图时在图纸空间内作图，比较方便，这样建筑一旦更改，引用随时就会自动改过来，避免了无效劳动，提高了工作效率，同时出图作了统一的规定，比较方便，而国内大多数的人习惯在模型空间内作图，效率就要低一些。

7. 图块以及外部参照的修改方法：直接点击或双击你要改变的图块及外部参照，然后确定，即可进入参照编辑模式。在此模块中，可任意修改块内对象的属性，或编辑对象。修改好后点击“参照编辑”中的“将修改保存到参照”，若不需要保存修改则点“放弃对参照的修改”。点击确认回到作图模型。需注意的是，用外部参数的图纸修改，外部参照图即底图也会跟着修改。所以，外部参数图纸修改，要慎用。

## 练　习

1. 填空题

(1) 在 CAD 中，可用________和________命令以对话框的形式来定义块。

(2) 用户可以利用图块插入功能绘制多个图块的图形，然后再将其定义为一个图块，这样该图块成为一个________图块。

2. 选择题

(1) 要使插入的图块具有当前图层的特性，具有当前图层的颜色和线型，则需要在(　　)层上生成该图块。

A. 非 0　　　B. 0　　　C. 当前层

(2) CAD 允许用户将已经定义的图块插入到当前的图形文件中。在插入图块(或文件)时，用户必须确定四组特征参数，即要插入的图块名、插入点位置、插入比例系数和(　　)等。

A. 插入图块的旋转角度　　　B. 插入图块的坐标

C. 插入图块的大小

3. 把下面图中的各种沙发、餐桌做成图块，并予以属性定义。

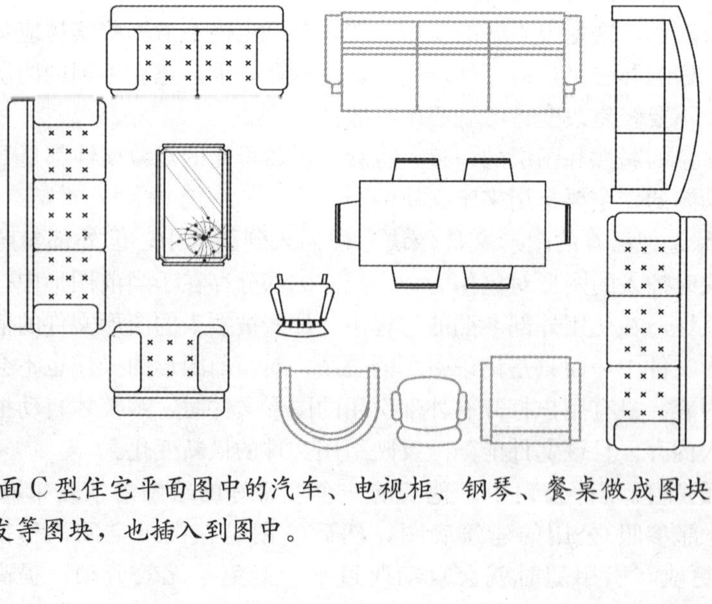

4. 先把下面 C 型住宅平面图中的汽车、电视柜、钢琴、餐桌做成图块，插入到图中。另外将床、沙发等图块，也插入到图中。

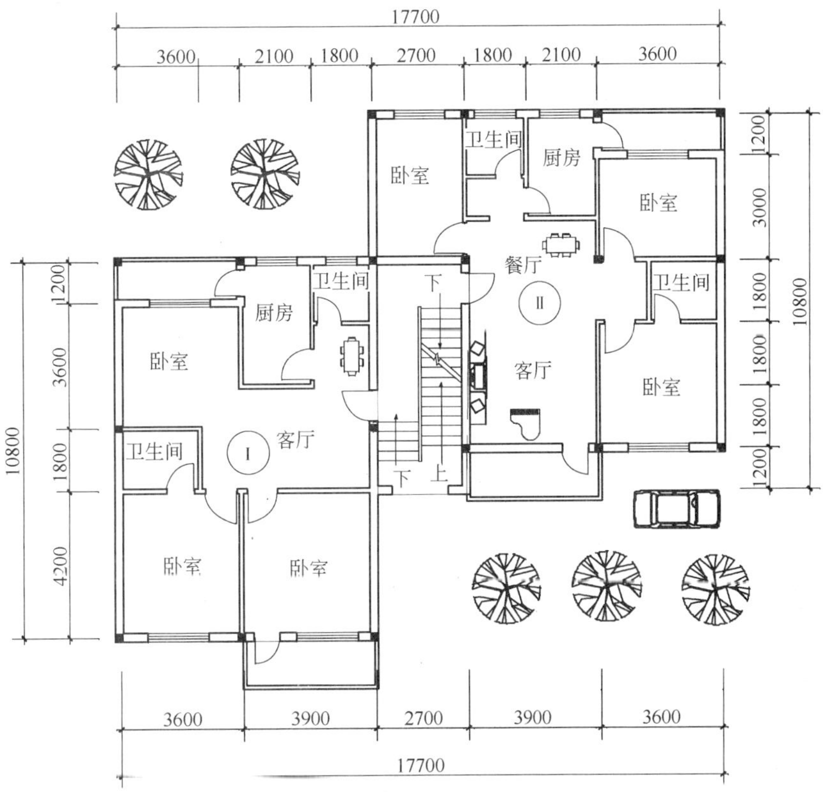
17700
3600
2100
1800
2700
1800
2100
3600
卧室
卫生间
厨房
卧室
餐厅
II
卫生间
卧室
客厅
厨房
卫生间
卧室
客厅
I
卫生间
卧室
卧室
下
下
上
1200
3000
1800
1800
1800
1200
10800
1200
3600
1800
4200
10800
3600
3900
2700
3900
3600
17700

# 第 11 章　图纸布局与图形输出

**本章要点**

■ 输出图形

■ 设置打印参数

■ 从图纸空间出图

输出图形是计算机绘图中的一个重要的环节。在 CAD 中，图形可以从打印机上输出为纸制的图纸，也可以用软件的自带功能输出为电子档的图纸。在这些打印或输出的过程中，参数的设置是十分关键的，本章将具体介绍如何进行图形打印和输出，重点讲解打印过程中的参数设置。

## 11.1　图　形　输　出

输出功能是将图形转换为其他类型的图形文件，如 bmp、wmf 等，以达到和其他软件兼容的目的。

**命令格式**

命令行：Export

菜单：[文件]→[输出(E)]

将当前图形文件输出到所选取的文件类型。

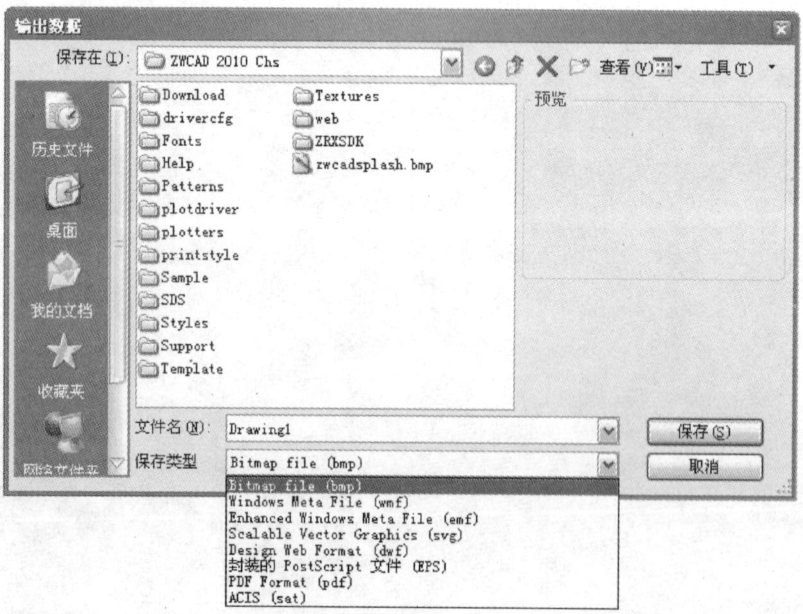


图 11-1　输出命令对话框

由输出对话框中的文件类型，可以看出 CAD 的输出文件有 8 种类型，都为图形工作中常用的文件类型，能够保证与其他软件的交流。使用输出功能的时候，会提示选择输出的图形对象，用户在选择所需要的图形对象后就可以输出了。输出后的图面与输出时 CAD 中绘图区域里显示的图形效果是相同的。需要注意的是在输出的过程中，有些图形类型发生的改变比较大，CAD 不能够把类型改变大的图形格式重新转化为可编辑的 CAD 图形格式，如果将 bmp 文件读入后，仅作为光栅图像使用，不可以进行图形修改操作。

## 11.2　打印和打印参数设置

用户在完成某个图形绘制后，为了便于观察和实际施工制作，可将其打印输出到图纸上。在打印的时候，首先要设置打印的一些参数，如选择打印设备、设定打印样式、指定打印区域等，这些都可以通过打印命令调出的对话框来实现。

**命令格式**

命令行：Plot

菜单：[文件]→[打印(P)]

工具栏：[标准]→[打印]

设定相关参数，打印当前图形文件。

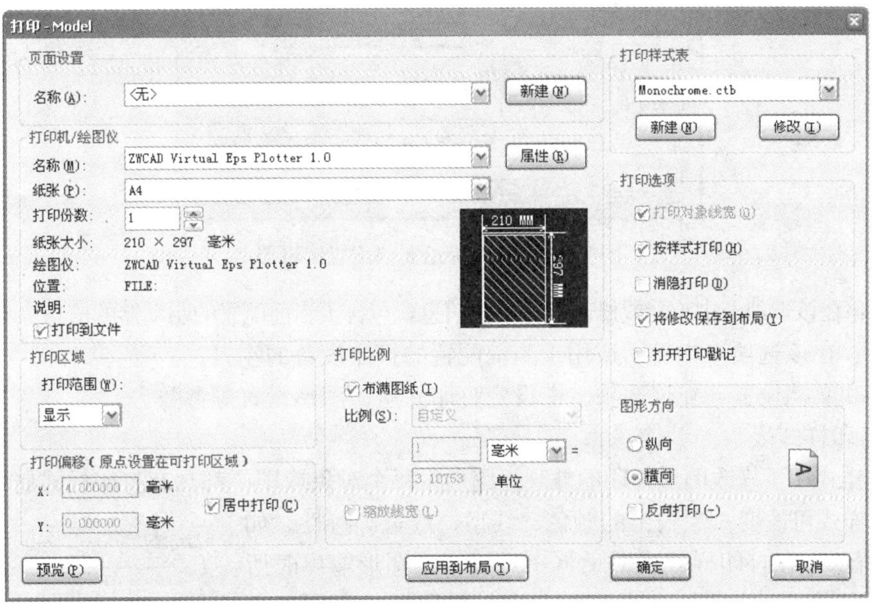


图 11-2　打印命令对话框

1）打印机/绘图仪

“打印机/绘图仪”栏，如图 11-3 所示，可以选择用户输出图形所要使用的打印设备、纸张大小、打印份数等设置。

若用户要修改当前打印机配置，可单击名称后的【属性】按钮，如图 11-4 所示，在对话框中可设定打印机的输出设置，如打印介质、图形、自定义图纸尺寸等。对话框中包含了 3 个选项卡，其含义分别如下：

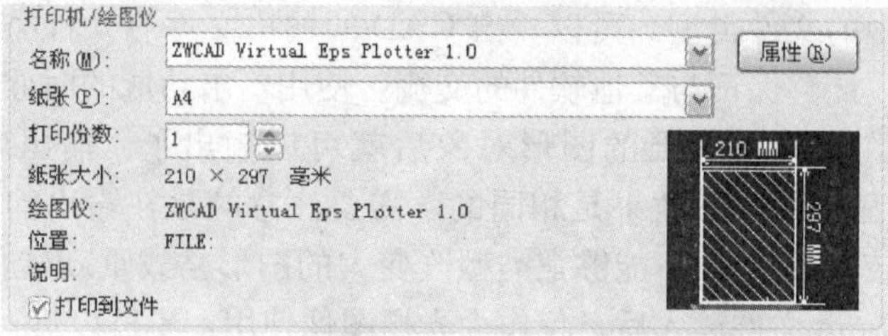


图 11-3　打印机/绘图仪设置

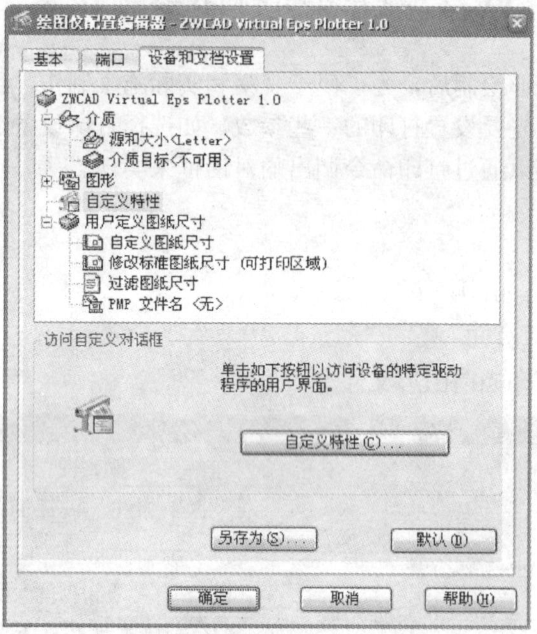


图 11-4　打印机/绘图仪配置编辑器

基本：在该选项卡中查看或修改打印设备信息，包含了当前配置的驱动器的信息。

端口：在该选项卡中显示适用于当前配置的打印设备的端口。

设备和文档设置：在该选项卡中设定打印介质、图形设置等参数。

2）打印样式表

打印样式用于修改图形打印的外观。图形中每个对象或图层都具有打印样式属性，通过修改打印样式可改变对象输出的颜色、线型、线宽等特性。如图 11-5 所示，在打印样式表对话框中可以指定图形输出时所采用的打印样式，在下拉列表框中有多个打印样式可供用户选择，用户也可点击【修改】按钮对已有的打印样式进行改动，如图 11-6，或用【新建】按钮设置新的打印样式。

图 11-5　指定打印样式

在 CAD 软件中，打印样式分为以下两种：

颜色相关打印样式：该种打印样式表的扩展名为 ctb，可以将图形中的每个颜色指定打印的样式，从而在打印的图形中实现不同的特性设置。颜色现定于 255 种索引色，真彩色和配色系统在此处不可使用。使用颜色相关打印样式表不能将打印样式指定给单独的对

图 11-6　编辑打印样式表

象或者图层。使用该打印样式的时候，需要先为对象或图层指定具体的颜色，然后在打印样式表中将指定的颜色设置为打印样式的颜色。指定了颜色相关打印样式表之后，可以将样式表中的设置应用到图形中的对象或图层。如果给某个对象指定了打印样式，则这种样式将取代对象所在图层所指定的打印样式。

命名相关打印样式：根据在打印样式定义中指定的特性设置来打印图形，命名打印样式可以指定给对象，与对象的颜色无关。命名打印样式的扩展命为 stb。

3）打印区域

如图 11-7，“打印区域”栏可设定图形输出时的打印区域，该栏中各选项含义如下：

窗口：临时关闭“打印”对话框，在当前窗口选择一矩形区域，然后返回对话框，打印选取的矩形区域内的内容。此方法是选择打印区域最常用的方法，由于选择区域后一般情况下希望布满整张图纸，所以打印比例会选择“布满图纸”选项，以达到最佳效果。但这样打出来的图纸比例很难确定，常用于比例要求不高的情况。

图形界限：打印包含所有对象的图形的当前空间。该图形中的所有对象都将被打印。

显示：打印当前视图中的内容。

4）设置打印比例

“打印比例”栏中可设定图形输出时的打印比例。在“比例”下拉列表框中可选择用户出图的比例，如 1∶1，同时可以用“自定义”选项，在下面的框中输入比例换算方式来达到控制比例的目的。“布满图纸”则是根据打印图形范围的大小，自动布满整张图纸。“缩放线宽”选项是在布局中打印的时候使用的，勾选上后，图纸所设定的线宽会按照打印比例进行放大或缩小，而未勾选则不管打印比例是多少，打印出来的线宽就是设置的线宽尺寸。

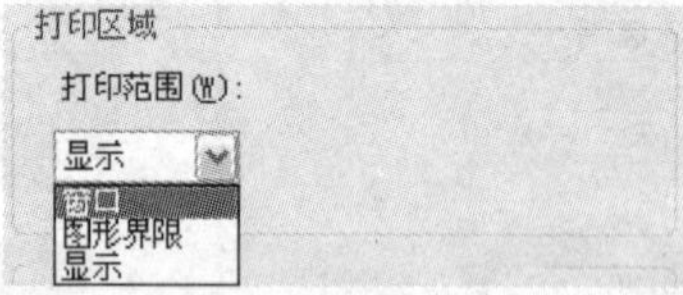


图 11-7 打印区域设置

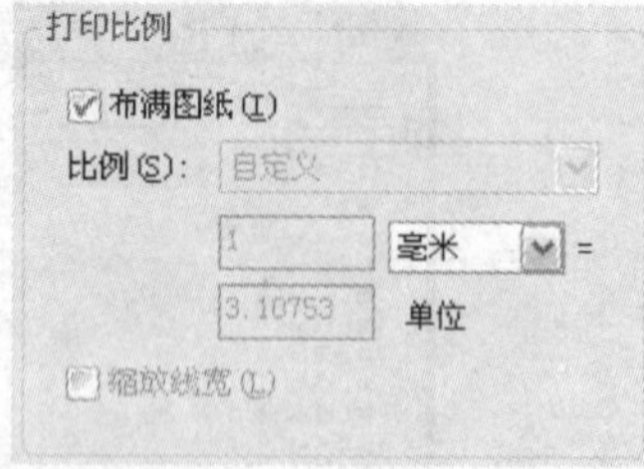


图 11-8 设置打印比例

5）调整图形打印方向

在“图形方向”栏中可指定图形输出的方向。因为图纸制作会根据实际的绘图情况来选择图纸是纵向还是横向，所以在图纸打印的时候一定要注意设置图形方向，否则图纸打印可能会出现部分超出纸张的图形无法打印出来的情况。该栏中各选项的含义如下：

纵向：图形以水平方向放置在图纸上。

横向：图形以垂直方向放置在图纸上。

反向打印：指定图形在图纸上倒置打印，即将图形旋转 180°打印。

6）指定偏移位置

指定图形打印在图纸上的位置。可通过分别设置 X(水平)偏移和 Y(垂直)偏移来精确控制图形的位置，也可通过设置“居中打印”，使图形打印在图纸中间。

打印偏移量是通过将标题栏的左下角与图纸的左下角重新对齐来补偿图纸的页边距。用户可以通过测量图纸边缘与打印信息之间的距离来确定打印偏移。

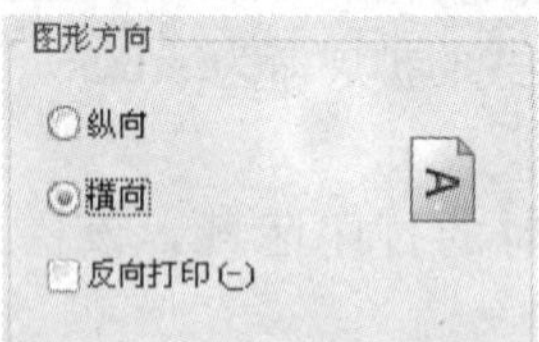


图 11-9 图形打印方向设置

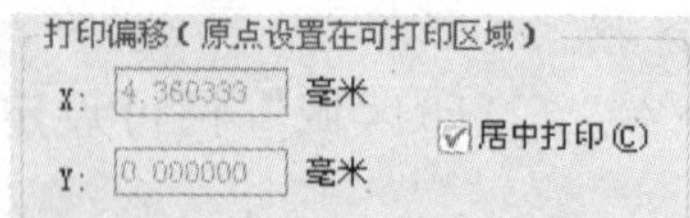


图 11-10 打印偏移设置

7）设置打印选项

打印过程中，还可以设置一些打印选项，在需要的情况下可以使用。各个选项表示的内容如下：

打印对象线宽：将打印指定给对象和图层的线宽。

按样式打印：以指定的打印样式来打印图形。指定此选项将自动打印线宽。如果不选择此选项，将按指定给对象的特性打印对象而不是按打印样式打印。

消隐打印：选择此项后，打印对象时消除隐藏线，不考虑其在屏幕上的显示方式。

将修改保存到布局：将在“打印”对话框中所做的修改保存到布局中。

打开打印戳记：使用打印戳记的功能。

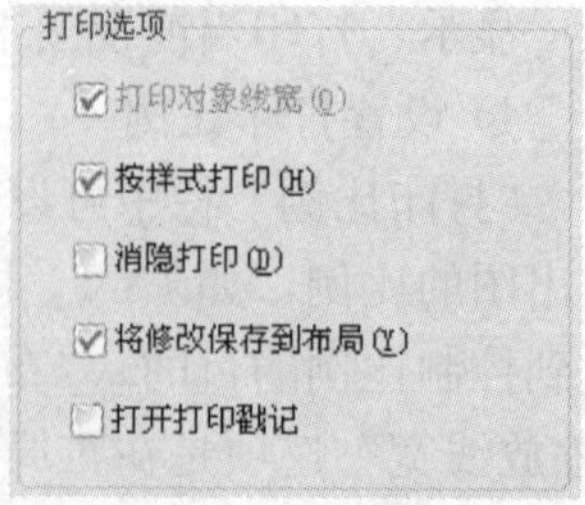


图 11-11 设置打印选项

8）预览打印效果

在图形打印之前使用预览框可以提前看到图形打印后的效果。这将有助于对打印的图形及时修改。如果设置了打印样式表，预览图将显示在指定的打印样式设置下的图形效果。

在预览效果的界面下，可以点击鼠标右键，在弹出的快捷菜单中有打印选项，点击即可直接在打印机上出图了。也可以退出预览界面，在“打印”对话框上点击【确定】按钮出图。

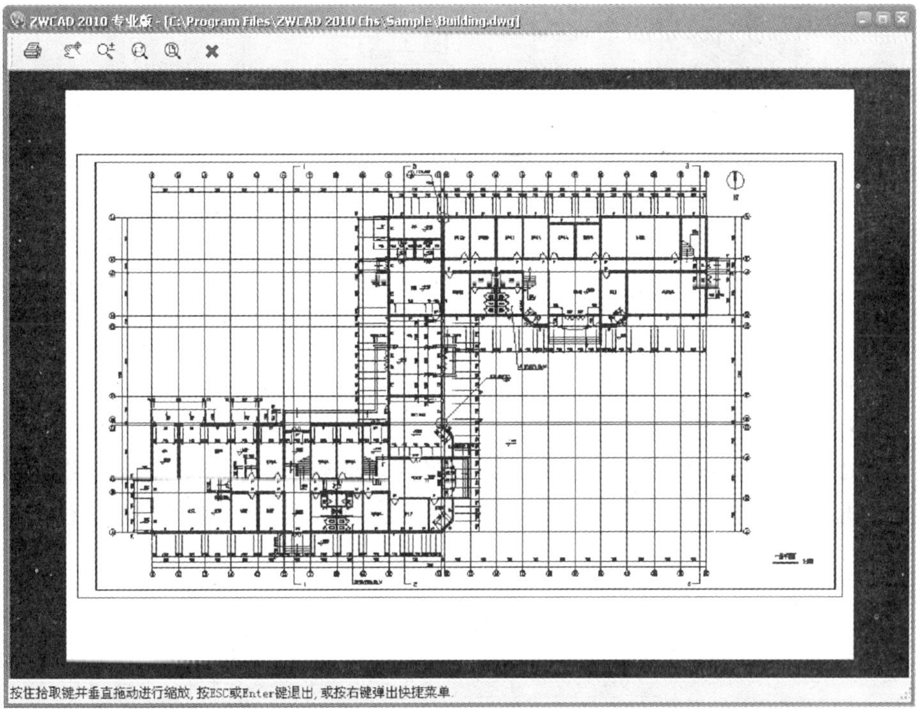


图 11-12　打印预览

用户在进行打印的时候要经过上面一系列的设置后，才可以正确地在打印机上输出需要的图纸。当然，这些设置是可以保存的，“打印”对话框最上面有“页面设置”选项，用户可以新建页面设置的名称，来保存所有的打印设置。另外，CAD 还提供从图纸空间出图，图纸空间会记录下设置的打印参数，从这个地方打印是最方便的选择。

## 11.3　从图纸空间出图

CAD 软件的绘图空间分为模型空间和图纸空间两种，前面介绍的打印是在模型空间中的打印设置，而在模型空间中的打印只有在打印预览的时候才能看到打印的实际状态，而且模型空间对于打印比例的控制不是很方便。从图纸空间打印可以更直观地看到最后的打印状态，图纸布局和比例控制更加方便。

如图 11-13，是一个图纸空间的运用效果，与模型空间最大的区别是图纸空间的背景是所要打印的白纸的范围，与最终的实际纸张的大小是一样的，图纸安排在这张纸的可打印范围内，这样在打印的时候就不需要再进行打印参数的设置，就可以直接出图了。

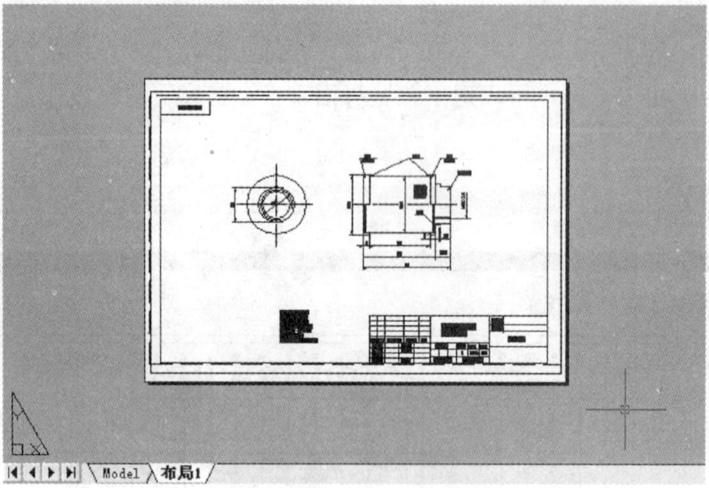


图 11-13 图纸空间示例

下面将通过一个例子讲述从图纸空间出图的实际操作方法。

● 在模型空间绘制好需要的图形后，点击状态栏上的 布局1 按钮，进入图纸空间界面。在界面中有一张打印用的白纸示意图，纸张的大小和范围已经确定，纸张边缘有一圈虚线表示的是可打印的范围，图形在虚线内是可以在打印机上打印出来的，超出的部分则不会被打印。

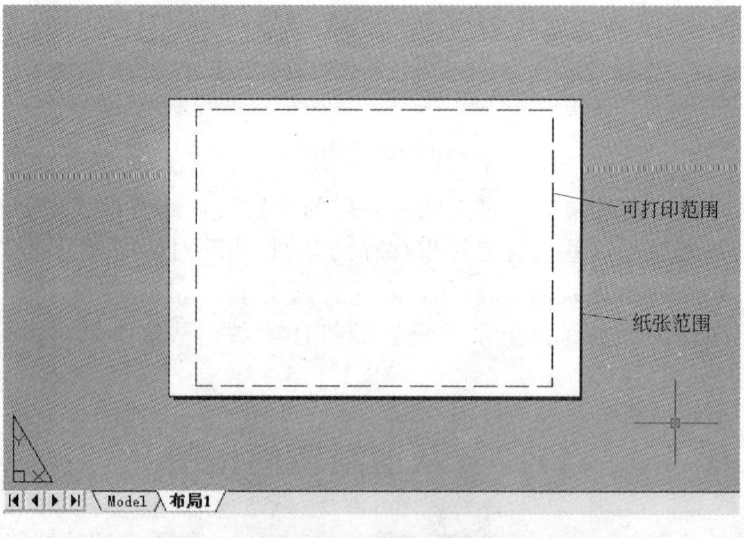


图 11-14 进入图纸空间

● 选择菜单［文件］-［页面设置］，进入页面设置管理器对话框，点击【修改】按钮，进入打印设置对话框。这个对话框和模型空间里用打印命令调出的对话框非常的相近，在这个对话框中设置好打印机名称、纸张、打印样式等内容后，就可以点击【确定】保存设置了。注意把比例设置为 1∶1，这样打出图形的比例会很好控制。

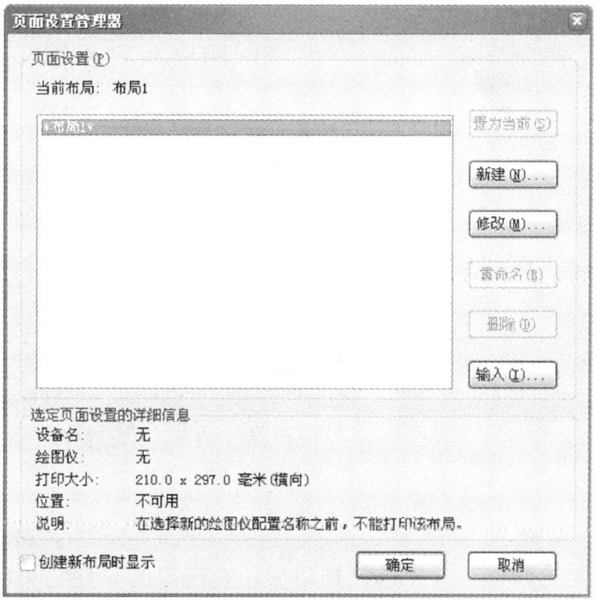


图 11-15　页面设置管理器

● 选择菜单［视图］-［视口］-［一个视口］，在图纸空间中点取两点确定矩形视口的大小范围，模型空间中的图形就会在这个视口当中反映出来。这时图形和白纸的比例还不协调，需要调整。

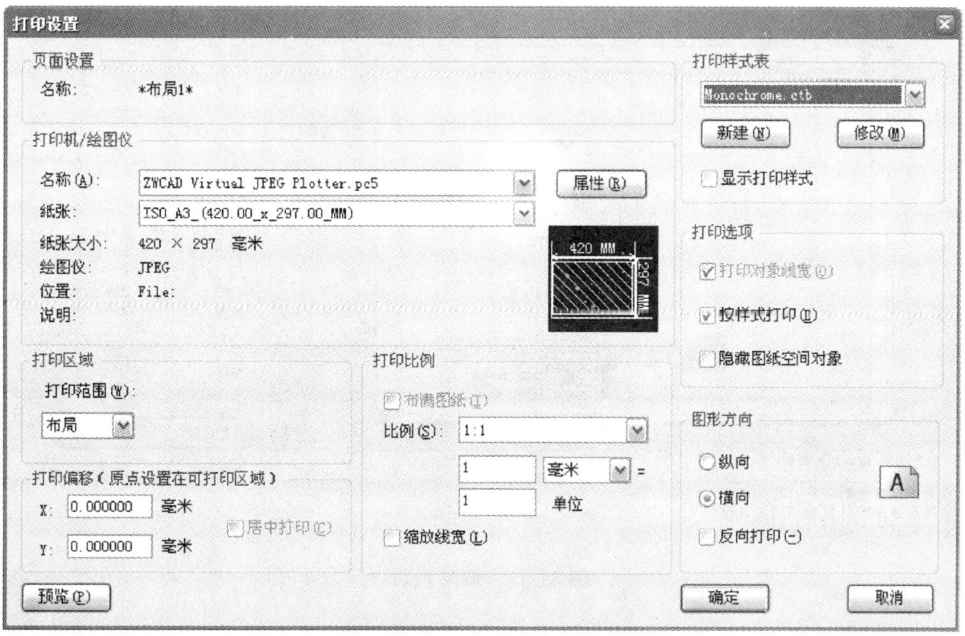


图 11-16　打印设置对话框

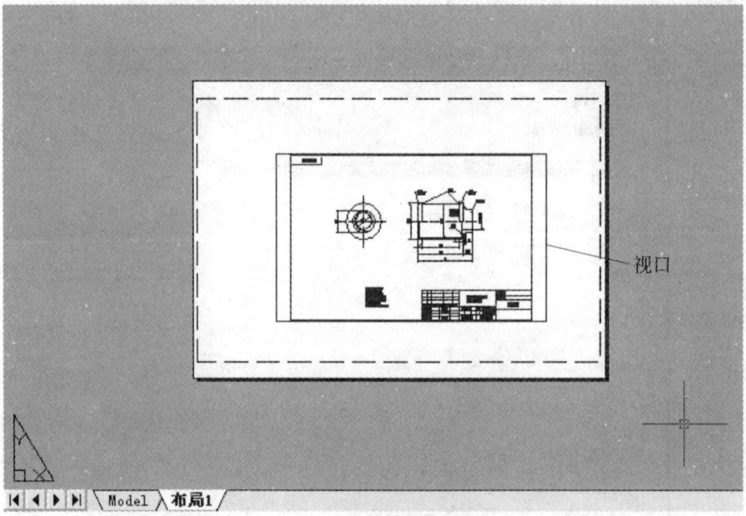


图 11-17　在图纸空间中建立视口

● 对视口进行必要的调整。首先选择视口后，在视口的属性栏里的“标准比例”一项调整到需要的比例，例如要放大一倍打印，则要调整到 2∶1。本例中需要 1∶1 打印，所以标准比例为 1∶1。这里还提供自定义比例，用户可以自己设定需要的比例。比例定好后，调整视口的各个夹点位置，使得视口可以包括需要打印的图形。最后用 Move 命令移动视口，将需要打印的图形移动到图纸虚线的内部。

这样图纸空间的设置就完成了。

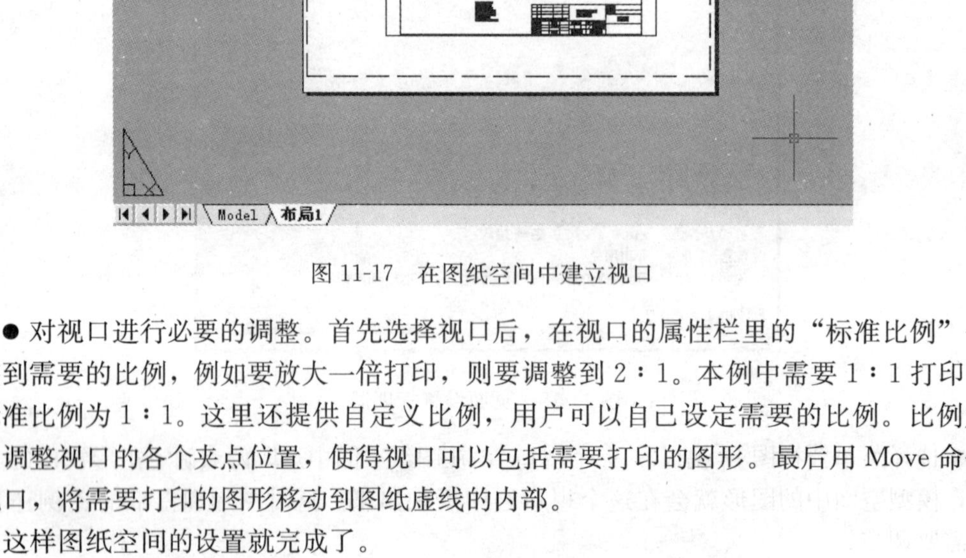


图 11-18　调整视口

● 运行打印命令，打印对话框中的设置会自动与页面设置的情况一样，预览打印效果，如果没问题直接【确定】就可以出图了。

一张图纸可以设置多个图纸空间，在状态栏的\Model/按钮上点击鼠标右键，有新建的选项。这样如果模型空间里绘制了多幅图纸，可以设置多个图纸空间来对应不同需求的打印。图纸空间设定好后，会随图形文件保存而一起保存，再次打印时无需再次设置。

模型空间绘图时，可以用 1∶1 比例绘制出图形，在图纸空间设定各打印参数和比例大小，可以把图框和标注都在图纸空间里制作，这样图框的大小不需要放大或缩小，标注的相关设定，如文字高度，也不需要特别的设定，这样打印出来的图会非常准确。

## 本 章 小 结

1. 本章内容对于实际使用 CAD 工作的用户来说非常重要，打印功能将设计好的电子文档转换为施工或制作的图纸，是制图过程中的最后一步操作。

2. 在这章里介绍了输出功能、打印功能。其中打印功能基本可以分为从模型空间中打印和从图纸空间中打印，如果对打印的要求不是很高，用户可以选择使用从模型空间中打印。从图纸空间打印的最大优势是对图纸的位置和比例控制比较好，并且操作很直观，现在越来越多的设计师使用从图纸空间打印，虽然从图纸空间打印设置会比较复杂一些，但设置好后会比从模型空间打印更简单、更实用。

## 练　　习

1. 填空题

(1) CAD 软件中，打印样式分为颜色相关打印样式和__________两类。

(2) 在 CAD 软件模型空间中打印区域分为窗口、________和________ 3 种方式。

2. 选择题

(1) 如果从模型空间打印一张图，打印比例 10∶1，那么想在图纸上得到 3mm 高的字，应在图形中设置的字高为(　　)。

A. 3mm　　B. 0.3mm　　C. 30mm　　D. 10mm

(2) CAD 中的绘图空间可分为(　　)。

A. 模型空间　　B. 图纸空间　　C. 布局空间　　D. 打印空间

(3) 当布局中包括多个视口时，每个视口的比例(　　)。

A. 可以相同　　B. 可以不同　　C. 必须相同　　D. 估计需要确定

# 第 12 章　数据交换与 Internet 应用

**本章要点**

■ 插入 OLE 对象

■ 选择性粘贴

■ 创建超链接

■ 电子传递

■ 用 E-mail 发送图形

图形不是完全孤立存在的，要使图形和其他文档中的数据交互使用，CAD 提供嵌入其他软件对象的功能。用户把其他程序中的对象插入图形中，例如我们可以将一个 CAD 图形插入 Word 文档中，或是将一 Excel 的电子数据表插入 CAD 图形中。将 CAD 图形调入其他软件或是将其他程序的文档调入 CAD 图形中，既可以使用链接也可以使用嵌入，还可将 CAD 图形存成其他文件格式以便其他软件直接读取。

本章还介绍 CAD 与 Internet 有关的功能，用户可以创建和使用超链接、用 E-mail 发送图形，创建与图形有关的传递集。

## 12.1　嵌　入　对　象

### 12.1.1　插入 Ole 对象

我们可以通过使用嵌入或链接将其他软件数据调入 CAD 图形中。选择的方法依赖于想要调入 CAD 图形的对象或文件类型以及调入后将对之做何种操作。

**1. 命令格式**

命令行：Insertobj (IO)

菜单：[插入]→[OLE 对象(O)]

工具栏：[插入]→[OLE 对象]

在当前图形文件中插入 OLE 对象，包括了链接对象和内嵌对象。

**2. 操作步骤**

插入 OLE 对象有两种方法，一是直接嵌入新建的对象，另一种是选择一个已有的对象嵌入。

**创建一个新的嵌入对象**

执行 Insertobj 后，系统打开“插入对象”对话框，如图 12-1 所示。

1) 在“插入对象”对话框中，选择“新建”项。

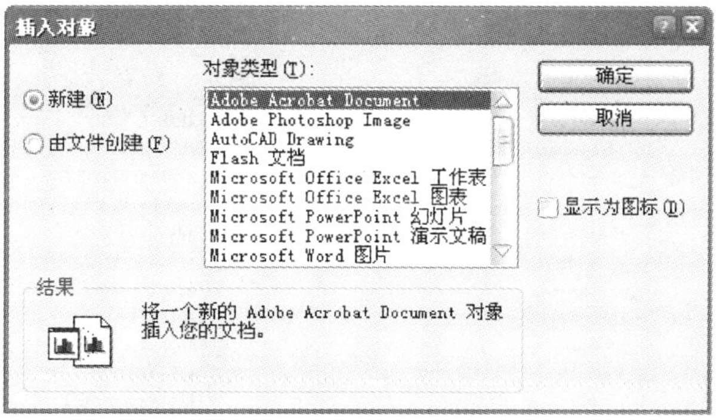


图 12-1　“插入对象”对话框

2）从“对象类型(T)”列表中，选择想要创建对象的类型，然后点【确定】按钮。创建对象的程序在 CAD 中打开。

3）另一程序中创建对象。

4）另一程序中的对象创建完成后，退出该程序返回 CAD 图形，新的对象已插入 CAD 中。

**嵌入一个已有的文件**

如果要选择现有文件，可点击【由文件创建】按钮，如图 12-2 所示。

图 12-2　插入对象“由文件创建”的对话框

1）指定要嵌入的对象文件。通过在对话框中“文件(E)”中输入一个路径和文件名或点取【浏览】通过浏览对话框两种方式可以指定一个对象文件。

2）如果用户使用浏览的方式点击【浏览】按钮，系统打开“浏览”对话框，如图 12-3 所示。

3）找到相应的文件，然后点击【打开】按钮。

4）用户还可以选择在 CAD 中只显示图标，或者显示具体的对象数据。若想只显示图标，勾选上“显示为图标”项。

5）选择好对象后点击【确定】按钮即可在 CAD 中嵌入对象。

图 12-2 中的各选项含义和功能说明如下：

**新建：**开启“对象类型”列表，创建新类型的对象插入到当前图形文件。

图 12-3　插入对象“浏览”的对话框

**对象类型：** 列表显示支持链接和嵌入的可用应用程序。要创建嵌入对象，请双击打开应用程序。开启的应用程序中将“文件-保存”选项替换为新的“更新”选项。选择“更新”可以将对象插入图形或更新此对象。

**由文件创建：** 指定要链接或嵌入的文件。用户可以点击【浏览】按钮从电脑中选择要链接或嵌入的文件。

**链接：** 创建到选定文件的链接。

**结果：** 显示当前操作的结果。

**显示为图标：** 勾上此项，在图形文件中显示源应用程序的系统图标。双击该图标可显示链接或嵌入信息。

**3. 注意**

1）在 CAD 图形中可以对嵌入的对象进行拖动或缩放操作，从而改变其位置或大小。

2）用户还可以用直接复制(Ctrl+C)、粘贴(Ctrl+V)的方法嵌入对象，选择想要嵌入的数据后，直接复制将数据放入剪贴板。在 CAD 中粘贴，剪贴板中的数据作为一个嵌入对象被粘贴到图形中。

3）使用 rotate 命令旋转对象时，OLE 对象不随图形一起旋转。

## 12.1.2　选择性粘贴

用户将数据复制到剪贴板上时，系统会依据数据的类型以几种不同的数据格式保存它，然后再使用“选择性粘贴”命令将其粘贴到图形中时，可以选择所要使用的格式，选择正确的格式可以使用户按照需要在图形中编辑数据。

**1. 命令格式**

命令行：Pastespec (PA)

菜单：[编辑]→[选择性粘贴(S)]

复制剪贴板上的数据将其插入到图形文件中，并设置复制后的数据格式。

**2. 操作步骤**

用 Pastespec 命令将 Excel 表格以 CAD 实体对象插入，具体操作步骤如下：

1）启动 Microsoft Excel 程序，创建一个电子表格。将其内容复制到 Windows 的“剪贴板”中。

2）打开 CAD，点击“编辑”菜单下的“选择性粘贴”项，系统弹出如图 12-4 对话框。

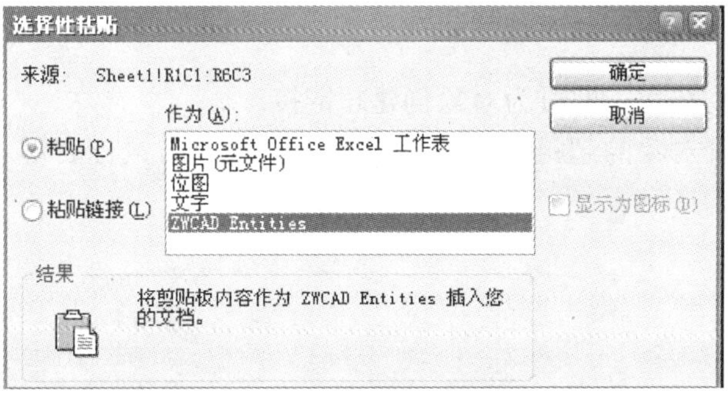


图 12-4　“选择性粘贴”对话框

3）选择 ZWCAD Entities 项，然后点击【确定】按钮，被复制对象将以 CAD 实体的状态复制到 CAD 中。

图 12-4 中的各选项含义和功能说明如下：

**来源：**显示剪贴板上复制的内容的来源文件名称。

**粘贴：**将剪贴板上的内容作为内嵌对象插入到当前图形文件中。

**粘贴链接：**将剪贴板上的内容粘贴到当前图形文件中，若复制的内容支持 OLE 链接，在粘贴后，系统将在当前图形文件中创建与原文件的链接。

**作为：**选择一种格式，将剪贴板上的内容作为此格式，粘贴到当前图形中。选择的每种格式的含义，都将在“结果”区域中显示提示。

**结果：**提示用户当前选中的内容会以什么形式被复制到 CAD 中。

**显示为图标：**勾选此项，复制到当前图形文件即为应用程序图标的图片而不是数据。双击该图标即可查看并编辑数据。同时可更改显示的图标。选择“更改图标”，开启“更改图标”对话框。

**3. 注意**

用户也可以在其他程序中，使用选择性粘贴功能嵌入 CAD 图形。

## 12.2　Internet　应　用

### 12.2.1　创建超链接

**1. 命令格式**

命令行：Hyperlink（Ctrl＋K）

菜单：[插入]→[超链接(H)]

超链接是将 CAD 图形对象与其他信息(如文字、数据表格、声音、动画)连接起来的有效工具。

**2. 操作步骤**

用 Hyperlink 命令给某个对象创建一个超链接，具体操作步骤如下：

1）在 CAD 中，选择菜单“插入”中的“超链接”，此时命令栏提示“选择对象”。

2）选择要创建超链接的对象后，系统弹出“编辑超链接”的对话框，如图 12-5 所示。

3）在“链接到文件或 URL”项中输入本地文件的完整路径或 Internet 文件的完整 URL 地址。

4）点取【确定】按钮，即可为对象创建超链接。

5）当用户要打开对象的超链接时，可以选中对象点击鼠标右键，点选“打开链接”，如图 12-6 所示。

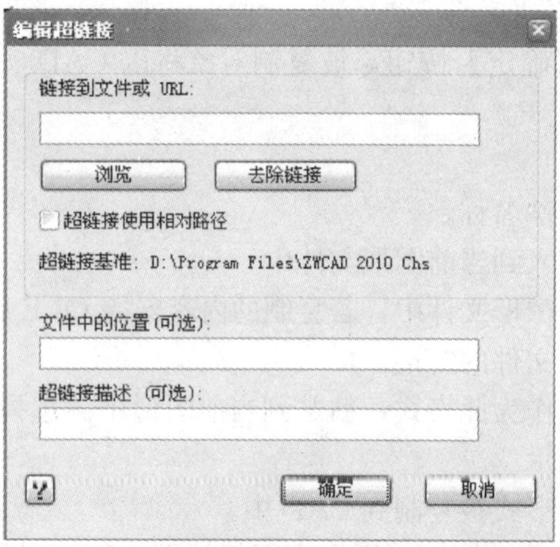


图 12-5 “编辑超链接”对话框

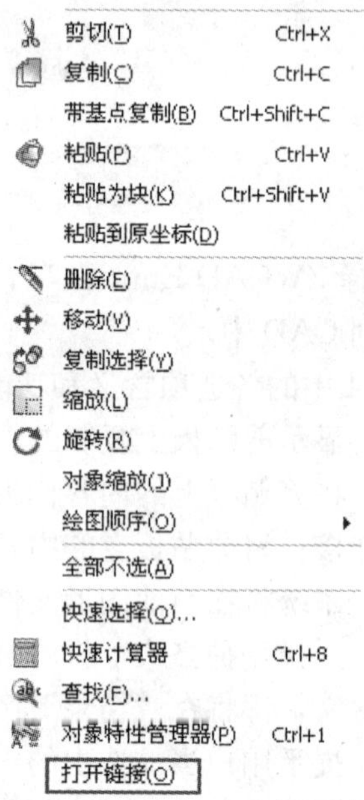


图 12-6 右键快捷菜单中的“打开链接”

图 12-5 中的各选项含义和功能说明如下：

**链接到文件或 URL：** 为选取的对象指定要链接的文件或 URL 地址。用户可直接在文本框输入链接的文件或 URL 地址，也可通过【浏览】按钮选择要链接的文件。

**浏览：** 开启“选择超链接”对话框，从对话框中指定所选取的对象要链接到的文件。

**去除链接：** 选择此项，可以消除选取对象的超链接。

**超链接使用相对路径：** 选择此项，在储存时，链接文件的完整路径不一起保存，系统将以 HYPERLINKBASE 系统变量为图形中相对超链接文件指定储存的默认 URL 或路径。若未设置 HYPERLINKBASE 系统变量，则按当前图形的路径设置相对路径。不选择此选项，则关联文件的完整路径和超链接一起存储。

**超链接基准：** 显示超链接的创建程序名称以及保存位置。

**文件中的位置：**显示超链接的创建程序名称以及保存位置。

**超链接描述：**指定超链接的提示说明。

**3. 注意**

插入超链接时，如果不输入本地文件的完整路径或 Internet 文件的完整 URL 地址，而直接按 ENTER 键，系统会默认创建链接到程序的安装目录，即“超链接基准”显示的路径。

## 12.2.2　电子传递

**1. 命令格式**

命令行：Etransmit

菜单：[文件]→[电子传递(T)]

电子传递命令就是提供给用户，创建与图形有关的所有文件、外部参照的传递集，即打包的功能，以方便在互联网上传递图形。

**2. 操作步骤**

用 Etransmit 命令将要发送的图形以及所有相关的文件一起打包，具体操作步骤如下：

1）打开 CAD，在菜单“文件”选择“电子传递”，此时弹出“创建传递”对话框，如图 12-7 所示。

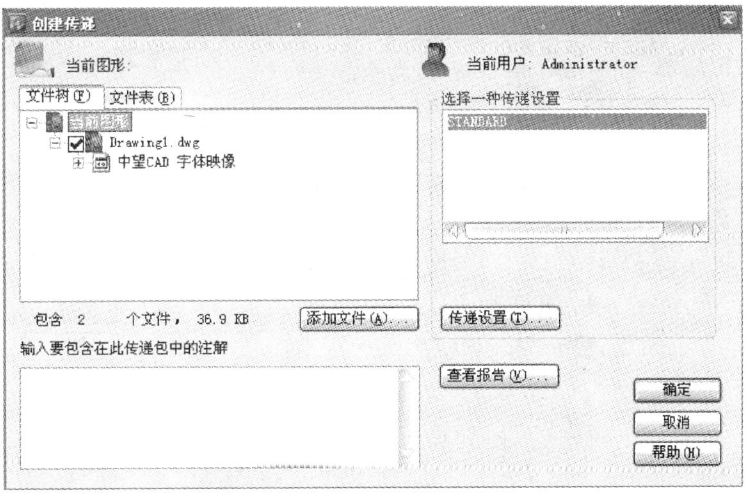


图 12-7　“创建传递”对话框

在“创建传递”对话框的“当前图形”选项区中，包含了“文件树”和“文件表”两个选项卡。其中“文件树”选项卡中以树状形式列出传递集中所包含的文件，“文件表”选项卡则显示了图形文件具体的保存位置、版本、日期等信息，如图 12-8 所示。

2）用户也可以根据需要添加文件到传递集，单击【添加文件】按钮，系统打开“打开”对话框，选择要添加的文件后就点击【打开】按钮。

3）回到“创建传递”对话框，点击【确定】按钮，此时系统弹出“另存为”对话框，如图 12-9 所示。

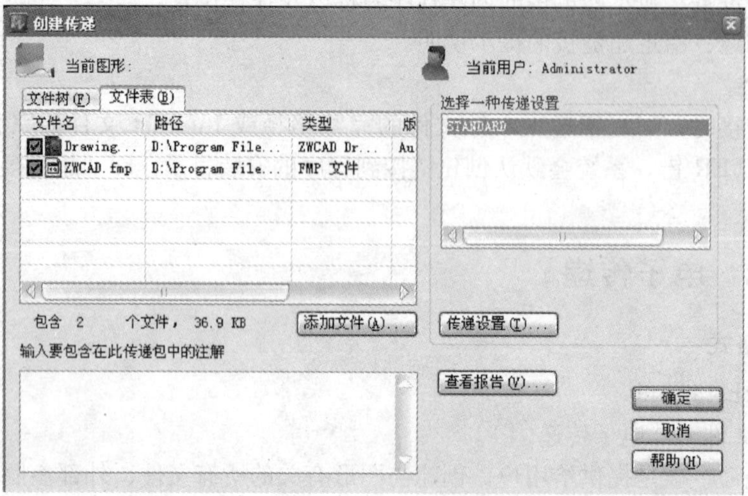


图 12-8 创建传递中“文件表”选择卡

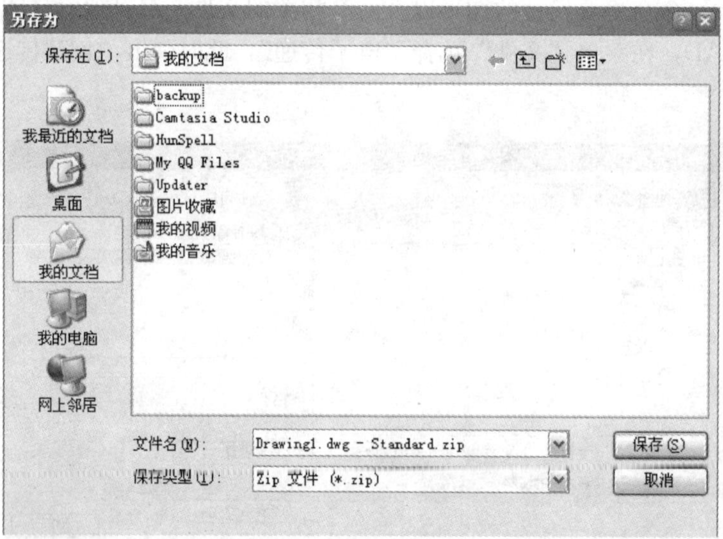


图 12-9 “另存为”对话框

4）用户指定传递集的位置、输入文件名称，再点击【保存】按钮，即可创建一个 Zip 或 Exe 格式的压缩包。

图 12-8 中的各选项含义和功能说明如下：

**添加文件**：开启“打开”标准文件选择对话框，用户可从中选择要包含在传递包中的文件。添加的图形文件，包含了与该文件关联的文件(包括外部参照、光栅图像等)。

**传递设置**：点击此按钮，开启“传递设置”对话框，通过此对话框可新建、修改、重命名或删除传递设置。

**查看报告**：点击此项系统打开“查看传递报告”对话框，如图 12-10。其中显示了包含在传递包中的所有报告信息，分别为传递报告、说明(用户输入的注解)、文件、源图形、无法定位的文件以及自动生成的分发说明等信息。在此报告中，还详细描述了使传递包正常工作所需要采取的步骤。

用户点击【另存为】按钮开启“另存为”对话框，将报告文件的副本以 TXT 文件保存在指定位置。

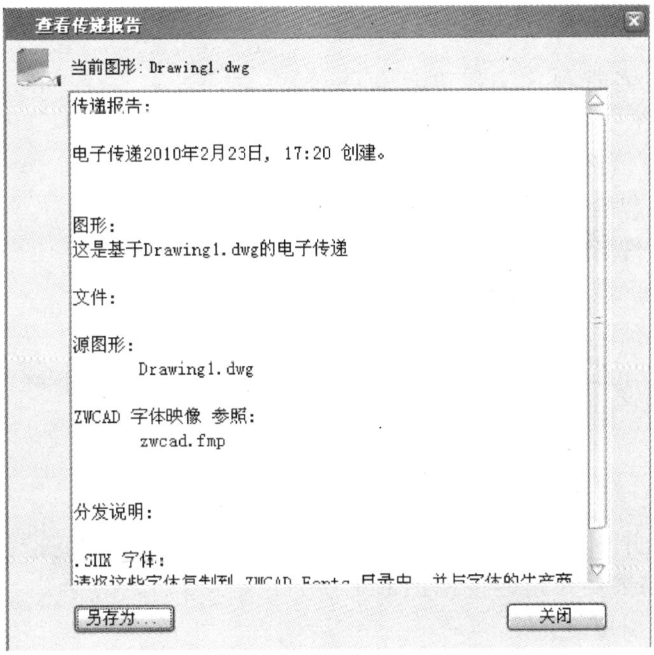


图 12-10　“查看传递报告”对话框

用户还可以指定传递设置，操作步骤如下：

1）点击“创建传递”对话框中的【传递设置】按钮，系统弹出“传递设置”对话框，如图 12-11。

2）如果有保存的传递设置，可以从中选择并单击【确定】按钮，否则点击【新建】按钮，系统弹出“新传递设置”对话框，如图 12-12 所示。

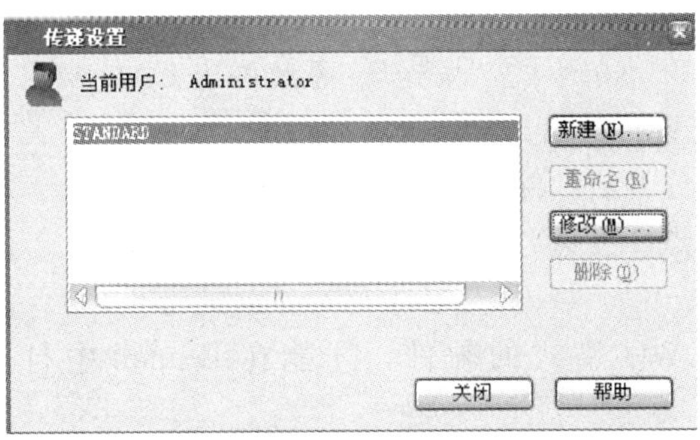


图 12-11　“传递设置”对话框

图 12-12　“新传递设置”对话框

3）输入新传递设置名，再点【继续】按钮，系统弹出“修改传递设置”对话框，如图 12-13 所示。

4）设置新的传递内容，点击【确定】按钮，回到“创建传递”对话框，再次点击【确定】按钮，系统会按新的设置创建传递集。

图 12-13 中的各选项含义和功能说明如下：

**传递类型和位置**：在此区域的相关选项，可以设置传递包的类型、文件格式、传递文件夹、传递文件名等内容。

**传递选项**：此区域相关选项用于设置传递集，比如是否包括字体、是否传递发送电子邮件、是否绑带外部参照等。

**传递设置说明**：用于输入传递设置说明信息。

**3. 注意**✍

电子传递功能并不包括通过超链接引用的文件，因此，如果要让超链接也正常工作，必须添加所有引用的文件。

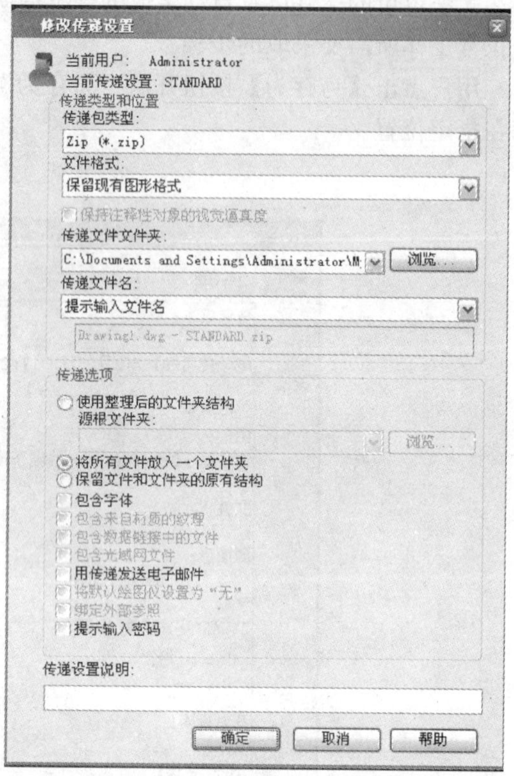


图 12-13 “创建传递”对话框

## 12.2.3 用 E-mail 发送图形

**1. 命令格式**

命令行：Mail

菜单：「文件」→「发送(D)」

用户可以将 CAD 图形通过 E-mail 发送给另一用户。

**2. 操作步骤**

用 mail 命令发送邮件，具体步骤如下：

1）打开要发送的图形文件，选择“文件”菜单下的“发送”。系统弹出 CAD Mail 邮件的对话框，一个包含有 CAD 图形的新电子邮件的窗口会出现。如图 12-14 所示。

2）如果邮件程序还未运行，系统会提示先开启邮件程序，如图 12-15。

3）指定邮箱地址，输入邮件内容，然后点“发送”即可发送 E-mail 信息。

**3. 注意**✍

1）收件人的电脑要装有可以打开 DWG 格式的软件，才能在 E-mail 中打开图形。

2）用 mail 命令只会单独发送图纸，如果图纸中包含了很多其他数据，建议使用电子传递命令把相关数据打包，再发邮件。

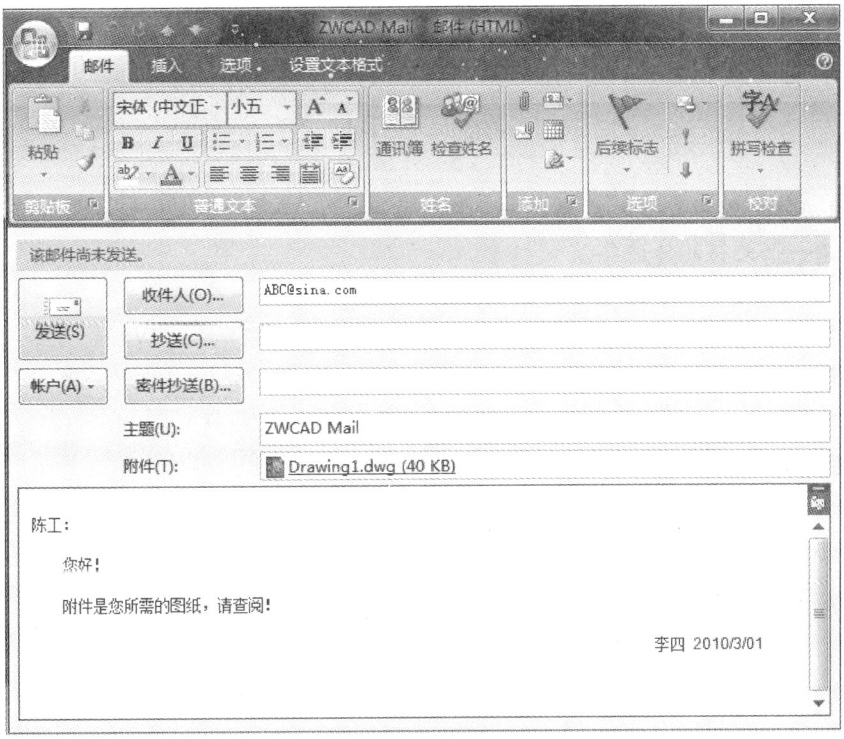


图 12 14　附件包含 CAD 图形的电子邮件

图 12-15　系统提示对话框

# 本　章　小　结

1. 点击菜单“工具”中的“网站”系统自动连接到 CAD 的官方网站。

2. 用户也可以将 CAD 图形插入到其他程序中，下面提供两种插入到 Microsoft Word 的方法。

1）利用 Windows 操作系统的对象链接嵌入功能，将 DWG 的图形复制到剪贴板中，然后粘贴到 Microsoft Word 中。它的优点是随时可以双击粘贴过来的图形，在 CAD 中对其进行修改和编辑。

2）利用前一章提到的输出功能，将 DWG 的图输出成 WMF 格式文件，到Microsoft Word 中使用插入图片的方式，将 WMF 文件插入。

3. 无论是采用对象链接嵌入或插入 WMF 文件的方法将 DWG 的图形合并到Microsoft Word 中，都会发现除了主要的对象外，还有很多多余的空白，这是因为除了选择的对象外，CAD 实际上是连图形窗口都一并输入了，解决的方法是在输出前，将图形调整到占满整个视窗。

# 练　习

1. 在 CAD 图形中，嵌入或链接一个图像文件。

2. 创建一个文档的传递集。

3. 利用“发送”命令发送一封 E-mail。

4. 将 CAD 与其他软件，如 Photoshop、3dMax、CorelDraw、Word、Excel 等软件进行交互，提倡发挥读者的主观能动性，自己去尝试、发现、分析、解决问题。

# 第13章　三维绘图基础

**本章要点**

■ 三维视图

■ 用户坐标系(UCS)

■ 绘制三维实体

■ 编辑三维实体

CAD软件有较强的三维绘图功能，可以用多种方法绘制三维实体，方便的进行编辑，并可以用各种角度进行三维观察。在本章中将介绍简单的三维绘图所使用的功能，利用这些功能，用户可以设计出所需要的三维图纸。

## 13.1　三　维　视　图

要进行三维绘图，首先要掌握观看三维视图的方法，以便在绘图过程中随时掌握绘图信息，并可以调整好视图效果后进行出图。

### 13.1.1　视点

**1. 命令格式**

命令行：Vpoint

菜单：[视图]→[三维视图]→[视点(V)]

工具栏：[视图] 

控制观察三维图形时的方向以及视点位置。工具栏中的点选命令实际是视点命令的10个常用的视角：俯视、仰视、左视、右视、前视、后视、东南等轴测、西南等轴测、东北等轴测、西北等轴测，用户在变化视角的时候，尽量用这10个设置好的视角，这样可以节省不少时间。

**2. 操作步骤**

图13-1中表示的是一个简单的三维图形，仅仅从平面视图，用户较难判断单位图形的样子。这时我们可以利用Vpoint命令来调整视图的角度，如图13-1中的右下角的视图，从而能够直观的感受到图形的形状。

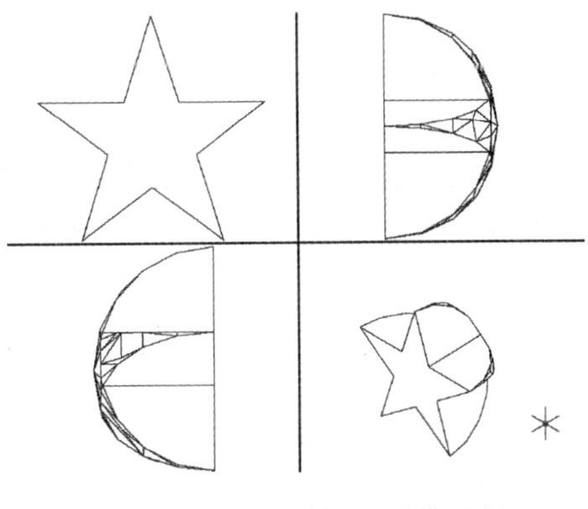

图13-1　用Vpoint命令观看三维图形

命令：Vpoint　　　　执行 Vpoint 命令

透视(PE)/平面(PL)/旋转(R)/<视点> <0，0，1>：　　设置视点，回车结束命令

以上各选项含义和功能说明如下：

**视点**：以一个三维点来定义观察视图的方向的矢量。方向为从指定的点指向原点(0，0，0)。

**透视**(PE)：打开或关闭“透视”模式。

**平面**(P)：以当前平面为观察方向，查看三维图形。

**旋转**(R)：指定观察方向与 XY 平面中 X 轴的夹角以及与 XY 平面的夹角两个角度，确定新的观察方向。

**3. 注意**

此命令不能在“布局”选项卡中使用。

在运行 Vpoint 命令后，直接按回车键，会出现图 13-2 的设置对话框，用户可以通过对话框内的内容设置视点的位置。

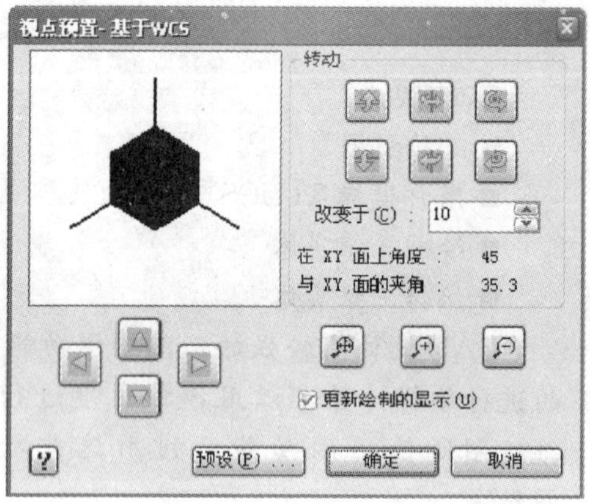


图 13-2　设置视点对话框

## 13.1.2　三维动态观察器

**1. 命令格式**

命令行：Rtrot

菜单：[视图]→[三维动态观察器(B)]

工具栏：[三维动态观察器]→[三维动态观察]

进入三维动态观察模式，控制在三维空间交互查看对象。该命令可使用户同时从 X、Y、Z 三个方向动态观察对象。

用户在不确定使用何种角度观察的时候，可以用该命令，因为该命令提供了实时观察的功能，用户可以随意用鼠标来改变视点，直到达到需要的视角的时候退出该命令，继续编辑。

**2. 注意**

当 RTROT 处于活动状态时，显示三维动态观察光标图标，视点的位置将随着光标的移动而发生变化，视图的目标将保持静止，视点围绕目标移动。如果水平拖动光标，视点将平行于世界坐标系(WCS)的 XY 平面移动。如果垂直拖动光标，视点将沿 Z 轴移动。

也可分别使用 RTROTX、RTROTY、RTROTZ 命令，分别从 X、Y、Z 三个方向观察对象。

RTROT 命令处于活动状态时，无法编辑对象。

## 13.1.3　视觉样式

**1. 命令格式**

命令行：Shademode

菜单：[视图]→[视觉样式]

设置当前视口的视觉样式。

**2. 操作步骤**

针对当前视口，可进行如下操作来改变视觉样式。

命令：Shademode　　　　　　　　　　　　　　　　执行 Shademode 命令

输入选项 [二维线框(2D)/三维线框(3D)/消隐(H)/平面着色(F)/体着色(G)/带边框平面着色(L)/带边框体着色(O)] ＜体着色＞：选择视觉样式后回车结束命令

以上各选项含义和功能说明如下：

**二维线框**(2D)：显示用直线和曲线表示边界的对象。光栅和 OLE 对象、线型和线宽都是可见的。

**三维线框**(3D)：显示用直线和曲线表示边界的对象。

**消隐**(H)：显示用三维线框表示的对象并隐藏表示后面被遮挡的直线。

**平面着色**(F)：在多边形面之间着色对象。此对象比体着色的对象平淡和粗糙。

**体着色**(G)：着色多边形平面间的对象，并使对象的边平滑化。着色的对象外观较平滑和真实。

**带边框平面着色**(L)：结合“平面着色”和“线框”选项。对象被平面着色，同时显示线框。

**带边框体着色**(O)：结合“体着色”和“线框”选项。对象被体着色，同时显示线框。

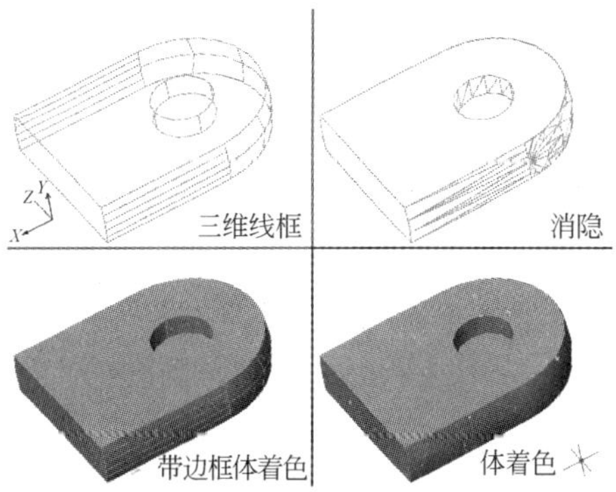


图 13-3　视觉样式示意

## 13.2　用户坐标系(UCS)

用户坐标系在二维绘图的时候也会用到，但没有三维那么重要。在三维制图的过程中，往往需要确定 XY 平面，很多情况下，单位实体的建立是在 XY 平面上产生的。所以用户坐标系在绘制三维图形的过程中，会根据绘制图形的要求，进行不断的设置和变更，这比绘制二维图形要频繁，正确地建立用户坐标系是建立 3D 模型的关键。

### 13.2.1　UCS 命令

**1. 命令格式**

命令行：UCS

菜单：[工具]→[新建 UCS(W)]

工具栏：[UCS]→[UCS] 

用于坐标输入、操作平面和观察的一种可移动的坐标系统。

**2. 操作步骤**

如图 13-4(*a*)所示，把该图中的原点与 C 点重合，X 轴方向为 CA 方向，Y 轴方向为

CB 方向，如图 13-4(*b*)所示。

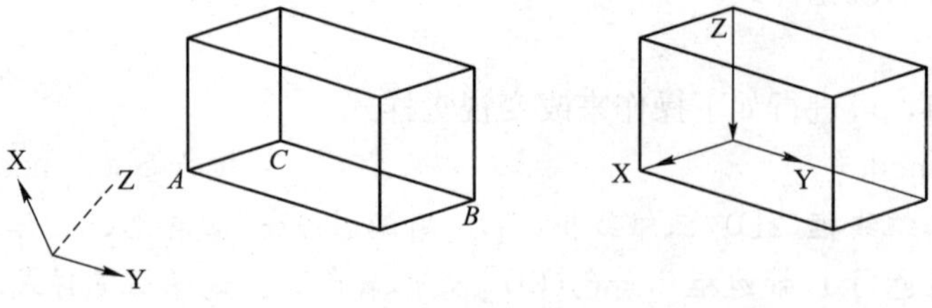


图 13-4　用 Vpoint 命令观看三维图形

命令：UCS　　　　　　　　　　　　　　　　执行 UCS 命令

指定 UCS 的原点(O)/面(F)/? /对象(OB)/上一个(P)/视图(V)/世界(W)/3 点(3)/新建(N)/移动(M)/删除(D)/正交(G)/还原(R)/保存(S)/X/Y/Z/Z 轴(ZA)/<世界>：

输入 3　　　　　　　　　　　　　　　　　选择 3 点确定方式

新原点 <0，0，0>：点选点 C　　　　　　　　指定原点

正 X 轴上点

<4.23，13.8709，13.4118>：点选点 A　　　指定 X 轴方向

X-Y 面上正 Y 值的点

<3.23，14.8709，13.4118>：点选点 B　　　指定 Y 轴方向

以上各选项含义和功能说明如下：

**原点**(O)：只改变当前用户坐标系统的原点位置，X、Y 轴方向保持不变，创建新的 UCS。

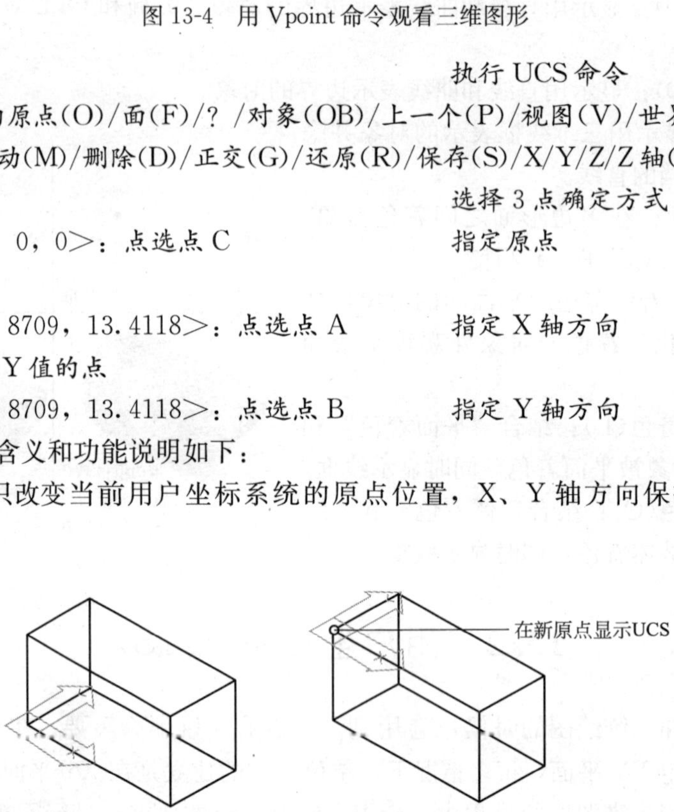


图 13-5　UCS 设置原点

**面**(F)：指定三维实体的一个面，使 UCS 与之对齐。可通过在面的边界内或面所在的边上单击以选择三维实体的一个面，亮显被选中的面。UCS 的 X 轴将与选择的第一个面上的选择点最近的边对齐。

?：列出所有定义的新 UCS 定义。

**对象**(OB)：可选取弧、圆、标注、线、点、二维多义线、平面或三维面对象来定义新的 UCS。此选项不能用于下列对象：三维实体、三维多段线、三维网格、视口、多线、面域、样条曲线、椭圆、射线、构造线、引线、多行文字。

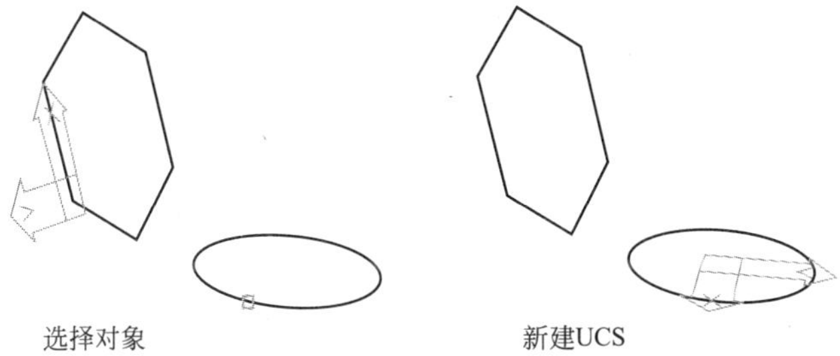


图 13-6　选择对象设置 UCS

根据选择对象的不同，UCS 坐标系的方向也有所不同，具体如下：

| | |
|---|---|
| 圆弧 | 新 UCS 的原点为圆弧的圆心。X 轴通过距离选择点最近的圆弧端点 |
| 圆 | 新 UCS 的原点为圆的圆心。X 轴通过选择点 |
| 标注 | 新 UCS 的原点为标注文字的中点。新 X 轴的方向平行于当绘制该标注时生效的 UCS 的 X 轴 |
| 直线 | 离选择点最近的端点成为新 UCS 的原点。系统选择新的 X 轴使该直线位于新 UCS 的 XZ 平面上。该直线的第二个端点在新坐标系中 Y 坐标为零 |
| 点 | 该点成为新 UCS 的原点 |
| 二维多段线 | 多段线的起点成为新 UCS 的原点。X 轴沿从起点到下一顶点的线段延伸 |
| 实体 | 二维实体的第一点确定新 UCS 的原点。新 X 轴沿前两点之间的连线方向 |
| 宽线 | 宽线的“起点”成为新 UCS 的原点，X 轴沿宽线的中心线方向 |
| 三维面 | 取第一点作为新 UCS 的原点，X 轴沿前两点的连线方向，Y 的正方向取自第一点和第四点。Z 轴由右手定则确定 |
| 形、块参照、属性定义 | 该对象的插入点成为新 UCS 的原点，新 X 轴由对象绕其拉伸方向旋转定义。用于建立新 UCS 的对象在新 UCS 中的旋转角度为零 |

**上一个**(P)：取回上一个 UCS 定义。

**视图**(V)：以平行于屏幕的平面为 XY 平面，建立新的坐标系。UCS 原点保持不变。

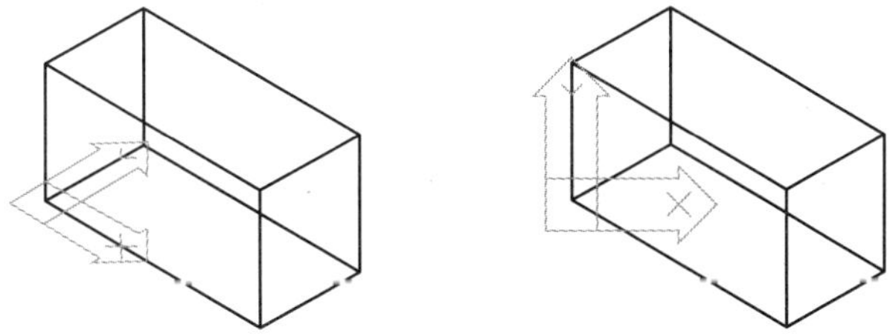

图 13-7　用当前视图方向设置 UCS

**世界**(W)：设置当前用户坐标系统为世界坐标系。世界坐标系 WCS 是所有用户坐标系的基准，不能被修改。

**3 点**(3)：指定新的原点以及 X、Y 轴的正方向。

**新建**(N)：定义新的坐标系。

**移动**(M)：移动当前 UCS 的原点或修改当前 UCS 的 Z 轴深度值，XY 平面的方向不发生改变

**删除**(D)：删除已储存的坐标系统。

**正交**(G)：以系统提供的六个正交 UCS 之一为当前 UCS。

**还原**(R)：取回已储存的 UCS，使之成为当前用户坐标系。

**保存**(S)：保存当前 UCS 设置，并指定名称。

**X、Y、Z**：绕着指定的轴旋转当前的 UCS，以创建新的 UCS。

**Z 轴**(ZA)：以特定的正向 Z 轴来定义新的 UCS。

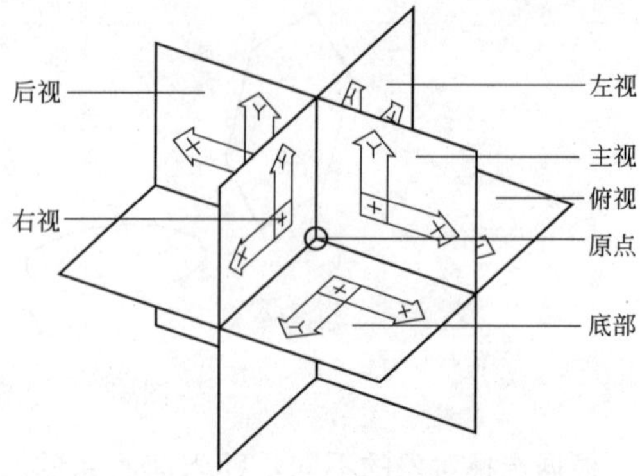


图 13-8　正交视图方向示意图

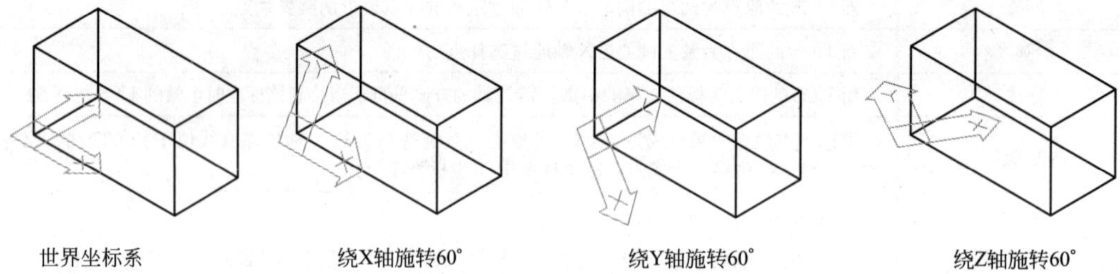


图 13-9　坐标系旋转示意

## 13.2.2　命名 UCS

**命令格式**

命令行：DdUCS

菜单：[工具]→[命名 UCS(U)]

工具栏：[UCS]→[显示 UCS 对话框]

命名 UCS 是 UCS 命令的辅助，通过命名 UCS 可以对以下三个方面进行设置。

1)"命名 UCS"选项卡，显示当前图形中所设定的所有 UCS，并提供详细的信息查询。可选择其中需要的 UCS 坐标置为当前使用。

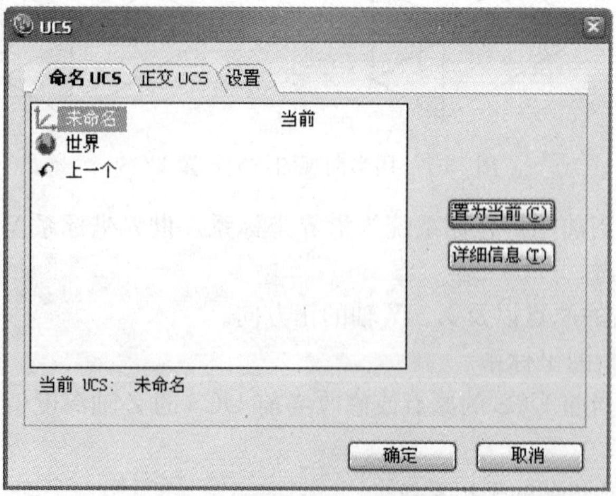


图 13-10　"命名 UCS"显示和设置

2)“正交 UCS”选项卡，列出相对于目前 UCS 的 6 个正交坐标系，有详细信息供查询，并提供置为当前功能。

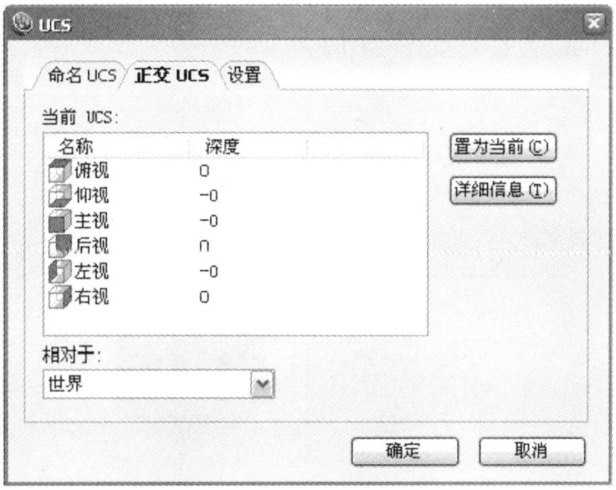


图 13-11　“正交 UCS”显示和设置

3)“设置”选项卡，提供 UCS 的一些基础设定，如图 13-12。一般情况下，没有特殊需要，不需要调整该设定。

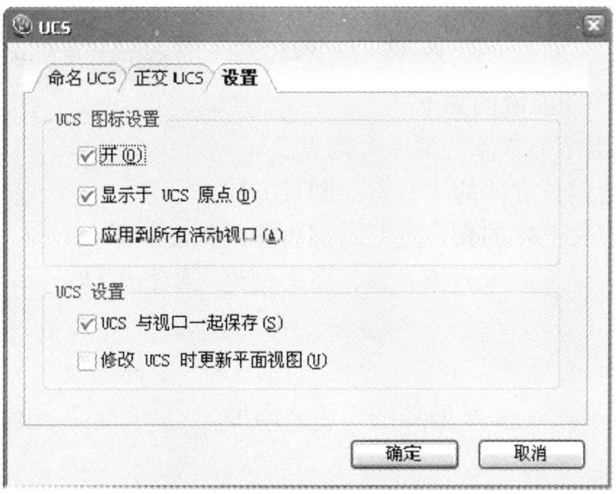


图 13-12　UCS 的基本设置

# 13.3　绘制三维实体

## 13.3.1　长方体

**1. 命令格式**

命令行：Box

菜单：[绘图]→[实体]→[长方体(B)]

工具栏：[实体]→[长方体]

创建三维长方体对象。

**2. 操作步骤**

创建边长都为 10 的立方体，如图 13-13。

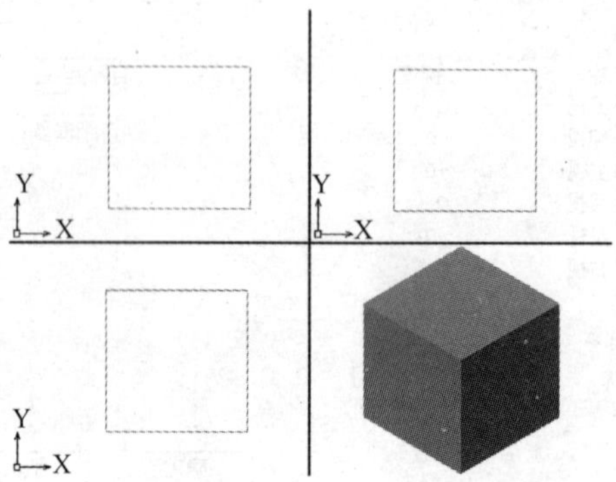


图 13-13　用 Box 命令绘制立方体

| | |
|---|---|
| 命令：Box | 执行 Box 命令 |
| 指定长方体的角点 | |
| 或［中心(C)］<0，0，0>：点取一点 | 指定图形的一个角点 |
| 指定角点或［立方体(C)/长度(L)］：@10，10 | 指定 XY 平面上矩形大小 |
| 长方体高度：10 | 指定高度，回车结束命令 |

以上各选项含义和功能说明如下：

**长方体的角点**：指定长方体的第一个角点。

**中心**(C)：通过指定长方体的中心点绘制长方体。

**立方体**(C)：指定长方体的长、宽、高都为相同长度。

**长度**(L)：通过指定长方体的长、宽、高来创建三维长方体。

**3. 注意**

若输入的长度值或坐标值是正值，则以当前 UCS 坐标的 X、Y、Z 轴的正向创建图形；若为负值，则以 X、Y、Z 轴的负向创建立图形。

## 13.3.2　球体

**1. 命令格式**

命令行：Sphere

菜单：[绘图]→[实体]→[球体(S)]

工具栏：[实体]→[球体]

绘制三维球体对象。默认情况下，球体的中心轴平行于当前用户坐标系(UCS)的 Z 轴。纬线与 XY 平面平行。

**2. 操作步骤**

创建半径为 10 的球体，如图 13-14。

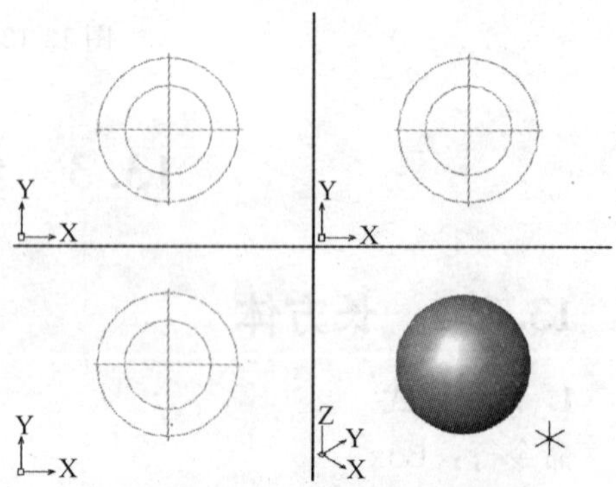


图 13-14　用 Sphere 命令创建球体

命令：Sphere　　　　　　　　　　　　执行 Sphere 命令
球体中心：点选一点　　　　　　　　　指定球心位置
指定球体半径或［直径(D)］：10　　　指定半径值，回车结束命令

以上各选项含义和功能说明如下：

**球体半径**(R)：绘制基于球体中心和球体半径的球体对象。

**直径**(D)：绘制基于球体中心和球体直径的球体对象。

## 13.3.3 圆柱体

**1. 命令格式**

命令行：Cylinder

菜单：［绘图］→［实体］→［圆柱体(C)］

工具栏：［实体］→［圆柱体］

创建三维圆柱体实体对象。

**2. 操作步骤**

创建半径为 10，高度为 10 的圆柱体，如图 13-15。

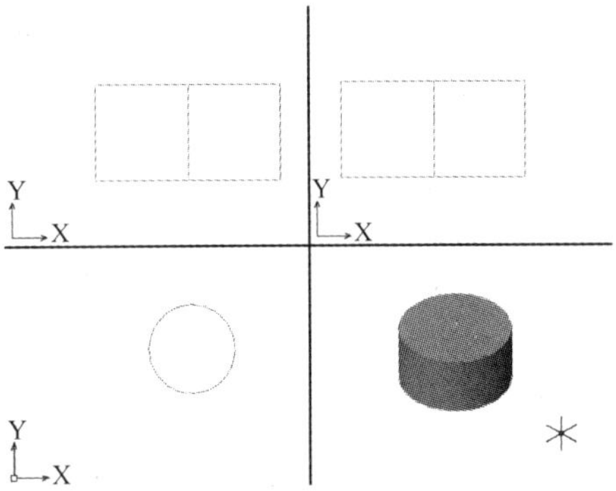

图 13-15　用 Cylinder 命令创建圆柱体

命令：Cylinder　　　　　　　　　　　　　　　执行 Cylinder 命令
指定圆柱体底面的中心点或［椭圆(E)］<0，0，0>：点取一点　　指定圆心
指定圆柱体半径或［直径(D)］：10　　　　　　指定圆半径
指定圆柱体高度或［中心(C)］：10　　　　　　指定圆柱高度，回车结束命令

以上各选项含义和功能说明如下：

**圆柱体底面的中心点**：通过指定圆柱体底面圆的圆心来创建圆柱体对象。

**椭圆**(E)：绘制底面为椭圆的三维圆柱体对象。

**3. 注意**

若输入的高度值是正值，则以当前 UCS 坐标的 Z 轴的正向创建图形；若为负值，则以 Z 轴的负向创建图形。

## 13.3.4 圆锥体

**1. 命令格式**

命令行：Cone

菜单：［绘图］→［实体］→［圆锥体(O)］

工具栏：［实体］→［圆锥体］

创建三维圆锥体。

**2. 操作步骤**

创建底面半径半径为 10，高度为 20 的圆锥体，如图 13-16。

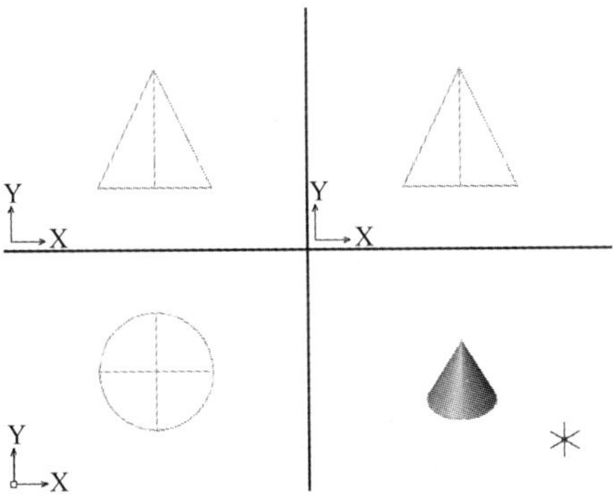

图 13-16　用 Cone 命令创建圆锥体

命令：Cone　　　　　　　　　　　　执行 Cone 命令
指定圆锥体底面的中心点

或［椭圆(E)］<0，0，0>：点取一点　　指定底面圆心位置
指定圆锥体底面半径或［直径(D)］：10　　指定底面圆半径
指定圆锥体高度或［顶点(A)］：20　　指定高度，回车结束命令

以上各选项含义和功能说明如下：

**圆锥体底面的中心点**：指定圆锥体底面的中心点来创建三维圆锥体。

**椭圆**(E)：创建一个底面为椭圆的三维圆锥体对象。

**圆锥体高度**：指定圆锥体的高度。输入正值，则以当前用户坐标系统 UCS 的 Z 轴正方向绘制圆锥体，输入负值，则以 UCS 的 Z 轴负方向绘制圆锥体。

## 13.3.5　楔体

**1. 命令格式**

命令行：Wedge

菜单：[绘图]→[实体]→[楔体(W)]

工具栏：[实体]→[楔体] 

绘制三维楔体对象。

**2. 操作步骤**

任意建立一个楔体，如图 13-17。

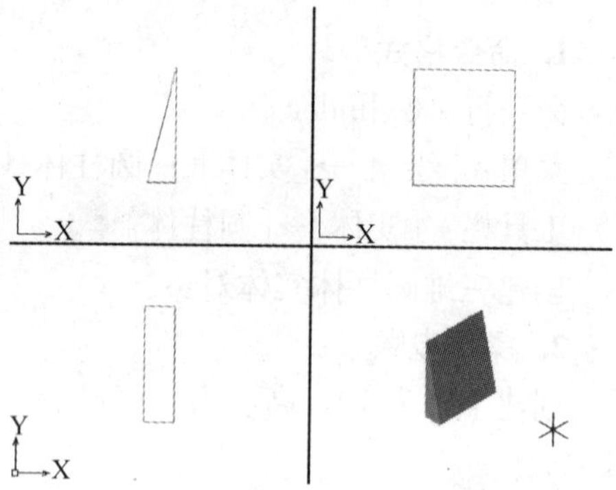


图 13-17　用 Wedge 命令创建楔体

命令：Wedge　　执行 Wedge 命令
指定楔体的第一个角点或［中心点(C)］<0，0，0>：点取一点　　指定楔体位置
指定角点或［立方体(C)/长度(L)］：点取一点　指点楔体底面矩形
楔高：点取一点　　指定楔体高度，回车结束命令

以上各选项含义和功能说明如下：

**第一个角点**：指定楔体的第一个角点。

**立方体**：创建各条边都相等的楔体对象

**长度**：分别指定楔体的长、宽、高。其中长度与 X 轴对应，宽度与 Y 轴对应，高度与 Z 轴对应。

**中心点**(CE)：指定楔体的中心点。

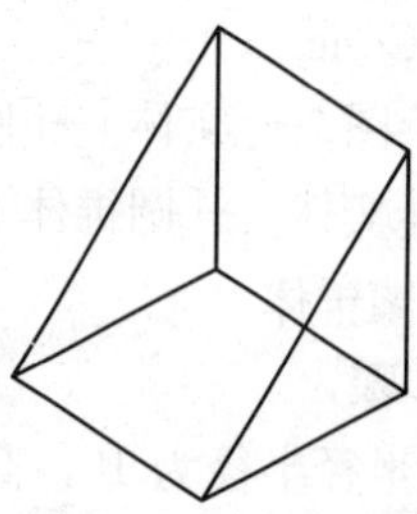

图 13-18　各条边相等的楔体

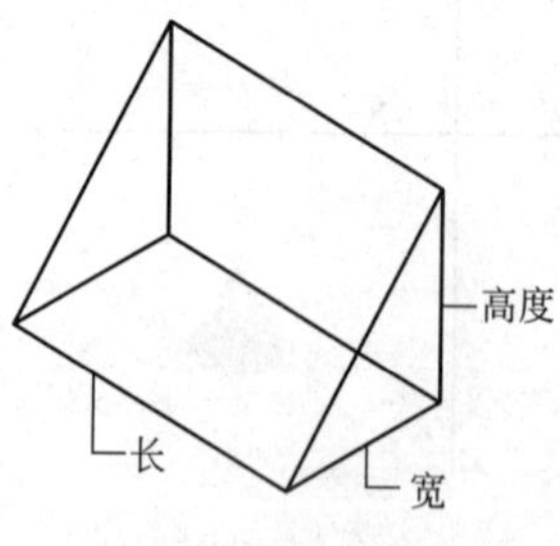


图 13-19　楔体的长宽高示意

## 13.3.6　圆环

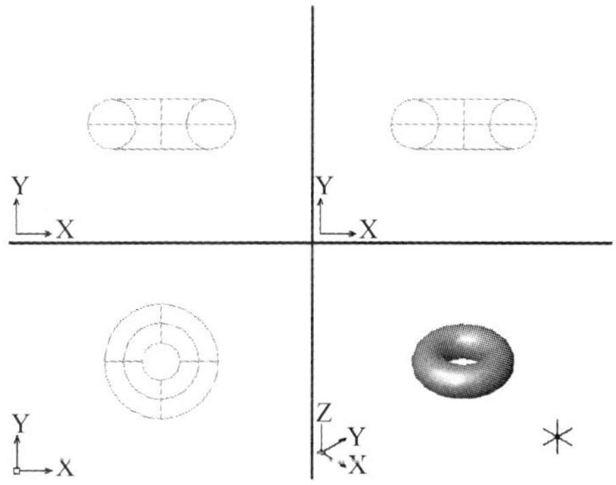


图 13-20　用 Torus 命令创建圆环

**1. 命令格式**

命令行：Torus

菜单：[绘图]→[实体]→[圆环体(T)]

工具栏：[实体]→[圆环]

绘制三维圆环实体对象。

**2. 操作步骤**

建立一个管状物半径为 10，圆环半径为 20 的圆环，如图 13-20。

| 命令：Torus | 执行 Torus 命令 |
| --- | --- |
| 圆环体中心：<0，0，0> 点取一点 | 指定圆环中心 |
| 指定圆环体的半径或[直径(D)]：20 | 指定圆环半径 |
| 指定圆管的半径或[直径(D)]：10 | 指定管状物半径，回车结束命令 |

以上各选项含义和功能说明如下：

**半径**(R)：指定圆环体的半径。

**直径**(D)：指定圆环体的直径。

**3. 注意**

圆环由两半径定义：一个是管状物的半径，另一个是圆环中心到管状物中心的距离。

若指定的管状物的半径大于圆环的半径，即可绘制无中心的圆环，即自身相交的圆环。自交圆环体没有中心孔。

## 13.3.7　拉伸

**1. 命令格式**

命令行：Extrude

菜单：[绘图]→[实体]→[拉伸(X)]

工具栏：[实体]→[拉伸]

以指定的路径或指定的高度值和倾斜角度拉伸选定的对象来创建实体。

**2. 操作步骤**

对图 13-21(*a*)中的图形进行拉伸，拉伸高度为 20，倾斜角为 30°，结果如图 13-21(*b*)。

| 命令：Extrude | 执行 Extrude 命令 |
| --- | --- |
| 选择对象：选择图形 | 指定要拉伸的图形 |
| 选择集当中的对象：1 | 提示选择对象的数量 |
| 选择对象： | 回车结束选择 |
| 指定拉伸高度或拉伸路径(P)：20 | 指定拉伸高度 |
| 指定拉伸的倾斜角度 <0>：30 | 指定拉伸倾角，回车结束命令 |

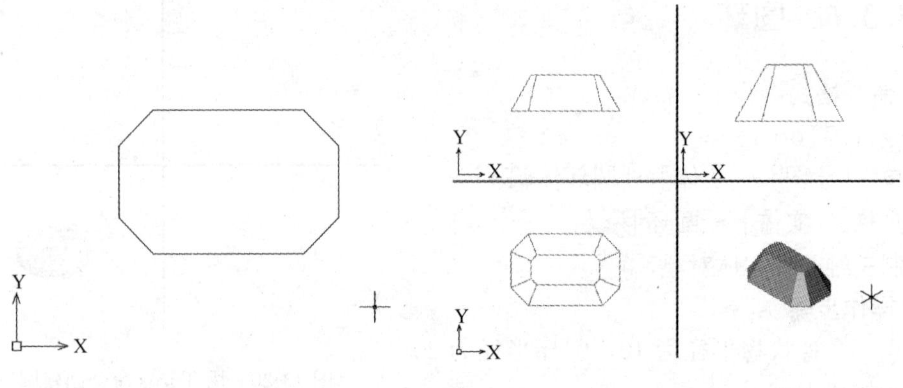


(*a*)　　　　(*b*)

图 13-21　用 Extrude 命令拉伸图形

以上各选项含义和功能说明如下：

**选择对象**：选择要拉伸的对象。可进行拉伸处理的对象有平面三维面、封闭多段线、多边形、圆、椭圆、封闭样条曲线、圆环和面域。

**指定拉伸高度**：为选定对象指定拉伸的高度，若输入的高度值为正数，则以当前 UCS 的 Z 轴正方向拉伸对象；若为负数，则以 Z 轴负方向拉伸对象。

**拉伸路径**(P)：为选定对象指定拉伸的路径，在指定路径后，系统将沿着选定路径拉伸选定对象的轮廓创建实体。

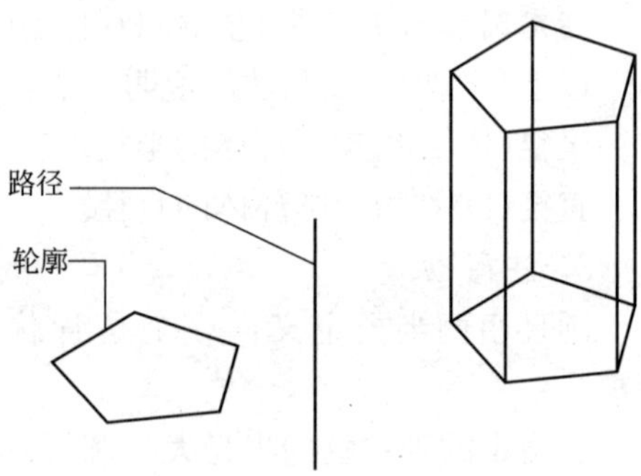


图 13-22　用路径拉伸图形示意

**3. 注意**

倾斜角度的值可为“－90—＋90”之间的任何角度值，若输入正的角度值，则从基准对象逐渐变细地拉伸，若输入的为负的角度值，则从基准对象逐渐变粗地拉伸。角度为 0 时，表示在拉伸对象时，对象的粗细不发生变化，而且是在其所在平面垂直的方向上进行拉伸。当用户为对象指定的倾斜角和拉伸高度值很大时，将导致对象或对象的一部分在到达拉伸高度之前就已经汇聚到一点。

## 13.3.8　旋转

**1. 命令格式**

命令行：Revolve

菜单：[绘图]→[实体]→[旋转(R)]

工具栏：[实体]→[旋转]

将选取的二维对象以指定的旋转轴旋转，最后形成实体。

**2. 操作步骤**

对图 13-23(*a*)中的图形进行旋转 360°，结果如图 13-23(*b*)。

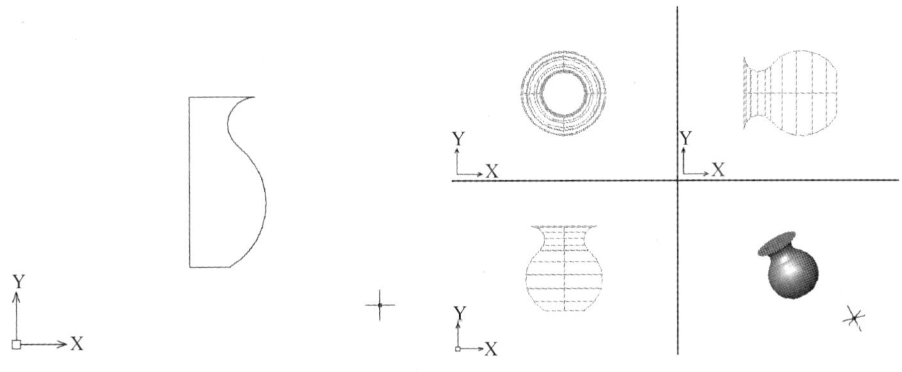


(*a*)　　　　　　　　(*b*)

图 13-23　用 Revolve 命令创建旋转体

|  |  |
| --- | --- |
| 命令：Revolve | 执行 Revolve 命令 |
| 选择对象： | 选择要旋转的图形 |
| 选择集当中的对象：1 | 提示选择对象的数量 |
| 选择对象： | 回车结束选择 |
| 指定旋转轴的起始点或定义轴物体(O)/X 轴(x)/Y 轴(y)：点选轴端点 | 指定旋转轴一端点 |
| 指定轴的终点：点选轴另一端点 | 指定旋转轴另一端点 |
| 指定旋转角度 <360>：360 | 指定旋转角度，回车结束命令 |

以上各选项含义和功能说明如下：

**旋转轴的起始点**：通过指定旋转轴上的两个点来确定旋转轴，轴的正方向为第一点指向第二点。

**物体**(O)：以选定的直线或多段线中的单条线段为旋转轴，接着围绕此旋转轴旋转一定角度，形成实体。

**X 轴**(x)：以当前用户坐标系统 UCS 的 X 轴为旋转轴，旋转轴的正方向与 X 轴正方向一致。

**Y 轴**(y)：以当前用户坐标系统 UCS 的 Y 轴为旋转轴，旋转轴的正方向与 Y 轴正方向一致。

**旋转角度**：指定旋转角度值。

## 13.3.9　剖切

### 1. 命令格式

命令行：Slice

菜单：[绘图]→[实体]→[剖切(L)]

工具栏：[实体]→[剖切]

将实体对象以平面剖切，并保留剖切实体的所有部分，或者保留指定的部分。

### 2. 操作步骤

对图 13-24(*a*)中的立方体进行剖切，留下一个四面体，结果如图 13-24(*b*)。

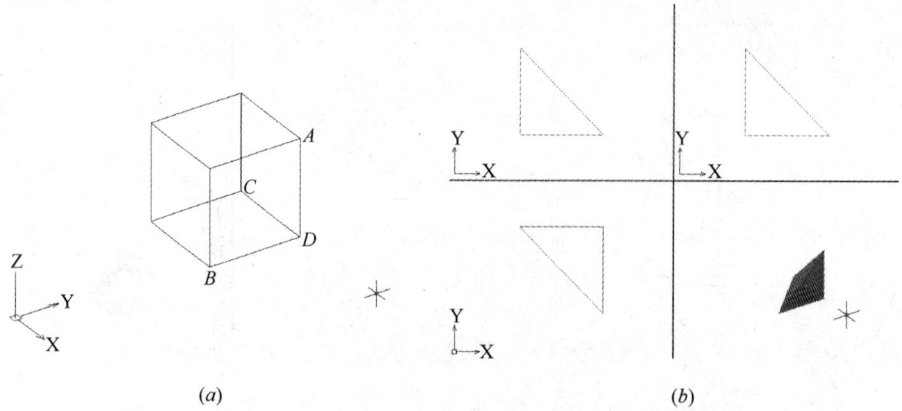


图 13-24　用 Slice 命令剖切实体

| | |
|---|---|
| 命令：Slice | 执行 Slice 命令 |
| 选择对象：点选立方体 | 指定剖切对象 |
| 选择集当中的对象：1 | 提示选择对象的数量 |
| 选择对象： | 回车结束选择 |

指定截面上的第一点或 对象(O)/轴(Z)/视图(V)/平面(XY)/平面(YZ)/平面(ZX)：点选点 A

在平面上指定第二点：点选点 B

| | |
|---|---|
| 在平面上指定第三点：点选点 C | 通过三点来确定剖切面 |
| 在要保留的一侧指定一点 | |
| 或保留两侧(B)：点选点 D | 指点保留部分，回车结束命令 |

以上各选项含义和功能说明如下：

**截面上的第一点**：通过指定三个点来定义剪切平面。

**对象**(O)：定义剪切面与选取的圆、椭圆、弧、2D 样条曲线或二维多段线对象对齐。

**轴**(Z)：通过指定剪切平面上的一个点，及垂直于剪切平面的一点定义剪切平面。

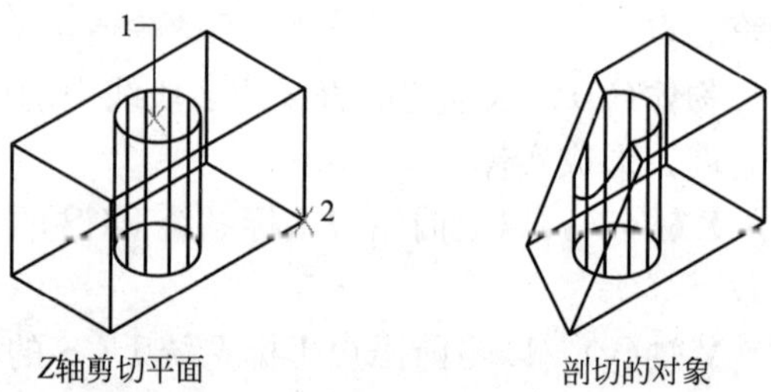


图 13-25　通过设定 Z 轴确定剪切平面

**视图**(V)：指定剪切平面与当前视口的视图平面对齐。

**平面**(XY)：通过在 XY 平面指定一个点来确定剪切平面所在的位置，并使剪切平面与当前用户坐标系统 UCS 的 XY 平面对齐。

**平面**(YZ)：通过在 YZ 平面指定一个点来确定剪切平面所在的位置，并使剪切平面与当前用户坐标系统 UCS 的 YZ 平面对齐。

**平面**(ZX)：通过在 ZX 平面指定一个点来确定剪切平面所在的位置，并使剪切平面与当前用户坐标系统 UCS 的 ZX 平面对齐。

**3. 注意**✍

剖切实体保留原实体的图层和颜色特性。

## 13.3.10 截面

**1. 命令格式**

命令行：Section

菜单：[绘图]→[实体]→[截面(E)]

工具栏：[实体]→[截面] 

以实体对象与平面相交的截面创建面域。

**2. 操作步骤**

在图13-26(*a*)中的圆柱体上，建立一个截面，其结果如图13-26(*b*)所示。

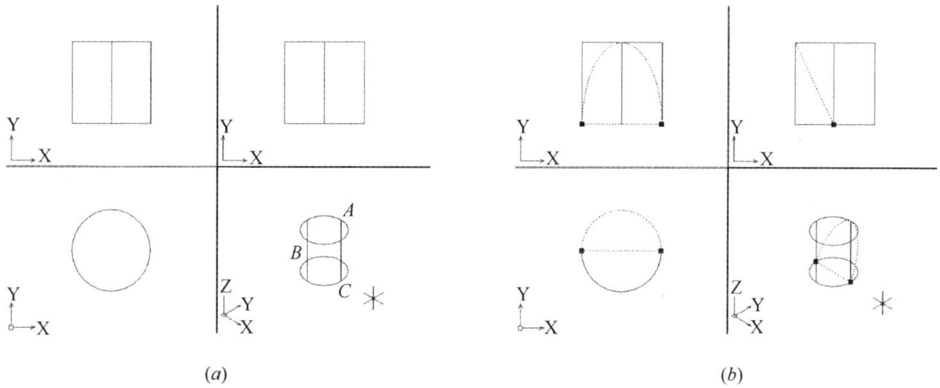


图13-26 用Section命令建立截面

| | |
|---|---|
| 命令：Section | 执行Section命令 |
| 选择对象：点选圆柱体 | 指定截面对象 |
| 选择集当中的对象：1 | 提示选择对象数量 |
| 选择对象： | 回车结束选择 |

指定截面上的第一点或 对象(O)/轴(Z)/视图(V)/平面(XY)/平面(YZ)/平面(ZX)：点选点A

在平面上指定第二点：点选点B

在平面上指定第三点：点选点C　　用三点指定截面，回车结束命令

以上各选项含义和功能说明如下：

**截面上的第一点**：通过指定三个点来定义截面。

**对象**(O)：定义截面与选取的圆、椭圆、弧、2D样条曲线或二维多段线对象对齐。

**轴**(Z)：通过指定截面上的一个点，及垂直于截面的一点定义截面。

**视图**(V)：指定截面与当前视口的视图平面对齐。

**平面**(XY)：通过在XY平面指定一个点来确定截面所在的位置，并使截面与当前用户坐标系统UCS的XY平面对齐。

**平面**(YZ)：通过在YZ平面指定一个点来确定截面所在的位置，并使截面与当前用户坐标系统UCS的YZ平面对齐。

**平面**(ZX)：通过在ZX平面指定一个点来确定截面所在的位置，并使截面与当前用户坐标系统UCS的ZX平面对齐。

## 13.3.11 干涉

**1. 命令格式**

命令行：Interfere

菜单：[绘图]→[实体]→[干涉(I)]

工具栏：[实体]→[干涉] 

选取两批实体进行比较，并用两个或多个实体的公共部分创建三维组合实体。

**2. 操作步骤**

把图 13-27(*a*)中两个实体相干涉的部分创建实体，结果如图 13-27(*b*)所示。

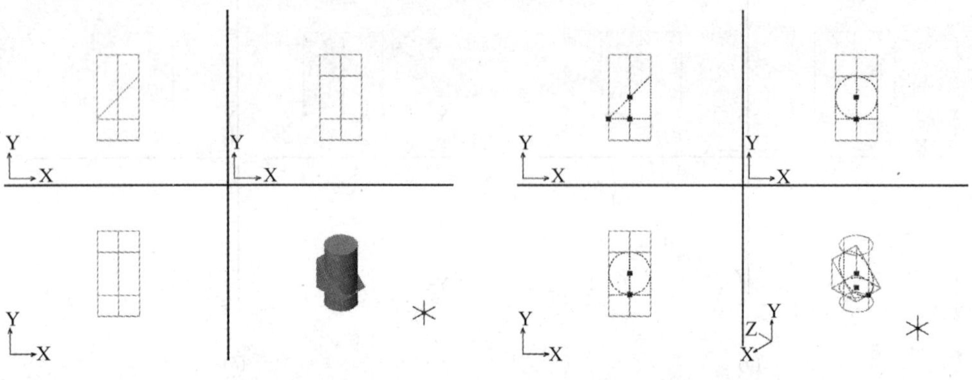


图 13-27 用 Interfere 命令创建干涉实体

| | |
|---|---|
| 命令：Interfere | 执行 Interfere 命令 |
| 选择第一批 Acis 对象：点选圆柱体 | 指定发生干涉的实体 |
| 选择集当中的对象：1 | 提示选择对象数量 |
| 选择第一批 Acis 对象： | 回车结束第一批对象的选择 |
| 选择第二批 Acis 对象：点选楔体 | 指定发生干涉的实体 |
| 选择集当中的对象：1 | 提示选择对象数量 |
| 选择第二批 Acis 对象： | 回车结束第二批对象的选择 |
| 将 1 实体同 1 实体比较．干涉实体对数目：1 | 提示发生干涉的结果 |
| 创建干涉实体吗？是(Y)/＜否(N)＞：y | 创建干涉对象 |
| 高亮显示相互干涉的实体对吗？是(Y)/＜否(N)＞： | 回车结束命令 |

**3. 注意**

Interfere 将亮显重叠的三维实体。若用户只选择第一个选择集，在提示选择第二批对象时按 ENTER 键，系统将对比检查第一集合中的全部实体。若用户在提示选择两批 ACIS 对象时定义了两个选择集，系统将对比检查第一个选择集中的实体与第二个选择集中的实体。若在两个选择集中包括了同一个三维实体，系统会将此三维实体视为第一个选择集中的一部分，而在第二个选择集中忽略它。

在选取了第二批 ACIS 对象后，按回车键系统会进行各对三维实体之间的干涉测试。重叠或有干涉的三维实体将被亮显，并显示干涉三维实体的数目和干涉的实体对。

# 13.4　编辑三维实体

## 13.4.1　并集

### 1. 命令格式

命令行：Union

菜单：[修改]→[实体编辑]→[并集(U)]

工具栏：[实体编辑]→[并集]

通过两个或多个实体或面域的公共部分将两个或多个实体或面域合并为一个整体。得到的组合实体包括所有选定实体所封闭的空间。得到的组合面域包括子集中所有面域所封闭的面积。

### 2. 操作步骤

图 13-28(*a*)中两个圆柱体垂直相交，用并集命令将这两个实体合为一个整体，结果如图 13-28(*b*)所示。

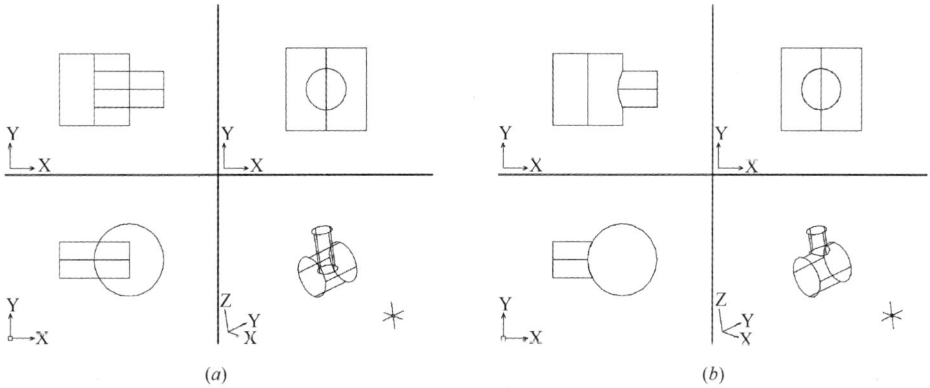


图 13-28　用 Union 命令将实体合并

| | |
|---|---|
| 命令：Union | 执行 Union 命令 |
| 选取连接的 ACIS 对象：点选一个圆柱 | 指定合并对象 |
| 选择集当中的对象：1 | 提示选择对象数量 |
| 选取连接的 ACIS 对象：点选另一个圆柱 | 指定合并对象 |
| 选择集当中的对象：2 | 提示选择对象数量 |
| 选取连接的 ACIS 对象： | 回车结束命令 |

## 13.4.2　差集

### 1. 命令格式

命令行：Subtract

菜单：[修改]→[实体编辑]→[差集(S)]

工具栏：[实体编辑]→[差集]

将多个重叠的实体或面域对象通过“减”操作合并为一个整体对象。

**2. 操作步骤**

图 13-29(*a*)中大的圆柱体和小的圆柱体相交，利用差集命令，将大圆柱体减去小圆柱体，达到在大圆柱体上打孔的效果，结果如图 13-29(*b*)所示。

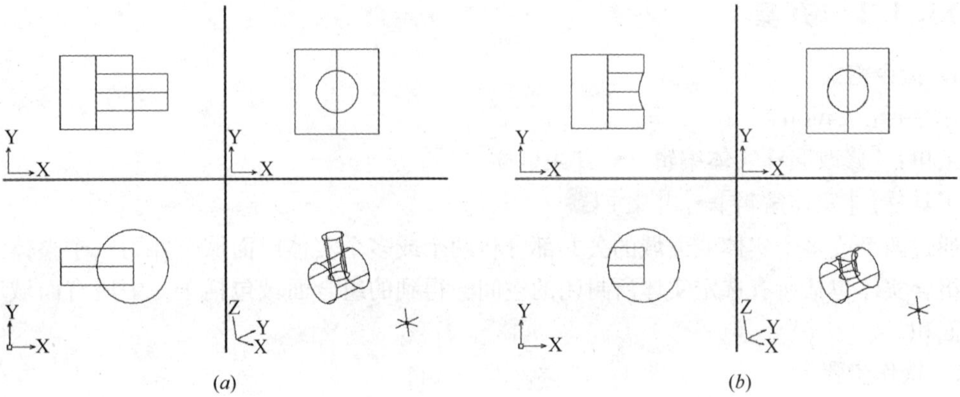

图 13-29　用 Subtract 命令将大圆柱体打孔

| | |
|---|---|
| 命令：Subtract | 执行 Subtract 命令 |
| 选择从中减去的 ACIS 对象：选择大圆柱体 | 选择需要留下的对象 |
| 选择集当中的对象：1 | 提示选择对象数量 |
| 选择从中减去的 ACIS 对象： | 回车结束选择留下的对象 |
| 选择用来减的 ACIS 对象：选择小圆柱体 | 选择除去的对象 |
| 选择集当中的对象：1 | 提示选择对象数量 |
| 选择用来减的 ACIS 对象： | 回车结束命令 |

## 13.4.3　交集

**1. 命令格式**

命令行：Intersect

菜单：[修改]→[实体编辑]→[交集(S)]

工具栏：[实体编辑]→[交集] 

选取两个或多个实体或面域的相交的公共部分交集，创建复合实体或面域，并删除交集以外的部分。

**2. 操作步骤**

将图 13-30(*a*)中两实体相交部分形成新的实体同时删除多余部分，结果如图 13-30(*b*)所示。

| | |
|---|---|
| 命令：Intersect | 执行 Intersect 命令 |
| 选取被相交的 ACIS 对象：选择一个实体 | 选择要编辑的实体 |
| 选择集当中的对象：1 | 提示选择对象的数量 |
| 选取被相交的 ACIS 对象：选择另一个实体 | 选择要编辑的实体 |
| 选择集当中的对象：2 | 提示选择对象的数量 |
| 选取被相交的 ACIS 对象： | 回车结束命令 |

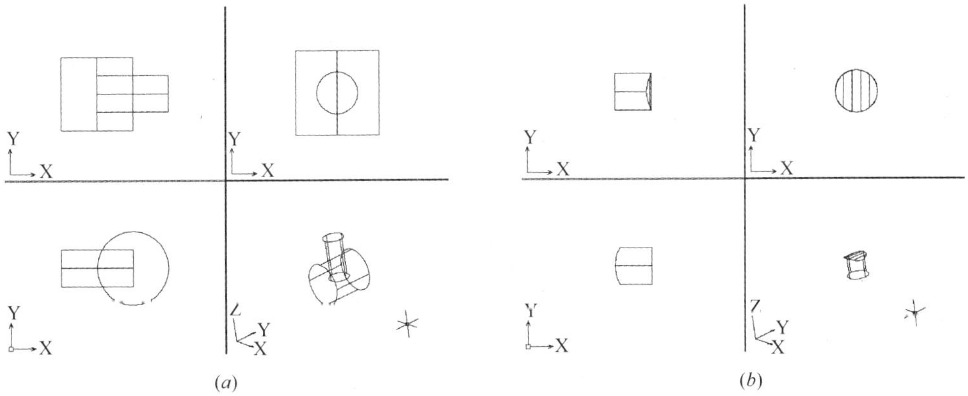


图 13-30　用 Intersect 命令留下实体相交部分

## 13.4.4　实体编辑

**1. 命令格式**

命令行：Solidedit

菜单：［修改］→［实体编辑(N)］

对实体对象的面和边进行拉伸、移动、旋转、偏移、倾斜、复制、着色、分割、抽壳、清除、检查或删除等操作。

**2. 操作步骤**

将图 13-31(*a*)中实体的一个面进行拉伸，结果如图 13-31(*b*)所示。

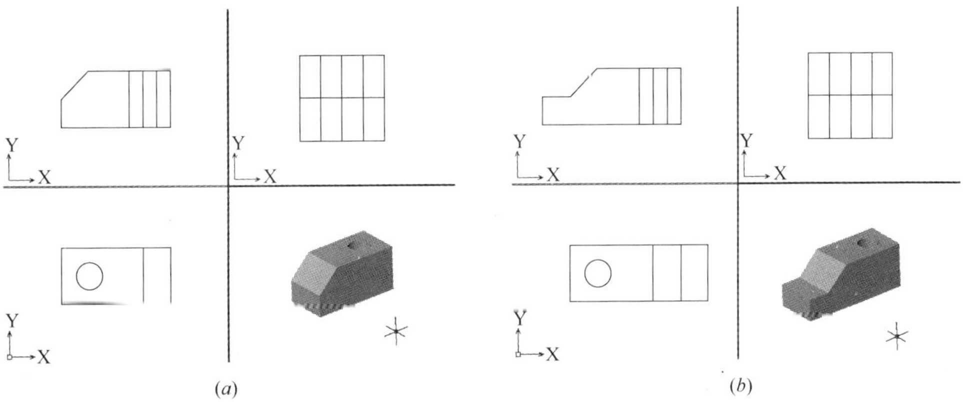


图 13-31　用 Solidedit 命令拉伸实体的一个面

命令：Solidedit　　执行 Solidedit 命令

输入一个实体编辑选项：面(F)/边(E)/体(B)/放弃(U)/<退出(X)>：F

指定对实体的面进行编辑

输入面编辑选项：拉伸(E)/移动(M)/旋转(R)/偏移(O)/倾斜(T)/删除(D)/复制(C)/着色(L)/放弃(U)/<退出(X)>：E　　指定进行拉伸操作

选择面或［删除(R)/撤销(U)］：找到 1 个面　　选择要拉伸的面

选择面或［删除(R)/撤销(U)/选择全部(A)］：　回车结束对象选择
指定拉伸高度或拉伸路径(P)：5　指定拉伸长度
指定拉伸的倾斜角度 <0>：0　指定倾角
输入面编辑选项：拉伸(E)/移动(M)/旋转(R)/偏移(O)/倾斜(T)/删除(D)/复制(C)/着色(L)/放弃(U)/<退出(X)>：　回车结束面编辑
输入一个实体编辑选项：面(F)/边(E)/体(B)/放弃(U)/<退出(X)>：
　回车结束命令

以上各选项含义和功能说明如下：

**面**(F)：编辑三维实体的面。

**拉伸**(E)：将选取的三维实体对象面拉伸指定的高度或按指定的路径拉伸。

**移动**(M)：以指定距离移动选定的三维实体对象的面。

(*a*)　(*b*)

图 13-32　用 Solidedit 命令移动面示意

**旋转**(R)：将选取的面围绕指定的轴旋转一定角度。

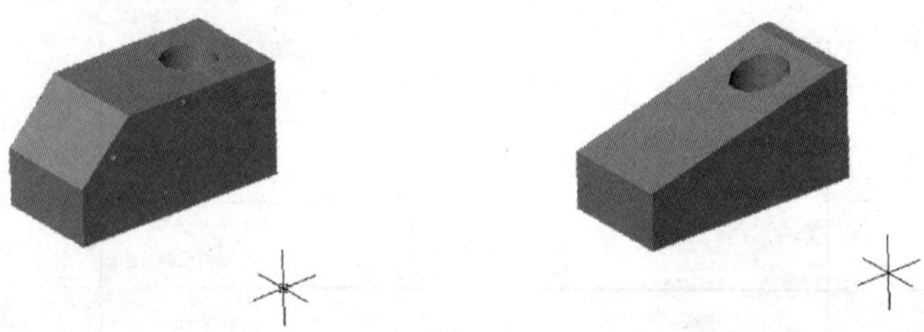

(*a*)　(*b*)

图 13-33　用 Solidedit 命令旋转面示意

**偏移**(O)：将选取的面以指定的距离偏移。

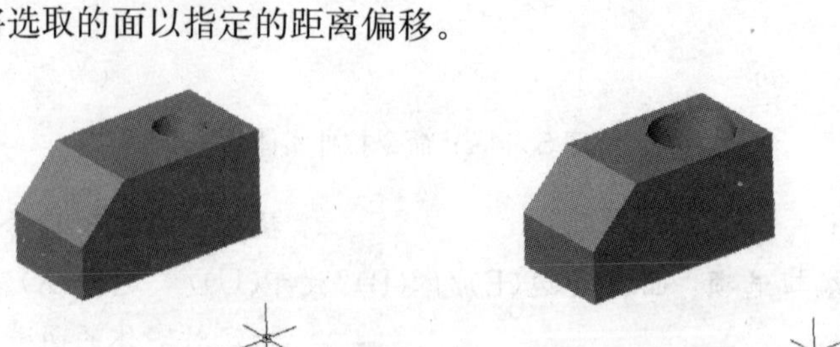

(*a*)　(*b*)

图 13-34　用 Solidedit 命令偏移孔示意

**倾斜**(T)：以一条轴为基准，将选取的面倾斜一定的角度。

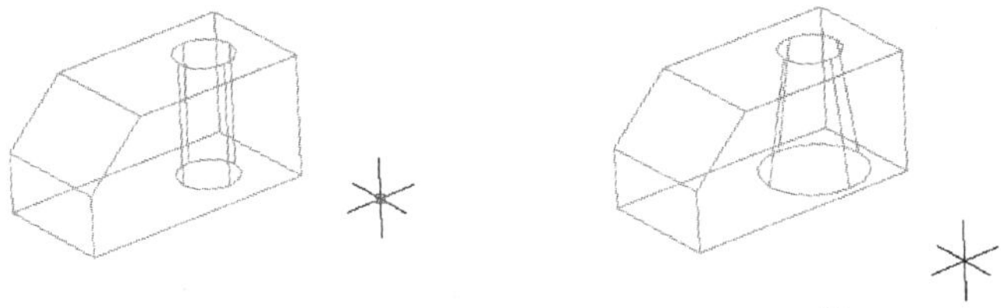

(*a*)　　(*b*)

图 13-35　用 Solidedit 命令倾斜孔示意

**删除**(D)：删除选取的面。

(*a*)　　(*b*)

图 13-36　用 Solidedit 命令删除斜面示意

**复制**(C)：复制选取的面到指定的位置。

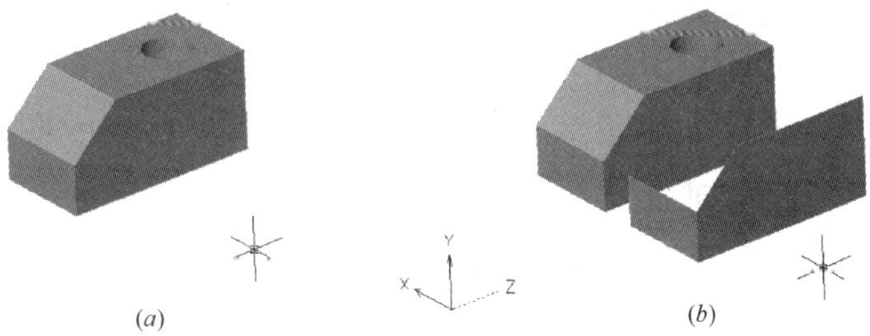


(*a*)　　(*b*)

图 13-37　用 Solidedit 命令复制面示意

**着色**(L)：为选取的面指定线框的颜色。

**边**(E)：编辑或修改三维实体对象的边。可对边进行的操作有复制、着色。

**体**(B)：对整个实体对象进行编辑。

**压印**：选取一个对象，将其压印在一个实体对象上。但前提条件是，被压印的对象必须与实体对象的一个或多个面相交。可选取的对象包括：圆弧、圆、直线、二维和三维多段线、椭圆、样条曲线、面域、体及三维实体。

图 13-38　用 Solidedit 命令压印示意

**分割实体**：将选取的三维实体对象用不相连的体分割为几个独立的三维实体对象。注意只能分割不相连的实体，分割相连的实体用“剖切”命令。

**抽壳**：以指定的厚度创建一个空的薄层。抽壳时输入的偏移距离，距离值为正，则从外开始抽壳，若为负，则从内开始抽壳。

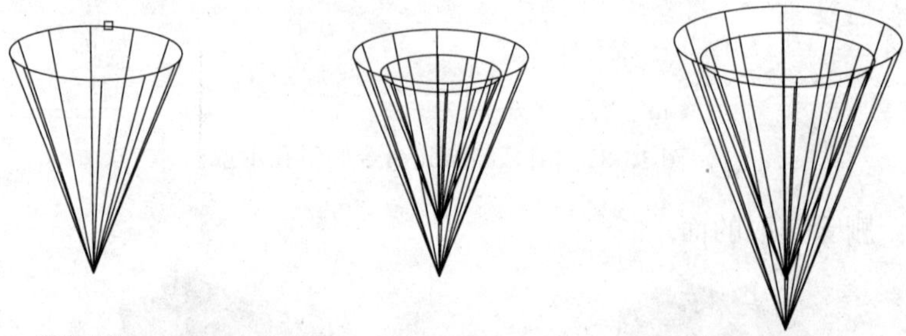


图 13-39　用 Solidedit 命令抽壳示意

**清除**：删除与选取的实体有交点的，或共用一条边的顶点。删除所有多余的边和顶点、压印的以及不使用的几何图形。

**3. 注意**✍

Solidedit 命令包含的内容有三大部分：面、边、体。其中对面的编辑最为常用，也最为复杂，用户要仔细体会每个小命令的作用。

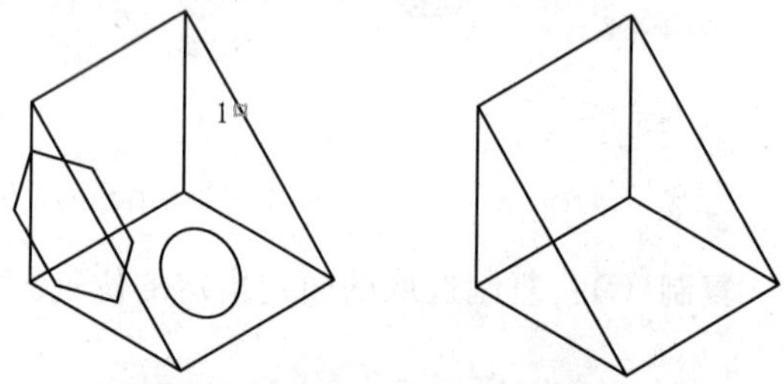


图 13-40　用 Solidedit 命令清除多余对象示意

## 13.4.5　三维阵列

**1. 命令格式**

命令行：3darray

菜单：[修改]→[三维操作(3)]→[三维阵列(3)]

在立体空间中创建三维阵列，复制多个对象。

**2. 操作步骤**

将图 13-41(*a*)中的实体按 3 行 3 列 3 层进行矩形阵列，结果如图 13-41(*b*)所示。

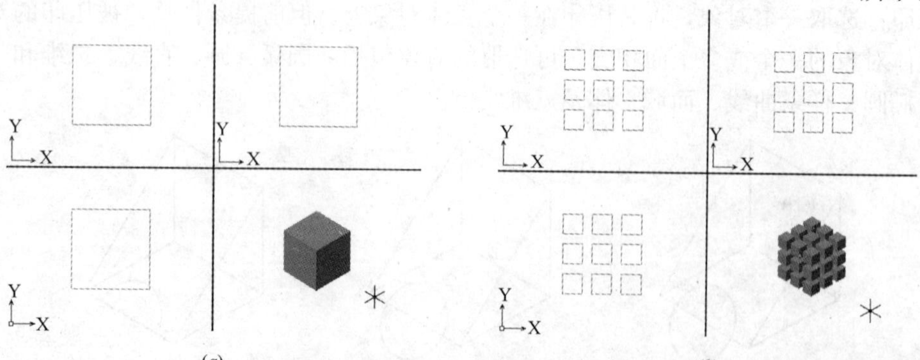


图 13-41　用 3darray 命令进行三维阵列

| | |
|---|---|
| 命令：3darray | 执行 3darray 命令 |
| 选取阵列对象：点选立方体 | 选择需阵列对象 |
| 选择集当中的对象：1 | 提示选择对象数量 |
| 选取阵列对象： | 回车结束对象选择 |
| 阵列样式：环形(P)/中心(C)/＜矩形(R)＞：R | 选择矩形阵列 |
| 阵列的行数 ＜1＞：3 | 指定行数 |
| 列数 ＜1＞：3 | 指定列数 |
| 层次数 ＜1＞：3 | 指定层数 |
| 指定行间距：15 | 指定行间距 |
| 指定列间距：15 | 指定列间距 |
| 层次的深度：15 | 指定层间距，回车结束命令 |

以上各选项含义和功能说明如下：

**环形阵列**(P)：依指定的轴线产生复制对象。

**矩形阵列**(R)：对象以三维矩形(列、行和层)样式在立体空间中复制。一个阵列必须具有至少两个行、列或层。

### 13.4.6　三维镜像

**1. 命令格式**

命令行：Mirror3d

菜单：[修改]→[三维操作(3)]→[三维镜像(M)]

以一平面为基准，创建选取对象的反射副本。

**2. 操作步骤**

将图 13-42(*a*)中的实体按端面部分进行镜像，使之成为一个对称的管路，结果如图 13-42(*b*)所示。

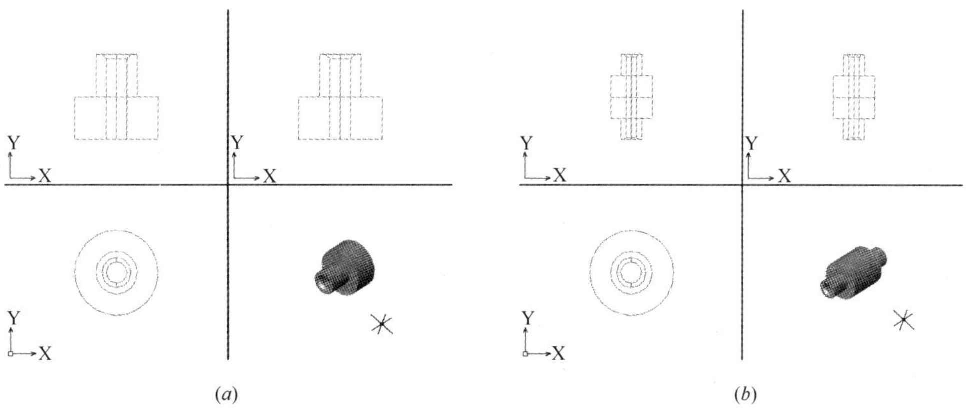


图 13-42　用 Mirror3d 命令进行三维镜像

| | |
|---|---|
| 命令：Mirror3d | 执行 Mirror3d 命令 |
| 选择对象：点选实体 | 指定需镜像的对象 |
| 选择集当中的对象：1 | 提示选择对象数量 |

选择对象：　　回车结束选择对象

确定镜面平面：对象(E)/上次(L)/视图(V)/Z 轴(Z)/X-Y 面(XY)/Y-Z 面(YZ)/Z-X 面(ZX)/<3 点面(3)>：　　点选镜像面上一点

面上第二点：　　点选镜像面上第二点

面上第三点：　　点选镜像面上第三点

删除原来对象？<否(N)>　　回车结束命令

以上各选项含义和功能说明如下：

**3 点面**：通过指定三个点来确定镜像平面。

**对象**(E)：以对象作为镜像平面创建三维镜像副本。

**上次**(L)：以最近一次指定的镜像平面为本次创建三维镜像所需要的镜像平面。

**视图**(V)：以当前视图的观测平面来镜像对象。

**Z 轴**(Z)：以平面上的一点和垂直于平面的法线上的一点来定义镜像平面。

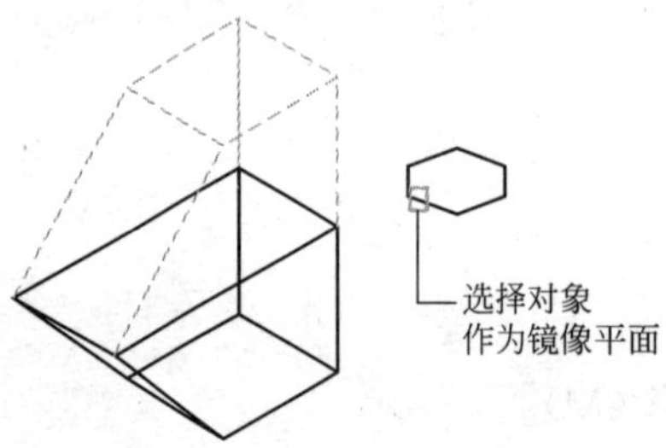


图 13-43　用选择对象方式确定镜像面

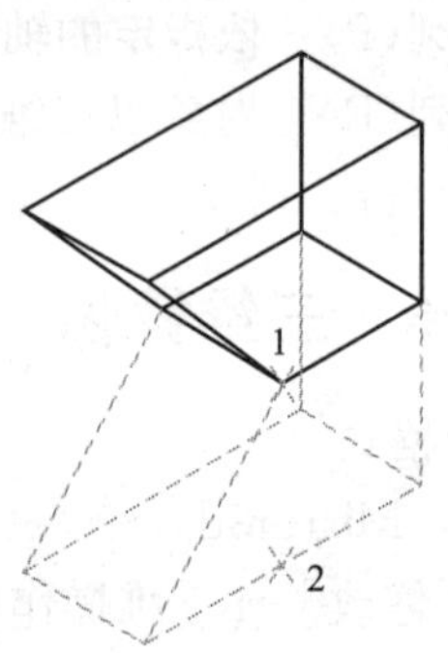


图 13-44　用法线方式确定镜像面

**X-Y 面、Y-Z 面、Z-X 面**：以 xy、yz 或 zx 平面来定义镜像平面。

## 13.4.7　三维旋转

**1. 命令格式**

命令行：Rotate3d

菜单：[修改]→[三维操作(3)]→[三维旋转(R)]

绕着三维的轴旋转对象。

**2. 操作步骤**

将图 13-45(*a*)中的实体以 *AB* 为轴，旋转 30°，结果如图 13-45(*b*)所示。

命令：Rotate3d　　执行 Rotate3d 命令

选择旋转对象：选择长方体　　选择旋转对象

选择集当中的对象：1　　提示选择对象数量

选择旋转对象：　　回车结束对象选择

指定轴上的第一点或定义轴依据[对象(O)/上次(L)/视图(V)/X 轴(X)/Y 轴(Y)/Z 轴(Z)/两点(2)]：点选点 A

指定轴上的第二点：点选点 B　　两点确定旋转轴

指定旋转角度或[参照(R)]：30　　指定旋转角度，回车结束命令

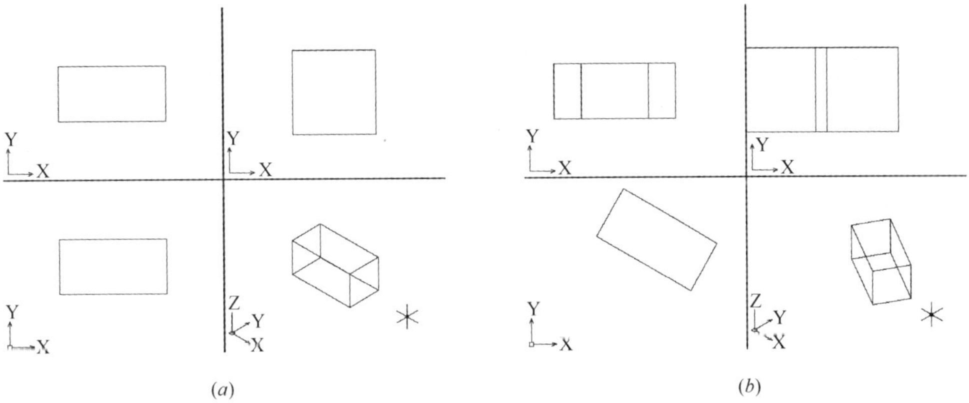


图 13-45 用 Rotate3d 命令进行三维旋转

以上各选项含义和功能说明如下：

**2 点**：通过指定两个点定义旋转轴。

**对象**(E)：选择与对象对齐的旋转轴。

**上次**(L)：以上次使用 Rotate3d 命令定义的旋转轴为此次旋转的旋转轴。

**视图**(V)：将旋转轴与当前通过指定的视图方向轴上的点所在视口的观察方向对齐。

**X 轴**：将旋转轴与指定点所在坐标系统 UCS 的 X 轴对齐。

**Y 轴**：将旋转轴与指定点所在坐标系统 UCS 的 Y 轴对齐。

**Z 轴**：将旋转轴与指定点所在坐标系统 UCS 的 Z 轴对齐。

## 13.4.8 对齐

### 1. 命令格式

命令行：Align

菜单：[修改]→[三维操作(3)]→[对齐(L)]

在二维和三维选择要对齐的对象，并向要对齐的对象添加源点，向要与源对象对齐的对象添加目标点，使之与其他对象对齐。

### 2. 操作步骤

将图 13-46(*a*)中的四棱锥对齐到立方体上，结果如图 13-46(*b*)所示。

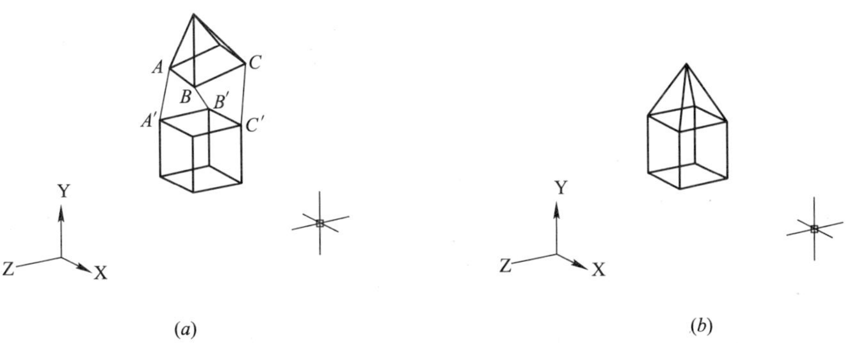


图 13-46 用 Align 命令让两实体对齐

| | |
|---|---|
| 命令：Align | 执行 Align 命令 |
| 选择对象：选择锥体 | 选择要移动的对象 |
| 选择集当中的对象：1 | 提示选择对象数量 |
| 选择对象： | 回车结束对象选择 |
| 指定第一个源点：点选点 A | |
| 指定第一个目标点：点选点 A′ | |
| 指定第二个源点：点选点 B | |
| 指定第二个目标点：点选点 B′ | |
| 指定第三个源点：点选点 C | |
| 指定第三个目标点：点选点 C′ | 回车结束命令 |

**3. 注意**

对齐命令在二维绘图的时候也可以使用。要对齐某个对象，最多可以给对象添加三对源点和目标点。

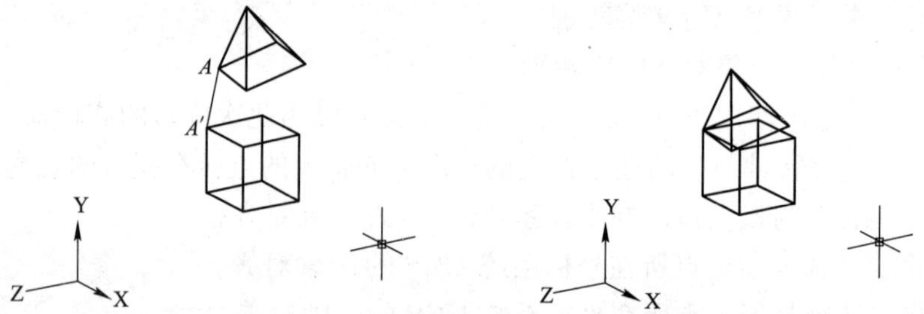


图 13-47 用 Align 命令只选择一对点的情况

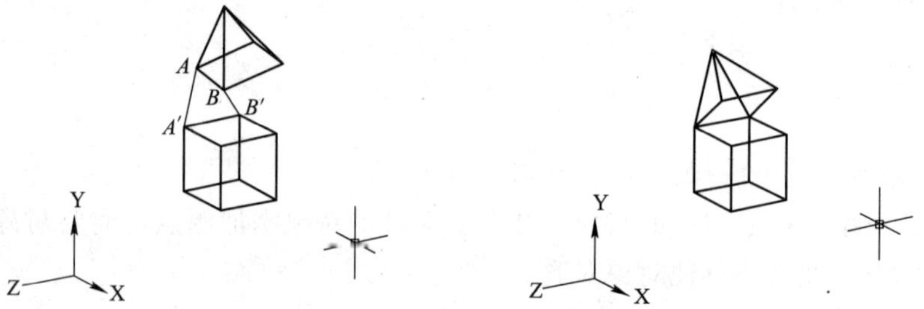


图 13-48 用 Align 命令选择两对点的情况

# 本 章 小 结

本章主要介绍了三维坐标、三维视图、三维建模和三维编辑四个方面的内容学完这章后，用户应该具有基本的三维绘图的理念，能够制作出简单的三维图纸。

# 练 习

1. 填空题

(1) 3 点定义 UCS，第一点为______，第二点为________，第三点为__________。

(2) Z 轴矢量定义 UCS，第一点为________，第二点为__________。

2. 选择题

(1) 将两个或更多的实心体合成一体用命令是（　　）。

A. SLICE　　B. UNION

C. SUBTRACTION　　D. INTERFERENCE

(2) 执行 ALIGN 命令后，选择两对点对齐，结果（　　）。

A. 物体只能在 2D 或 3D 空间中移动　　B. 物体只能在 2D 或 3D 空间中旋转

C. 物体只能在 2D 或 3D 空间中缩放　　D. 物体在 3D 空间中移动、旋转、缩放

3. 试画出下面图形。

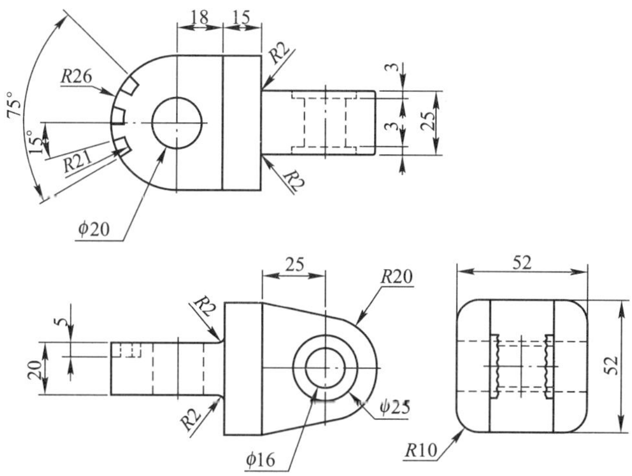


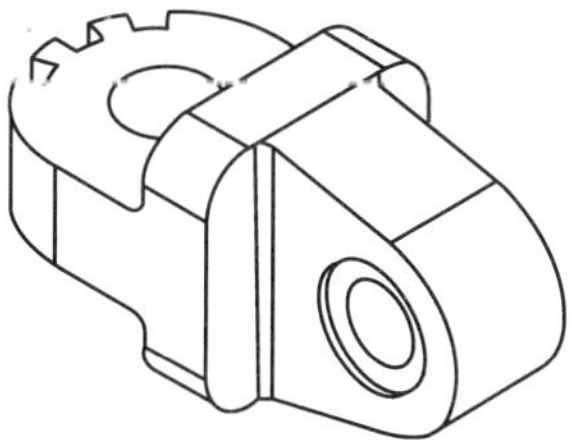

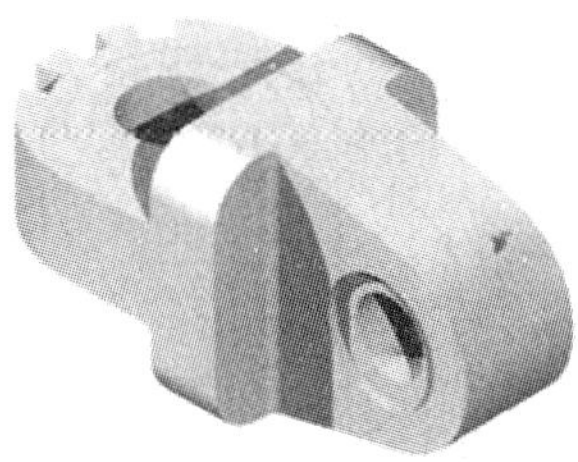

# 第 14 章　建筑软件使用概述

**1. CAD 建筑软件对系统要求**

CAD 建筑软件对计算机的要求可以参照下表：

| 硬件与软件 | 最低要求 | 推荐要求 |
|---|---|---|
| 机型 | 500mhz CPU | 1ghz 以上 CPU |
| 内存 | 128MB | 512MB 以上 |
| 显示器 | 800×600×256 色 | 1024×768×16 位 |
| 屏幕尺寸 | 4 英寸 | 17 英寸及更大 |
| 硬件与软件 | 推荐要求 | |
| 鼠标器 | 推荐新型的多键带滚轮鼠标，利用鼠标实时缩放和平移 | |
| 数字化仪 | 可切换为鼠标功能(CAD 建筑软件不使用数字化仪菜单，但支持数字化仪的定标操作)； | |
| CD-ROM | 4 倍速或更高 | |
| 绘图设备 | 根据经济能力与应用水平进行选配。出施工图可用各种笔式、喷墨打印机；校核图输出可用针式打印机；渲染效果图的输出，除了屏幕照相外，可选用彩色喷墨、热升华、热转印打印机等。 | |
| 操作系统 | 简体中文 Windows 2000、Windows XP、Windows 2003、Windows Vista | |

**2. 屏幕菜单**

CAD 建筑软件的所有功能调用都可以在 CAD 建筑软件的屏幕菜单上找到，以树状结构调用多级子菜单。所有的分支菜单都可以左键点取进入变为当前菜单，也可以右键点取弹出菜单，从而维持当前菜单不变。大部分菜单项都有图标，以方便用户更快的确定菜单项的位置。

屏幕菜单以树状结构陈列 CAD 建筑软件的所有功能，为简洁起见，菜单项一般不在其他菜单分支重复出现。但是有些菜单项可有多种用途，经常要和其他菜单一起使用，为了清楚起见，屏幕菜单的底部在源文件列出时以两条分隔线隔开，表示引用其他菜单分支下的功能。

**☺提示**

对于屏幕分辨率小于 1024×768 的用户，有些菜单项可能排列不下，这时可以右击当前菜单标题，以弹出菜单的方式列出所有菜单项。

**3. 快捷菜单**

快捷菜单又称右键菜单。在 CAD 建筑软件绘图区，单击鼠标右键(简称右击)弹出。

快捷菜单根据当前预选对象确定菜单内容，当没有任何预选对象时，弹出最常用的功能，否则根据所选的对象列出相关的命令。当光标在菜单项上移动时，CAD 建筑软件状态行给出当前菜单项的简短使用说明。

**4. 命令行**

CAD 建筑软件大部分功能都可以用命令行输入，屏幕菜单、右键快捷菜单和键盘命令三种形式调用命令的效果是相同的。对于命令行命令，以命令的拼音声母的方式提供，例如［双线墙］菜单项对应的键盘简化命令是 Shxq。

**5. CAD 建筑软件命令索引表**

| 命令 | 代　码 | 说　　明 |
|---|---|---|
| GB - BIG5 | gb_big5 | 将国标码转为 BIG5 码 |
| BIG5-GB | big5_gb | 将 BIG5 码转为国标码 |
| Z 轴归零 | ZZHGL | 把选定的图元的 Z 坐标修改为零 |
| 按列输入 | alshr | 以列为单位，分格填写表格 |
| 按行输入 | ahshr | 以行为单位，分格填写表格 |
| 半径标注 | bjbzh | 在图中标注圆弧的半径 |
| 保温层 | bwc | 在墙内侧取点生成与墙线平行的保温层线 |
| 边线擦除 | erase | 擦除选定的边线 |
| 编排序号 | bpxh | 为表行竖向排列的表格编排序号 |
| 变比例 | bbl | 改变用(插入图形)插入的图形块(或视窗)的比例因子 |
| 变米单位 | mmtom | 将以毫米为单位的标注变为以米为单位的标注 |
| 标注断开 | bzhdk | 将一个尺寸标注断开成为二个尺寸标注 |
| 标注方向 | bzhfx | 选择标注的方向 |
| 标注合并 | bzhhb | 将二尺寸个标注合并成为一个尺寸标注 |
| 标注精度 | bzhjd | 改变已标注图元小数点后的保留位数 |
| 表格绘制 | bghzh | 在图中绘制表格 |
| 表头绘制 | bthzh | 在图中绘制表头 |
| 表头入库 | btrk | 将屏幕上已绘制好的表头加入到表头库中 |
| 表线拖动 | stretch | 将部分表格线向一个方向拉长到表头库中 |
| 擦表格线 | chbgx | 擦除指定的表格线段 |
| 擦除标注 | cchbzh | 擦除制定的标注 |
| 擦分格线 | cfgx | 擦除制定的分格线 |
| 参数直梯 | cshzht | 按参数交互方式生成剖面的或可见的楼梯 |
| 层高标高 | cgbg | 只标注剖面层高的标高 |
| 层高尺寸 | cgchc | 只标注剖面层高的尺寸 |
| 层填图案 | ctta | 在选定层上封闭的曲线内填充各种剖面图案 |
| 插标准层 | chbzhce | 将标准层立面按指定层数与层高插入到整体立面图中 |
| 插标准层 | chbzhcs | 将标准层剖面插入到整体的剖面图中 |
| 插入表头 | chrbt | 将预先制好的表头插入图中 |
| 插入电梯 | chrdt | 把电梯插入途中 |
| 插入门窗 | chrmch | 将立面门窗按指定位置插入图中 |
| 插入柱子 | chrzhzh | 在图纸里面插入柱子 |
| 拆分表格 | chfbg | 将一个表格拆分成两部分 |
| 初始门窗 | chshmch | 将原形初始化为带有棂宽的中空形式 |
| 初始设置 | archconfig | 供用户在绘图前设置字体、字高、标注箭头式样等 |
| 窗变高窗 | chbgch | 把选定的窗变高 |

续表

| 命令 | 代 码 | 说 明 |
|---|---|---|
| 窗入库 | chrke | 将改绘好的立面窗加入到中望图库中 |
| 打开图层 | dktc | 打开指定图层 |
| 大剖切号 | dpqh | 绘制大剖切号 |
| 单侧变宽 | dcbk | 从单侧改变已插入图中的门窗宽度 |
| 单侧剖断 | dcpd | 绘制首层楼梯剖断的剖切线 |
| 单插阳台 | dchyt | 在立面图中插入立面阳台 |
| 单词缩放 | wrscl | 改变文字或属性文字的大小 |
| 单点旋转 | wrrot | 改变文字或属性文字的排列角度 |
| 单线变墙 | dxbq | 把单线转变为双线墙 |
| 单线变双 | stod | 将已绘制好的单线墙转换为双线墙 |
| 单线墙 | dxq | 画单线墙 |
| 单线拖动 | dxtd | 平行拖动单根表格线 |
| 单向轴剪 | dxzhj | 修剪轴线 |
| 单注标高 | dzhbg | 按取值点标注立面标高值 |
| 当前比例 | dqbl | 显示当前比例 |
| 当前墙层 | dqqc | 显示当前墙层 |
| 当前图层 | dqtc | 将用户所选图元的图层设定为当前图层 |
| 道路圆角 | dlyj | 对道路交线进行圆角处理 |
| 等径圆角 | dldjyj | 使不同节点处的墙线同时变为给定半径的圆弧墙线 |
| 地坪标高 | dpbg | 一次标注多个楼层的地坪标高 |
| 调入平面 | drpme | 建立立面多视窗配置，并调入平面图 |
| 调入平面 | drpms | 调入用来生成剖面图的标准层平面图 |
| 定义比例 | dybl | 将外部或内部的图形以块的形式拖入到图中 |
| 冻结图层 | djtc | 冻结指定图层 |
| 多边剪裁 | dbjc | 对以多边的边界的区域的图块、Line、Arc、Circle 对象进行裁剪 |
| 垛宽插窗 | dkchch | 垛宽插窗 |
| 垛宽插门 | dkchm | 垛宽插门 |
| 防水层 | fshc | 在墙侧取点生成与墙线平行的防水层线 |
| 房间面积 | fjmj | 计算房间面积 |
| 扶手接头 | fshjt | 对楼梯扶手的接头位置作细部处理 |
| 复制表行 | fzhbh | 将表格中某一行的内容复制到另一行中 |
| 复制门窗 | fzhmch | 复制选定的门窗 |
| 改变线型 | gbxk | 改变轴线的线型 |
| 改-参-数 | gcsh | 修改柱子的参数 |
| 改层文件 | gcwj | 重新定义图层的设定，将新的设定以图层文件存盘 |
| 改尺寸值 | gchczh | 修改标注的尺寸 |
| 高窗变窗 | gchbch | 将高窗变为普通窗，打断经过窗墙线 |
| 隔断隔板 | gdgb | 基于洁具绘制隔断隔板 |

续表

| 命令 | 代　码 | 说　　明 |
|---|---|---|
| 隔断剪裁 | gdjc | 剪裁隔断 |
| 隔离图层 | gltc | 隔离指定图层 |
| 隔墙定义 | gqdy | 定义一段隔墙 |
| 隔墙复制 | gqfy | 可将带门窗的双线墙复制成隔墙 |
| 关闭图层 | gbtc | 关闭指定图层 |
| 毫米单位 | mtomm | 将以米为单位的标注变为以毫米为单位的标注 |
| 横排汉字 | hphz | 将图中的文字变换成横排的设定字型的文字 |
| 弧线阳台 | hxyt | 在双线弧墙(或无墙窗)处插入弧线阳台 |
| 弧线轴网 | hxzhw | 生成弧线轴网，提供与直线轴网连接的处理 |
| 划分区格 | hfqg | 在门窗框复线范围内生成纵横方向的区格 |
| 划分网格 | hfwg | 在门窗框复线范围内生成纵横方向的网格线 |
| 画可见墙 | hkjq | 绘制剖面的可见墙线 |
| 画双线墙 | hshxqs | 绘制剖面双线墙 |
| 画围墙 | hwq | 绘制围墙 |
| 画指北针 | hzhbzh | 在图中画指北针 |
| 换立面窗 | hlmch | 把选中的窗换成图库中已有的类型 |
| 换立面门 | hlmm | 把选中的立面门换成图库中已有的类型 |
| 换剖面窗 | hpmch | 用图库中的剖面门窗替换图中现有的门窗 |
| 换阳台 | hyt | 将立面图上的阳台换成图块库中的另一种立面阳台 |
| 恢复原值 | hfyzh | 把已用(改尺寸值)修改过的尺寸数值恢复为原标注值 |
| 绘凹阳台 | hayt | 绘制凹阳台 |
| 绘外墙线 | hwqx | 逐点给出封闭区域角点，然后连成一条封闭处墙线 |
| 绘屋顶线 | hwdx | 逐个找出屋顶平面各角点，连成一条封闭屋顶线 |
| 绘制栏板 | hzhlb | 绘制楼梯栏板 |
| 绘制楼梯 | hzhlt | 绘制楼梯 |
| 绘制图框 | hzhtk | 绘制图框 |
| 加保温层 | jbwc | 在剖面墙线一侧加保温层 |
| 加窗套 | jcht | 生成全包的窗套或者窗上沿线和下沿线 |
| 加可见梁 | jkjl | 绘制可见梁 |
| 加楼梯梁 | jltl | 绘制楼梯段，休息平台板下的梁截面 |
| 加面层 | jmc | 在墙侧取点生成与墙线平行的面成线 |
| 加剖断梁 | jpdl | 绘制剖断梁 |
| 加剖断线 | jpdx | 为平面图或剖面图加剖断线 |
| 减去表列 | jqbl | 在已绘制好的轴线的表格中删去一列 |
| 减去表行 | jqbh | 在已绘制好的表格中删去一行 |
| 减去轴线 | jqzhx | 删除图中的轴线及其轴号 |
| 箭头绘制 | jthzh | 绘制指示方向的箭头及引线 |
| 箭头设置 | jtshzh | 设置箭头样式 |

续表

| 命令 | 代　码 | 说　　明 |
| --- | --- | --- |
| 交点打断 | jddd | 在两条线的交点处将直线打断 |
| 交换表列 | jhbl | 将已有表格中的两列文字互换 |
| 交线处理 | jxchl | 清理穿过柱子的墙线 |
| 角点缩放 | jdsf | 将指定期整个表格包括其内部文字以任意不同的纵横比例放大或缩小 |
| 角注弧线 | jzhhq | 标注弧线的角度 |
| 角注弧轴 | jzhhzh | 在已生成的弧线轴网上标注角度 |
| 洁具布置 | jjbzh | 在厨房或厕所中布置厨具或卫生洁具 |
| 洁具删除 | jjcch | 删除洁具 |
| 洁具替换 | jjth | 将图中洁具替换为另一种型式的洁具 |
| 洁具移动 | jjyd | 将一组洁具移动到指定位置 |
| 解冻图层 | jdtc | 解冻指定图层 |
| 解锁图层 | jstc | 将指定图层解除锁定 |
| 镜象修复 | jxxf | 将镜像后颠倒的文字恢复成可读文字 |
| 矩形边框 | jxbk | 绘制台面、大便器台阶和地沟等附件的矩形边框 |
| 矩形剪裁 | jxjc | 用矩形窗口方式剪下所需部分图形作为详图存盘 |
| 可见生成 | kjshch | 利用平面图生成剖切后的可见部分图线 |
| 空心砖 | kxzh | 填充空心砖块图案 |
| 快速标注 | ksbzh | 一次性标注多个对象的具有共同特性的尺寸值 |
| 立面地坪 | lmdp | 绘制立面地坪 |
| 立面清理 | lmql | 删除立面生成过程的中间结果，蛤保留最后建立的整体立面图形 |
| 立面台阶 | lmtj | 在立面图中绘制台阶 |
| 立面屋顶 | lmwd | 可完成多种形式的屋顶立面图设计 |
| 连接线段 | ljxd | 将两条在同一直线上的线段或两段相同的弧或直线段与圆弧相连接 |
| 连续标注 | lxbzh | 标注各楼层的层高及门窗、阳台的尺寸 |
| 连注标高 | lzhbg | 连续标注标高 |
| 梁板加粗 | lbjc | 将剖面图中的梁板剖面线向两边加粗 |
| 梁板填充 | lbtch | 为剖面图中的梁板填充剖在线 |
| 两侧加粗 | lcjc | 将墙体向两侧加粗 |
| 两点标注 | ldbzh | 为两点连线所经过的轴线、墙线、门窗、电梯等标注尺寸 |
| 楼板底线 | lbdx | 绘制楼板底线 |
| 楼板方洞 | lbfd | 在楼板上标出方洞图例 |
| 楼板圆洞 | lbyd | 在楼板上标出圆洞图例 |
| 楼梯反向 | ltfx | 将剖面图中已生成的楼梯左右翻转方向 |
| 楼梯栏板 | ltlb | 自动识别剖面楼梯与可见楼梯，绘制楼梯栏杆及扶手 |
| 楼梯栏杆 | ltlg | 自动识别剖面楼与可见楼梯，绘制楼梯栏杆及扶手 |
| 楼梯填充 | lttch | 为剖面图中的楼梯填充剖面线 |
| 门窗变宽 | mchbk | 改变已插入图中门窗的宽度 |
| 门窗标注 | mchbzh | 为图中的门窗标注尺寸 |

续表

| 命令 | 代 码 | 说 明 |
| --- | --- | --- |
| 门窗擦除 | mchcchs | 对整体的立面图进行门窗编辑，可改变窗台高\门窗的高度和宽度 |
| 门窗参数 | mchcshs | 修改剖面图中门窗的尺寸 |
| 门窗插入 | mchchrs | 插入剖面门窗 |
| 门窗复制 | mchfzhs | 复制剖面门窗 |
| 门窗名称 | mchmch | 赋予门窗名称，改变门窗名称的可见性 |
| 门窗入库 | mchrks | 把用(门窗原形)新制作的门窗块存入剖面站窗库中 |
| 门窗原形 | mchyxc | 在立面图中，选择已有门窗作为新门窗改绘的原形，并构造门窗制作的环境 |
| 门窗原形 | mchyxs | 在剖面图中，选择已有门窗作为新门窗改绘的原形，并构造门窗制作的环境 |
| 门口线 | mkx | 绘制门口线 |
| 门入库 | mrke | 将改绘好的立面门加入到中望图库中 |
| 名称翻转 | mchfzh | 将图门窗的名称文字从门窗一侧移至另一侧 |
| 名称复位 | mchfw | 将门窗名称的位置移回初始位置 |
| 内外翻转 | nwfzh | 在内外方向翻转已画在图中的门或窗 |
| 内外翻转 | jjnwfzh | 将图中的洁具进行内外方向的翻转 |
| 偶数分格 | oshfg | 用于画按偶数分格的吊顶平面 |
| 平面台阶 | pmtj | 绘制室外平面台阶 |
| 平行定位 | pxdw | 绘制平行定位线 |
| 屏幕选取 | pmxq | 从屏幕上选取洁具进行布置 |
| 剖面地坪 | pmdp | 在剖面图中加地坪线 |
| 剖面清理 | pmql | 清除除剖面图以外的其他图形 |
| 剖面檐口 | pmyk | 在剖面图中绘制剖面檐口 |
| 剖墙加粗 | pqjcs | 在剖面图中将墙线加粗 |
| 剖切生成 | pqshch | 利用调入的平面图，将剖切线经过部分生成标准层剖面 |
| 剖切索引 | pqsy | 为图中另有剖面详图的某一部分或板件注上索引号 |
| 剖梯上移 | ptshy | 沿垂直方向移动剖面楼梯 |
| 剖梯阵列 | ptzhl | 以阵列的方式排放剖面楼梯 |
| 剖线面层 | pxmc | 为剖面图中的部面楼板和楼梯加面层 |
| 剖线修补 | pxxb | 剖线修补 |
| 奇数分格 | jshfg | 用于画按奇数分格的吊顶平面 |
| 弃造门窗 | qzmche | 在立面图中，退出造门窗的环境 |
| 弃造门窗 | qzmchs | 在剖面图中，退出造门窗的环境 |
| 弃造阳台 | qzyt | 放弃继续阳台 |
| 墙端封口 | qdfk | 封闭双线墙的端头 |
| 墙厚标注 | qhbzh | 在图中标注一组墙厚尺寸 |
| 墙体复制 | qtfzh | 复制想要的墙体 |
| 墙体填充 | qttch | 为剖面图中的填充剖面图案 |
| 墙线复制 | qxfzhs | 可带门窗复制已有双线墙 |
| 墙线连接 | qxlj | 连接两条断开的墙线 |

续表

| 命令 | 代 码 | 说 明 |
| --- | --- | --- |
| 墙线删除 | qxshch | 删除整条墙线 |
| 墙线移动 | qxyd | 移动平面墙线和可见墙线，墙上的门随之改变，可借此命令来改变墙厚 |
| 墙线移动 | qxyds | 移动剖面墙线和可见墙线，剖面墙上的门随之改变，可借此命令来改变墙厚 |
| 墙线圆角 | qxyj | 使 L 形墙线变为给定半径的圆弧墙线 |
| 墙中标注 | qzhbzh | 取双线墙的中线进行尺寸标注 |
| 清理图形 | qltc | 清朝图形无用的数据，如未用的图层 \ 块定义 \ 线型 \ 字体等 |
| 曲排文字 | qpwz | 沿已有的一条 POLYLINE 线书写文字，或者直接将文字按弧线方向布置 |
| 取消加粗 | qxjc | 将已经由(墙线加粗)或(向内加粗)命令变粗的双线墙恢复原状 |
| 取消外偏 | qxwp | 使个偏的轴号恢复到原位置 |
| 取中布置 | quzhbzh | 基于墙线对中布置一个或一组洁具 |
| 取中定位 | qzhdw | 基于洁具和直线绘制取中定位线 |
| 全注标高 | qzhbg | 为剖面中选定的各图元标注标高 |
| 全注尺寸 | qzhchc | 为剖面中选定的各图元标注尺寸 |
| 删除表头 | shchbt | 删除表头 |
| 删除窗套 | shchcht | 删除窗套 |
| 删除栏板 | shchlb | 删除楼梯栏板 |
| 删除门窗 | shchmch | 删除同一面墙上的直门窗、墙洞或一个转角窗 |
| 删除剖断 | shchpd | 删除剖断 |
| 删除墙垛 | shchqd | 删除墙垛 |
| 删除图框 | shchtk | 删除图框 |
| 删除轴线 | shchzhx | 删除轴线 |
| 删-除-柱 | shchzh | 删-除-柱 |
| 删当前层 | shdqc | 删当前层 |
| 删定位线 | shdwx | 删除或冻洁定位线 |
| 上下翻转 | shxfzhe | 使标高标注作上下翻转 |
| 设窗样式 | shchysh | 设置的窗样式作为当前窗样式 |
| 设门样式 | shmysh | 设置的门样式作为当门窗样式 |
| 视梯上移 | shtshy | 沿垂直方向移动由(可见生成)命令画出的楼梯 |
| 饰面砖 | shmzh | 填充饰面砖图案 |
| 手动散水 | shdssh | 手工点取画散水的位置，绘制散水 |
| 竖排汉字 | sphz | 将图中的文字变换成竖排的设定字型的文字 |
| 双侧剖断 | shcpd | 绘制中间层楼梯的剖断 |
| 双跑楼梯 | shplt | 绘制双跑平行直楼梯段 |
| 双线隔墙 | shxgq | 绘制双线隔墙 |
| 双线楼板 | shxlb | 绘制双线楼板 |
| 双线墙 | shxq | 绘制双线墙 |
| 双线修剪 | shxxj | 剪裁双线墙 |
| 双虚直线 | shxzhx | 绘制洗槽支撑垛的双虚线 |

续表

| 命令 | 代　码 | 说　　明 |
|---|---|---|
| 顺序插窗 | shxchch | 以墙体边缘指定距离插入窗 |
| 顺序插门 | shxchm | 以墙体边缘指定距离插入门 |
| 搜外墙线 | swqx | 自动搜索建筑平面墙线的封闭区域，生成平面外墙轮廓线 |
| 搜屋顶线 | swdx | 标识出屋顶线 |
| 搜屋顶线 | swdx | 自动跨越门窗洞口搜索墙线封闭区域，生成屋顶平面轮廓线 |
| 素土夯实 | sthsh | 填充素土夯实图案 |
| 索引图号 | syth | 为图中局部详图标注索引图号 |
| 锁定图层 | sdtc | 锁定指定图层 |
| 梯板底线 | tbdx | 绘制楼梯的底板线 |
| 踢脚墙裙 | tjqq | 在剖面图中绘制以楼板和楼梯线为参照的踢脚或墙裙线 |
| 替换窗 | thch | 以新样式的窗替换掉图中的窗 |
| 替换门 | thm | 以新样式的门替换掉图中的门 |
| 替 换 柱 | thzh | 以新样式的柱替换掉图中的柱 |
| 添加道路 | tjdl | 绘制道路 |
| 添加墙垛 | tjqd | 添加墙垛 |
| 填充擦除 | tchcch | 填充擦除 |
| 填充擦除 | tchcch | 擦除图中已填充的图案 |
| 图案入库 | tark | 将用户制作的线图加入到线图案库中 |
| 图案删除 | tashch | 删除线图案库中用户建立的填充图案 |
| 图层恢复 | tchf | 恢复(图层记录)命令所记录的图层状态 |
| 图层记录 | tcjl | 保存当前图形所有图层的层名，颜色和线型等信息到指定的文件中 |
| 图层匹配 | tcpp | 将指定对象匹配到源对象图层上 |
| 图层选取 | tcxq | 图层过滤，构造一个用户需要的图元选择集或图元名与拾取点形成的表，供用户调用 CAD 命令时使用满足图层过滤的要求 |
| 图库编辑 | tkbj | 对图库目录、图标菜单结构进行用户化 |
| 图块剪裁 | tkcj | 用来对图块进行任意多边形剪裁 |
| 图块入库 | tkrk | 选取屏幕上显示的图元，做成图块加入图库 |
| 图块输出 | tkshch | 调出图库内容，选择输出图块 |
| 图框信息 | tkxx | 提取图框的属性值 |
| 图元改层 | tygc | 将所在图层上的图元改变到用户指定的图层上 |
| 图元过滤 | tygl | 以点取的图元的类型和图层、颜色为过滤的依据，构造一个仅含有用户需要图元的选择集，供调用其他命令时用 |
| 文字避让 | wzbr | 使重叠的文字按指定的方式避让开 |
| 文字编辑 | wzbj | 编辑修改图中已有的文字 |
| 文字标注 | wzbzh | 在编辑文字框内输入文字或从词库选词标注文字 |
| 文字对齐 | wzdq | 用于对齐表格中的文字 |
| 文字图名 | wztm | 在图中写入文字(中文、西文和数字均可)的图名 |
| 屋顶填充 | wdtch | 为剖面图中的檐口填充剖面线 |
| 无墙插窗 | wqchch | 再任意位置插入窗 |

续表

| 命令 | 代码 | 说明 |
|---|---|---|
| 显楼板线 | xlbx | 显楼板线 |
| 显示标层 | xshbc | 在单视窗状态下，显示标准层立面 |
| 显示立面 | xshlm | 在单视窗状态下，显示立面图 |
| 显示平面 | xshpm | 在单视窗状态下，显示平面图 |
| 显示剖面 | xshpom | 显示剖面 |
| 显示全部 | xshqb | 显示全部对象 |
| 显示图框 | xshtk | 显示图框 |
| 线变复线 | xbfx | 将若干彼此相连的 Line(线)，Arc(弧)，Polyline(复线)连接成整段的 polyline(复线) |
| 线图案 | xta | 向用户开放的自定义填充图案库管理程序，其中包括有十多种预定义系统填充图案 |
| 线型变比 | xxbb | 改弯图中已有图元的线型比例 |
| 向内加粗 | xnjc | 将剖面图中的梁板部面线向内加粗 |
| 消重轴线 | xchzhx | 删除重合的轴线 |
| 小剖切号 | xpqh | 在图中标注断面剖切符号 |
| 写表文字 | xbwz | 在已画好的表格内填写文字 |
| 新窗入库 | xchrk | 将新创建的窗样式加入图库中 |
| 新门入库 | xmrk | 将新创建的门样式加入图库中 |
| 行列输入 | hlshr | 以行、列为单位，分格填写表格 |
| 休息平台 | xxpt | 绘制与梯段相连的休息平台剖面线 |
| 修改栏板 | xglb | 修改楼梯的栏板参数 |
| 虚实变换 | xshbh | 使线型在虚线与实线之间进行切换 |
| 旋转 180 | xzhPI | 将门窗旋转 180° |
| 延长定位 | ychdw | 基于洁具和直线延长定位线 |
| 沿直墙注 | yzhqzh | 沿直墙注门、窗及轴线的相关尺寸 |
| 阳台擦除 | ytcch | 擦除指定的阳台 |
| 阳台入库 | ytrk | 将改绘好的立面阳台加入到中望图库的“立面阳台”目录中 |
| 阳台原形 | ytyx | 选择要替换的阳台图块块作为原形并炸开，构造一个制作阳台的环境 |
| 移动门窗 | ydmch | 移动同一面墙上的直门窗、墙洞或一个转角窗 |
| 移-动-柱 | ydzh | 按指定的方向和距离移动柱子 |
| 阴角阳台 | yjyt | 绘制阴角阳台 |
| 引出标注 | ychbzh | 可用引线引出来对多个标注点做同一内容的标注 |
| 隐藏图框 | yctk | 隐藏图框 |
| 隐楼板线 | ylbx | 隐楼板线 |
| 隐去图层 | yqtc | 关闭(Off)或冻结(Freeze)用户指定的图层 |
| 雨水管 | yshg | 按给定的位置生成竖直向下的雨水管 |
| 预制楼板 | yzhlb | 绘制预制楼板 |
| 造标准层 | zbzhc | 创建标准层 |
| 造门窗表 | zmchb | 统计并绘制当前图形中门窗的相关数据 |
| 增加表列 | zjbl | 在已绘制好的表格中增加一列或多列 |

续表

| 命令 | 代 码 | 说 明 |
|---|---|---|
| 增加表行 | zjbh | 在已绘制好的表格中增加一行或多行 |
| 增加窗套 | zjcht | 为平面图中的窗加窗套 |
| 增加轴线 | zjzhx | 在指定位置增加轴线 |
| 整体移墙 | zhtyq | 将墙线移动指定的距离 |
| 直接引注 | zhjyzh | 用引线引出来在线上或线尾 |
| 直线阳台 | zhxyt | 在双线直墙(或无墙窗结构)处插入直线阳台 |
| 直线轴网 | zhxzhw | 生成正交轴网、斜六轴网或单向轴网 |
| 指向索引 | zhxsy | 为图中另有详图的某一部分或构件上索引号 |
| 制新窗 | zhxch | 绘制自定义的窗样式 |
| 制新门 | zhxm | 绘制自定义的门样式 |
| 置当前层 | zhdqc | 设置当前操作的图层 |
| 中点插窗 | zhdchch | 在墙体剧中处插入窗 |
| 中点插门 | zhdchm | 在墙体剧中处插入门 |
| 轴改线型 | zhgxx | 更改轴线的线型 |
| 轴号拖动 | zhhtd | 沿尺寸界线方向拖动带轴号的轴网标注线的位置 |
| 轴号外偏 | zhhwp | 调整已标注的轴号，使轴号向外偏，避免其重叠 |
| 轴号移动 | zhhyd | 沿尺寸界线方向移动带轴号的轴网标注线的位置 |
| 轴网标注 | zhwbzh | 在已生成的双向轴网上标注轴线号和尺寸 |
| 轴网插柱 | zhwchzh | 在轴网里插入柱子 |
| 轴网建墙 | zhwjq | 在轴网里生成墙体 |
| 轴线变号 | zhxbh | 更改轴线的编号 |
| 轴线开关 | zhxkg | 开关轴线层(共有三种状态) |
| 轴线修剪 | zhxxj | 剪裁部分轴线 |
| 逐点标注 | zhdbzh | 为直线所相交的轴线、墙线、门窗、电梯等较长元及点取的点标注尺寸 |
| 逐点轴标 | zhdzhb | 对多组同方向的轴线及无轴网的单线墙作标注 |
| 逐个生成 | zhgshch | 输入或修改基本参数设置，对各物体逐个生成在标准层上的立面形象 |
| 注坐标点 | zhzbd | 标注平面图上某点的坐标 |
| 柱平墙皮 | zhpqp | 平移柱子到齐平墙皮 |
| 柱双线墙 | zhshxq | 在已插入柱子的平面图中绘制双线直墙，折墙或弧墙 |
| 转角阳台 | zhjyt | 在直线墙(或无墙窗)的转角处生成转角阳台 |
| 字表擦除 | zbcch | 擦除指定层上选定的表线和文字 |
| 字型参数 | zxcsh | 设定中西文字型参数 |
| 自动散水 | zhdssh | 自动搜索外墙线，绘制散水 |
| 自然土壤 | zrtr | 填充自然土壤图案 |
| 左右翻转 | zyfzh | 左右翻转门窗 |
| 左右翻转 | jjzyfzh | 洁具左右翻转 |
| 左右翻转 | zyfzhs | 在剖面图中，左右翻转门窗 |
| 左右翻转 | zyfzhe | 在立面图中，左右翻转门窗 |
| 作法标注 | zfbzh | 用来标注工程作法 |

# 附录 A　CAD 快捷键

| 别名(快捷键) | 执行指令 | 命令说明 |
|---|---|---|
| 符号键(CTRL 开头) | | |
| CTRL+1 | PROPCLOSEOROPEN | 对象特性管理器 |
| CTRL+2 或 4 | ADCENTER | 设计中心 |
| CTRL+3 | TOOLPALETTES | 工具选项板 |
| CTRL+8 或 QC | QuickCalc | 快速计算器 |
| 控制键 | | |
| CTRL+A | AI_SELALL | 全部选择 |
| CTRL+C 或 CO/CP | COPYCLIP 或 COpy | 复制 |
| CTRL+D 或 F6 | COORDINATE | 坐标(相对和绝对) |
| CTRL+E 或 F5/IS | ISoplane | 等轴测平面 |
| CTRL+H 或 SET | SETvar | 系统变量 |
| CTRL+K | hyperlink | 超级链接 |
| CTRL+N 或 N | New | 新建 |
| CTRL+O | OPEN | 打开 |
| CTRL+P | PRINT | 打印 |
| CTRL+Q 或 ALT+F4 | Quit 或 EXIT | 退出 |
| CTRL+S 或 SA | QSAVE 或 SAve | 保存 |
| CTRL+T 或 F4/TA | TAblet | 数字化仪初始化 |
| CTRL+V | PASTECLIP | 粘贴 |
| CTRL+X | CUTCLIP | 剪切 |
| CTRL+Y | REDO | 重做 |
| CTRL+Z | Undo | 放弃 |
| 组合键 | | |
| CTRL+SHIFT+A 或 G | Group | 切换组 |
| CTRL+SHIFT+C | copybase | 使用基点将对象复制到 Windows 剪贴板 |
| CTRL+SHIFT+S | saveas | 另存为 |
| CTRL+SHIFT+V | pasteblock | 将 Windows 剪贴板中的数据作为块进行粘贴 |
| CTRL+ENTER | | 要保存修改并退出多行文字编辑器 |
| 功能键 | | |
| F1 | HELP | 帮助 |
| F2 | PMTHIST | 文本窗口 |
| F3 或 CTRL+F/ OS | OSnap | 对象捕捉 |
| F7 或 GI | GrId | 栅格 |

续表

| 别名(快捷键) | 执行指令 | 命令说明 |
|---|---|---|
| **功能键** | | |
| F8 | ORTHO | 正交 |
| F9 | SNAP | 捕捉 |
| F10 | | 极轴 |
| F11 | | 对象捕捉追踪 |
| F12 | CMDBAR | 命令条 |
| **换挡键** | | |
| CTRL+F6 或 CTRL+TAB | 打开多个图形文件，切换图形 | |
| ALT+F8 | VBARUN | VBA 宏命令 |
| ALT+F11 | VBA | Visual Basic 编辑器 |
| **CAD 命令及简化命令** | | |
| A | Arc | 圆弧 |
| B | Block | 创建块 |
| C | Circle | 圆 |
| D | Ddim | 标注样式管理器 |
| E | Erase | 删除 |
| F | Fillet | 圆角 |
| L | Line | 直线 |
| M | Move | 移动 |
| O | Offset | 偏移 |
| P | Pan | 实时平移 |
| R | Redraw | 更新显示 |
| S | Stretch | 拉伸 |
| W | Wblock | 写块 |
| Z | Zoom | 缩放 |
| X | eXplode | 分解 |
| H 或 BH | bHatch | 图案填充 |
| I | ddInsert 或 INSERT | 插入块 |
| AL | ALign | 对齐 |
| AP | APpload | 加载应用程序 |
| AR | ARray | 阵列 |
| BA | BAse | 块基点 |
| BO 或 BPOLY | BOundary | 边界 |
| BR | BReak | 打断 |
| CH | CHange | 修改属性 |
| DI | DIst | 距离 |
| DO | DOnut | 圆环 |
| DV | DView | 命名视图 |

续表

| 别名(快捷键) | 执行指令 | 命令说明 |
| --- | --- | --- |
| CAD 命令及简化命令 | | |
| DX | DXfout | 输入 DXF 文件 |
| EL | ELlipse | 椭圆 |
| EX | EXtend | 延伸 |
| FI | FIlter | 图形搜索定位 |
| HI | HIde | 消隐 |
| ID | IDpoint | 三维坐标值 |
| IM | IMage | 图像管理器 |
| IN | INtersect | 交集 |
| LA | LAyer | 图层特性管理器 |
| LI 或 LS | LIst | 列表显示 |
| LW | LWeight | 线宽 |
| MA | MAtchprop | 特性匹配 |
| ME | MEasure | 定距等分 |
| MI | MIrror | 镜像 |
| ML | MLine | 多线 |
| MS | MSpace | 将图纸空间切换到模型空间 |
| MT 或 T | Mtext 或 mText | 多行文字 |
| MV | MView | 控制图纸空间的视口的创建与显示 |
| OR | ORtho | 正交模式 |
| OP | OPtions | 选项 |
| OO | OOps | 取回由删除命令所删除的对象 |
| PA | PAstespec | 选择性粘贴 |
| PE | PEdit | 编辑多段线 |
| PL | PLine | 多段线 |
| PO | POint | 单点或多点 |
| PS | PSpace | 切换模型空间视口到图纸空间 |
| PU | PUrge | 清理 |
| QT | QText | 快速文字功能的打开或关闭 |
| RE | REgen | 重生成 |
| RO | ROtate | 旋转 |
| SC | SCale | 比例缩放 |
| SE | SEttings | 草图设置 |
| RM | ddRModes | |
| SL | SLice | 实体剖切 |
| SN | SNap | 限制光标间距移动 |
| SO | SOlid | 二维填充 |
| SP | SPell | 检查拼写 |

续表

| 别名(快捷键) | 执行指令 | 命令说明 |
|---|---|---|
| CAD 命令及简化命令 | | |
| ST | STyle | 文字样式 |
| SU | SUbtract | 差集 |
| TH | THickness | 设置三维厚度 |
| TI | TIlemode | 控制最后一个布局(图纸)空间和模型空间的切换 |
| TO | TOolbar | 工具栏 |
| TR | TRim | 修剪 |
| UC | UCsman | 命名 UCS |
| VS | Vslide 或 Vsnapshot | 观看快照 |
| WE | WEdge | 楔体 |
| XL | XLine | 构造线 |
| XR | XRef | 外部参照管理器 |
| TM | TiMe | 时间 |
| TX 或 DT | TeXt 或 DText | 单行文字 |
| VL | VpLayer | 控制视口中的图层显示 |
| RI | ReInit | 重新加载或初始化程序文件 |
| RA | RedrawAll | 重画 |
| RR | RendeR | 渲染 |
| WI | WmfIn | 输入 WMF |
| WO | WmfOut | 输出 WMF |
| TO | TbcOnfig | 自定义工具栏 |
| LT | LineType | 线型管理器 |
| BM | BlipMode | 标记 |
| DN | DxfiN | 加载 DXF 文件 |
| HE | HatchEdit | 编辑填充图案 |
| IO | InsertObj | OLE 对象 |
| LE | qLEader | 快速引线 |
| AA | AreA | 面积 |
| AD | AttDisp | 属性 |
| AX | AtteXt | 属性提取 |
| 3A | 3dArray | 三维阵列 |
| 3F | 3dFace | 三维面 |
| 3P | 3dPoly | 三维多段线 |
| VP | ddVPoint | 视点预置 |
| UC | ddUCs | 命名 UCS 及设置 |
| UN | ddUNits | 单位 |
| ED | ddEDit | 编辑 |
| APE | APErture | 设置对象捕捉靶框的大小 |

续表

| 别名(快捷键) | 执行指令 | 命令说明 |
|---|---|---|
| CAD 命令及简化命令 | | |
| CHA | CHAmfer | 倒角 |
| DIM | DIMension | 访问标注模式 |
| DIV | DIVide | 定数等分 |
| EXP | EXPort | 输出 |
| EXT | EXTrude | 面拉伸 |
| IMP | IMPort | 输入 |
| LEN | LENgthen | 拉长 |
| LTS | LTScale | 线型的比例系数 |
| POL | POLygon | 正多边形 |
| PRE | PREview | 打印预览 |
| REC | RECtangle | 矩形 |
| REG | REGion | 面域 |
| REV | REVolve | 实体旋转 |
| RPR | RPRef | 渲染设置 |
| SCR | SCRipt | 运行脚本 |
| SEC | SECtion | 实体截面 |
| SHA | SHAde | 着色 |
| SPL | SPLine | 样条曲线 |
| TOL | TOLerance | 几何公差 |
| TOR | TORus | 圆环体 |
| UNI | UNIon | 并集 |
| DST | DimSTyle | 标注样式 |
| DAL | DimALigned | 对齐标注 |
| DAN | DimANgular | 角度标注 |
| DBA | DimBAseline | 基线标注 |
| DCE | DimCEnter | 圆心标记 |
| DCO | DimCOntinue | 连续标注 |
| DDI | DimDIameter | 直径标注 |
| DED | DimEDit | 编辑标注 |
| DLI | DimLInear | 线性标注 |
| DOR | DimORdinate | 坐标标注 |
| DJO 或 JOG | DimJOgged | 折弯标注 |
| DOV | DimOVerride | 标注替换 |
| DRA | DimRAdius | 半径标注 |
| DJL | DimJogLine | 折弯线性 |
| IAD | ImageADjust | 图像调整 |
| IAT | ImageATtach | 附着图像 |

续表

| 别名(快捷键) | 执行指令 | 命令说明 |
| --- | --- | --- |
| **CAD 命令及简化命令** | | |
| ICL | ImageCLip | 图像剪裁 |
| ATE | ddATtE 或 ATTEDIT | 单个编辑属性 |
| ATT | ddATTdef | 定义属性 |
| COL | setCOLor | 选择颜色 |
| INF | INterFere | 干涉 |
| REA | REgenAll | 全部重生成 |
| SPE | SPlinEdit | 编辑样条曲线 |
| LEAD | LEADer | 引线 |
| CLIP | xCLIP | 外部参照剪裁 |
| RMAT | MATERIALS | 材质 |
| EDITGB | BACKGROUND | 背景 |

熟记以上命令，将使您事半功倍，可最先掌握一个或者两个字母的命令，再逐渐扩展。这也是锻炼左手应用左手操作的机会。

# 附录B 练 习 答 案

第一章 略

第二章

1. 略

2. 略

3. 填空题

(1) 世界、用户

(2) 角度

第三章

1. 选择题

(1) B

(2) D

2. 略

第四章

1. 选择题

(1) C

(2) C

(3) B

(4) D

2. 略

第五章 略

第六章

1. 填空题

(1) shift

(2) dist

2. 选择题

(1) B

(2) A

(3) A

3. 略

4.

(1) C

(2) 153.400

(3) 81.814

(4) 43.012
(5) 94.311

**第七章**

1. 选择题
(1) B
(2) D
(3) C
2. 略

**第八章**

1. 填空题
(1) 单行文字、多行文字
(2) 字体、字体宽度、倾斜角度
2. 略
3. 略
4. 略
5. 略

**第九章**

1. 填空题
(1) 尺寸界限、尺寸文字
(2) 形状、位置
2. 略
3. 略
4. 略

**第十章**

1. 填空题
(1) block、wblock
(2) 嵌套
2. 选择题
(1) B
(2) A
3. 略
4. 略

**第十一章**

1. 填空题
(1) 命名相关打印样式
(2) 图形界限\显示
2. 选择题
(1) B
(2) AB

(3) B

**第十二章　略**

**第十三章**

1. 填空题

(1) 原点、X 轴方向、Y 轴方向

(2) 原点、Z 轴方向

2. 选择题

(1) B

(2) D

3. 略